RUTA PARA UN SUEÑO

La fuerza de un equipo

MAICKEL MELAMED

 Planeta

RUTA PARA UN SUEÑO

La fuerza de un equipo

MAICKEL MELAMED

Ruta para un sueño. La fuerza de un equipo

© Maickel Melamed, 2014
© Editorial Planeta Venezolana, 2014

Av. Libertador con calle Alameda,
Torre Exa, piso 3, oficina 301, Chacao, Caracas.

Primera edición: noviembre de 2014
Tiraje: 5.000 ejemplares

Segunda edición: diciembre de 2015
Tiraje: 3.000 ejemplares

Depósito legal: If52220138002597
ISBN: 978-980-271-451-3

Impreso por Editorial Arte, S.A.
Impreso en Venezuela - *Printed in Venezuela*

Editor: Roberto Echeto
Corrección: Virgilio Armas Acosta
Diseño y diagramación: Myrian Luque

Fotografía de portada: Romina Hendlin
Fotografía de contraportada: Manuel Sardá

Índice

Dedicado a Dios, el mayor protagonista de esta historia.

A Maite Iglesias, quien fue una abanderada del amor que construye y parte fundamental de este libro que hoy leerá desde el cielo. Te amo por siempre.

A la familia, el equipo original.

A la amistad, origen de lo más puro.

Al sudor constante, creador de lo grande a través de lo pequeño.

A todos los seres que escogieron amar sin preguntar, amar sin entender, creer sin resultados aparentes, aportar con la certeza de que su mayor recompensa sería ser fuente de posibilidad humana para otros.

A la magia humana que se da al ubicarte fuera de tu frontera vital, donde se dan los encuentros sorprendentes con las posibilidades que van más allá de lo evidente. Donde realmente te descubres, infinito y parte de un infinito mayor.

A quienes están hambrientos por amar, emprender, construir y compartir humanidad. Porque ellos son causa y efecto de todo lo ocurrido, así como de lo que ocurrirá.

Introducción

Siempre he pensado que lo más interesante del sueño de cualquier persona no se encuentra al final de su conquista, cuando se concreta, sino cuando se da inicio a su concepción. La máxima intensidad emocional está en la aventura de comenzar a tomar acciones para hacer realidad un sueño.

La emoción que se siente al comenzar a trabajar para alcanzar un sueño es inigualable. Es como volver a nacer. Creo que esa es la emoción más grande que cualquiera puede sentir; es como conquistar un amor y todo es posibilidad pura.

El maratón de Nueva York era un anhelo que iba conmigo día y noche desde el año 2009. Mi hambre de aventura se renovaba y mi sistema orgánico me decía que tenía la necesidad de probar mis límites a lo grande nuevamente. ¿Se pueden imaginar lo que significó para mí estar en Nueva York a finales del 2011, después de soñar durante tanto tiempo?

Eso es solo una parte de lo que quisiera contarles en este libro. No solo lo que esos cuarenta y dos kilómetros significaron para mí y cómo cambiaron mi vida, sino cómo lo vivió el gran equipo del cual formé parte, el entramado que hizo posible que yo cumpliera mi sueño y que mi anhelo se convirtiera en el sueño de muchos.

Un imposible es un emprendimiento por conquistar. Un emprendimiento es un sueño que se hace plan, se hace esencia, se hace equipo, se hace principios, se hace pasión para hacerse realidad.

Este libro es la historia de un emprendimiento. Un relato que te contará cómo emprender, cómo construir y cómo apoyarse en las fortalezas de muchos para concretar, sea cual sea, tu gran sueño, para llegar a vivirlo, disfrutarlo y compartirlo con tus seres amados. Esta es la historia de cómo tú, al superar tu éxito, logras ir más allá, hasta lograr encontrar tu trascendencia humana.

El viernes 4 de noviembre de 2011 fue el último día de entrenamiento antes del maratón. La última hora que pasé entrenando fue muy especial para mí. Esa última hora significaba el final de un período de mi vida, el fin de una búsqueda: pararme en la línea de salida de mi propio sueño.

Siento que la historia de la dignidad humana tiene algo que ver con eso, con que el mundo no nos deja pararnos en la línea de arranque. La verdadera dignidad humana está justamente en pararse en esa línea de salida. Que yo tardase más de tres años en pararme en esa línea, que ese viernes terminara el entrenamiento, fue inigualable.

Ese día entrenábamos en la parte oeste de la ciudad de Nueva York. Era una mañana fría, pero el calor de la emoción mantenía nuestra temperatura. Los miles de naranjas que se condensaban en las hojas caídas de los árboles del Parque Central contrastaban con los restos blancuzcos de la nevada caída en días anteriores. Recuerdo el grupo que se dispuso a presenciar ese último esfuerzo: Perla, el Fuco, Frida y Galo; algunos habían estado desde el primero. Terminamos y cuando eso ocurrió me fui solo hacia uno de los senderos del parque que colinda con uno de los museos. Allí, las estructuras clásicas armonizan con la modernidad en una ciudad que exhala vida en cada centímetro cuadrado. Fueron cuarenta y cinco minutos de mezcla entre éxtasis y tensión. ¿De verdad esto termina? Mientras los demás celebraban, yo me alejé. Sentía que nadie, o, más bien, que muy pocas personas, podían entender lo que significaba para mí terminar ese período de mi vida en el que las circunstancias me habían dicho que no, que no podía, que no debía. Todas las señales de la lógica convencional que recibí durante esos tres años me decían que no podría correr el maratón de Nueva York.

Por supuesto, lloré.

Mis lágrimas caían igual que caían los muros, las percepciones, los paradigmas. Igual que yo caía en cuenta de que sí era verdad, de que aquello estaba ocurriendo. La sensación era muy grande; más grande que la ciudad; más grande que el mundo. Fue como una explosión. Al fin, lo que había soñado durante tanto tiempo, se haría realidad.

Estuve un rato solo, llorando.

Luego llegó Perla Sananes, mi amiga de la infancia, hermana del alma, socia, mi compañera en este maratón de la vida profesional, social y de sueños por construir. Ella dirigía todo y el mínimo detalle era vital; lo había vivido todo, lo conocía todo y lo sentía todo conmigo. Nos abrazamos. Un abrazo que duró cien años. Ahí se condensaron la felicidad y el dolor. Yo sentía que mi llanto era un grito al mundo, un grito que resumía una pregunta sobre la dificultad de las cosas.

Durante unos instantes me sentí con el derecho de preguntarle a la vida, con humildad, pero también con rabia: «¿Por qué lo haces todo tan difícil? ¿Por qué todo es tan difícil para mí?».

Después de pensarlo y de recordar esos momentos, me doy cuenta de que si tienes el coraje de hacerte esas preguntas, debes tener el coraje de soportar las respuestas. ¿Por qué todo es tan difícil? Para que te lo merezcas. Para que te lo ganes.

A pesar de su dureza, esos cuestionamientos entrañan algo muy importante. Supe que esa respuesta no era solo para mí, sino para todos aquellos que hacen lo que tienen que hacer, aunque les cueste y se les haga extraordinariamente difícil.

De las experiencias previas al maratón de Nueva York, esa fue muy importante porque para mí fue un momento de perdón. Ese día, después del último entrenamiento, sentí que me perdonaba a mí mismo por todo lo duro que había sido conmigo hasta llegar ahí, a la línea de salida.

Fue un momento de paz y aceptación. Yo aceptaba que había dado lo mejor que podía dar y ya no importaba lo que ocurriera el domingo, en el maratón. Fue un momento de dignidad. Como lo había entregado todo, me sentía bien conmigo mismo.

Eso me ayudaba, además, a sentirme bien con respecto a los demás, a esos que me acompañaban en la aventura neoyorquina y a todos aquellos que me acompañaban de espíritu y corazón. Uno sabe cuándo hace algo por sus propios sueños, pero también para mucha gente, lo que le da trascendencia y hace que uno sienta una enorme responsabilidad. Mi sueño es la gente; siempre ha sido así. Yo me sentía en paz conmigo mismo y con todos, además de preparado para el enorme reto que tenía por delante.

Para mí la magia consiste en sentirse con el poder de permitir que las cosas pasen. Uno no tiene la magia de hacer que todo se mueva o que ocurra todo como desea. Uno es parte de los procesos, de la magia, del truco, por eso debemos prepararnos. Esa preparación te da paz y fe. Eso era lo que yo sentía ese viernes, después del último entrenamiento.

Parte 1

En la línea de arranque

Dos días antes del maratón de Nueva York

«Los grandes sueños son aquellos
que superan la lógica en función de la humanidad».

El viernes 4 de noviembre de 2011, dos días antes del maratón, Perla Sananes, Pedro Martín y yo fuimos a la feria donde se reúnen los organizadores del maratón. Nos acercamos al puesto de la Fundación Achilles International —actores fundamentales para el desenlace final de esta historia— a saludar a su gente y a buscar mi número. Ahí compartimos un rato con amigos venezolanos y de distintos países; nos tomamos fotos, conversamos emocionados y felices, pero pronto regresamos al apartamento porque debía descansar. Ya habíamos honrado a todos aquellos corredores que se emocionaban con nuestra emoción. Ellos nos abrieron las puertas de su mundo, al que no pertenecía ni era razonable o lógico que perteneciera. Pero los grandes sueños son aquellos que superan la lógica en función de la humanidad.

Debía descansar. Mis entrenadores y mis médicos fueron muy claros y muy estrictos al respecto. Sabían que mis tareas no se limitaban a las de un maratonista; que aparte de la labor deportiva, debía cumplir las tareas de un comunicador, de alguien que quería ofrecer un mensaje con su esfuerzo. Por eso fueron tan enfáticos con que descansara. Si quería cumplir todo lo que deseaba hacer, debía lograr un equilibrio entre mi entrenamiento físico propiamente dicho y el debido reposo. Con eso en mente me encerré en mi habitación mientras Pedro se quedó en la feria esperando mis números y Perla buscaba algún equipamiento faltante.

Aquí la dificultad siempre era encontrar los «cómo» adecuados para un «qué» imposible hasta ese momento. A veces había que ser muy conservadores. En otros momentos había que arriesgarlo todo, pero siempre dispuestos a responsabilizarnos por nuestras acciones u omisiones. Hice caso a mis médicos y entrenadores y me quedé en el apartamento, pero sufría la angustia del dorsal. Ese número era una especie de trofeo, de certificado de que ese próximo domingo estaría en la línea de salida de ese sueño para el que me había estado preparando durante tanto tiempo.

Esa sensación tan extraña no duró mucho. Poco a poco fue llegando la gente a la casa. Perla regresó muy emocionada porque, como gesto de cariño, me trajo un mono térmico que me quedaba muy bien. Vale decir que a mí me cuesta conseguir ropa. Toda me queda mal. Sin embargo, esa se ajustaba perfectamente a mi cuerpo, además de que me cubría del frío, una de las preocupaciones principales de todo el equipo. Es increíble cómo un gesto y un simple detalle humano, si se toman en su magnitud esencial, pueden crear tanto bienestar y alegría compartida. Era una razón más para estar contentos y sentirnos en armonía. Esos gestos sencillos, que nacen del amor, vale agradecerlos de por vida.

Mucha gente me cuidaba y yo me dejaba cuidar. Tenía que hacerlo si quería lograr lo que me había propuesto. Debía vencer la ansiedad, controlar la emoción, vencer las ganas que sentía de acompañar a todo ese equipo que me rodeaba y que andaba de un lado para otro haciendo gestiones para que yo no tuviera mayores contratiempos en medio del maratón. Yo debía, simplemente, descansar. Pero quizá para mi espíritu siempre vivo esa era una labor muy difícil. Para lograr nuevas cosas, debemos dejar viejas maneras de actuar.

Cuando por fin llegó Pedro con el número, hicimos una fiesta en el apartamento. Su rostro iluminado y su sonrisa amplia hablaban de lo importante que era para él ese gesto y ese momento. Estábamos tan contentos que nos abrazamos y gritamos felices. Entre Perla, Pedro y Galo Bermeo —mi asistente personal— colgaron de una ventana la bandera de Venezuela, el número con el que participaría en el maratón, mi franela, el mono térmico, toda mi ropa. Era como un altar con el que recordamos y celebramos todo lo que tuvimos que pasar hasta llegar ahí.

Yo sentí que aquel ritual alegre y festivo era como un tributo a la espera.

Cuando por fin me fui a dormir, lo hice pensando en que la paciencia y la constancia rinden sus frutos.

Un imprevisto inspirador

«Cuando uno toma un desafío como si fuera el primero,
no subestima nada».

El sábado 5 de noviembre era indispensable que descansara. Por eso había decidido pasar el día en pijama, meditando, visualizando, preparándome mentalmente para lo que vendría. Era un día para preparar el alma, expandir la posibilidad que no se ve: la preparación invisible, pero quizá la más importante.

Mi plan era permanecer así todo el día, pero a las 12:30 del mediodía, cuando pensábamos en el almuerzo, nos llamó Boris Velandia, un gran ser humano y miembro de la empresa Telefónica, para decirnos que a esa hora su gente estaba reunida esperándonos para que compartiéramos un rato con ellos.

Perla y yo nos encerramos a conversar.

Telefónica era uno de los patrocinadores del proyecto. Pero mucho más allá de ello, era gente maravillosa que había apostado por lo imposible. Personas insuperables en calidez. Juan Abellán, Douglas Ochoa y Maite Iglesias habían sido además embajadores amorosos de la esencia humana de nuestro proyecto. Además, quien nos llamó fue Boris, un amigo venezolano con quien habíamos conversado muchas veces por teléfono, pero nunca habíamos coincidido personalmente en el mismo lugar. No sería exagerado decir que estábamos locos por conocernos, por hablar frente a frente. Desde que Boris supo que participaríamos en el maratón de Nueva York, se puso a la orden y les habló a sus colegas de la oficina de comunicaciones de Telefónica en Venezuela —Douglas y Maite— para decirles que su equipo y él mismo estaban a nuestra entera disposición.

Para mí lo más sagrado que hay en este mundo son las personas. No podíamos fallarles a nuestros amigos. Por eso, a pesar de que se trataba de mi día de descanso, decidimos asistir a ese encuentro.

Maite, Douglas y el propio Boris lo habían organizado con la mejor voluntad. Perla y yo, con mirada de complicidad total y sonrisa pícara, a pesar de que mi asistencia a ese evento contravenía las indicaciones de mis médicos, mi fisioterapeuta y mi entrenador, tomamos la decisión. Solo ella y yo podríamos entender la importancia humana de asistir. No solo era una cruzada deportiva, era un gesto humano. Me quité el pijama con el que supuestamente pasaría todo el día y me puse mi ropa, como aquel bombero que se uniforma ante una alarma que suena escandalosamente. Mientras, sin que nadie lo supiera, Perla coordinaba con el increíble Richard, quien nos conduciría a través de las congestionadas calles de la Gran Manzana a toda velocidad para llegar a tiempo. Digna escena de Steve McQueen del clásico *El gran escape*.

Llegamos justo en el momento indicado con la idea de que el encuentro sería algo rápido e informal, que saludaríamos a nuestros amigos y a los pocos asistentes a aquella reunión. Sin embargo, cuando llegamos al lugar que nos indicaron, nos llevamos una tremenda sorpresa. Descubrimos que se trataba de una reunión con doscientas personas en un salón de conferencias. Corredores de todas partes se preparaban para la jornada del día siguiente en un ambiente lleno de optimismo, nerviosismo y solidaridad deportiva.

Debo decir que se trató de una experiencia muy bonita, muy enriquecedora y muy importante para mí. Dialogué con personas de distintas nacionalidades y de distintas culturas que hablaban, en algunos casos, otros idiomas. Haber conversado con ellos me hizo reafirmar la importancia de lo que estábamos por hacer y la trascendencia y la universalidad del mensaje que estábamos tratando de transmitir. Para mí, además, fue muy revelador darme cuenta de que entre las palabras de motivación que tuvimos la inmensa responsabilidad de pronunciar ante aquellas personas y lo que estábamos por hacer al día siguiente, había coherencia.

Todo eso reafirmó el sentimiento de paz que me embargaba desde el día anterior. Sabíamos lo que hacíamos y, más importante aún, teníamos claridad milimétrica y apasionada obsesión por el «para qué» lo hacíamos, y de allí no nos desviábamos.

Por si fuera poco, en esa reunión, además de compartir escena con un gran campeón europeo de diez mil metros, un guerrero del asfalto así como una luz de alegría y optimismo llamado Chema Martínez, conocí a uno de los seres más brillantes e increíbles que conozco, José María Álvarez-Pallete, uno de los grandes ejecutivos CCO de Telefónica y fundador de Pro-Niño, una de las fundaciones más importantes del mundo que diseña propuestas educativas contra el trabajo infantil. José María es un ser humano grandioso que tiene muy claro que lo que realmente importa no es lo que tienes o puedes, sino lo que haces con ello para dejar una huella en el mundo.

Así, cuando terminó la reunión, nos sentimos satisfechos, felices, libres de estrés y listos para ponernos otra vez el pijama e irnos a dormir, pues al día siguiente debíamos levantarnos muy temprano.

En el apartamento nos esperaban Óscar Flores (mi fisioterapeuta) y Federico Pisani (mi entrenador, y a quien en ocasiones llamaré Fuco) con cara de asombro, pero entendieron que si Perla y yo decidimos salir del apartamento tuvo que haber sido por algo importante. De igual forma, ya todo tenía que ir hacia adelante; las actitudes y las acciones estaban listas para enfrentar juntos lo que viniese.

La tarde caía y la oscuridad de la noche reflejaba la incertidumbre del futuro próximo. Nelly Guinand, un ser extraordinario, además de todo lo que ya era, en el papel de madre amorosa, preparaba la pasta perfecta para la ocasión, así como alimentaba la armonía entre el grupo. Todos cenamos y la algarabía se entremezclaba en un mosaico de emociones. Todos estábamos nerviosos; todo era adrenalina.

Luego de la cena, lo último por hacer era reunirnos como equipo. Perla, con la visión global del reto, debía repasar con cada persona, detalle a detalle, cuál sería su tarea y verificar que cada quien cumpliese su misión a cabalidad para que yo pudiera cumplir con la mía. Mientras yo me retiraba a prepararme y a descansar, había que resolver muchos asuntos: cargar las pilas de teléfonos y equipos en general; coordinar las comunicaciones en vivo, con los medios locales y desde Venezuela; pautar los puntos de encuentro con la gente; repasar los contenidos de las redes sociales; coordinar la logística del manejo de la ruta y los mapas, el equipamiento de seguridad, la comida para todo el equipo, la fotografía, los camarógrafos, la filmación del documental, la previsión de distintos escenarios, las relaciones institucionales... En fin, había que coordinar con detalle cada actividad para que transmitiésemos el mensaje una vez que llegáramos a la meta. Había que reconocer el trabajo de cada persona del equipo; hacerles saber lo importante que habían sido para llevar a cabo el sueño común y lo increíblemente hermoso de que todos estuvieran allí.

En mi caso, quería manifestarles mi agradecimiento por tanto cariño y tanta dedicación, decirles cuánto los amaba y cuánto les agradecía que hubiesen convertido nuestra causa original en la causa de todos. Asimismo, quería hacerles una petición intensa y apasionada: cada uno de ellos tenía que contribuir a que la concentración fuese la máxima y a que no hubiera lugar para la distracción. Todo estaba en juego y el mínimo detalle haría la diferencia.

En aquellos momentos sentía un susto inmenso. En unas horas emprendería algo mucho más grande que yo, algo que me desbordaba y que se extendía hacia mucha gente a mi alrededor. Por eso sentía un gran susto y una tremenda responsabilidad.

El puente Verrazano-Narrows

«Uno no solo quiere vivir. Uno quiere contar lo que vive,
porque ese es el legado que dejamos a otros».

El domingo 6 de noviembre, día del maratón, me levanté a las dos de la mañana. Tenía que hacerlo porque debía organizar unas cuantas cosas antes de salir al punto de concentración.

Había dormido bien. Me desperté contento, con una gran paz porque sabía que hasta ese punto lo había entregado todo. Sin embargo, sentía la inquietud de que a partir de ese instante todo sería nuevo. A partir de ahí, sería la primera vez en todo.

Para que entiendan y compartan cómo me sentía, solo tienen que pensar que cada una de mis sesiones de entrenamiento se extendía hasta el kilómetro veintiséis, y que en un maratón de verdad se corren cuarenta y dos. Así que a partir del kilómetro veintiséis, todo sería nuevo para mí.

Al miedo natural que sentía ante semejante desafío, se sumó una extraña y absurda angustia: a cada rato me decía que debía ir al baño antes de salir. Esa angustia se potenció además porque debía desayunar a las tres de la mañana. No importaba que la hora de la partida del maratón fuera a las nueve. En aquellos momentos me angustiaba que me dieran ganas de ir al baño en plena carrera.

Para aplacar la ansiedad que me invadía, tomé mi ropa y mis zapatos e hice un ritual antes de vestirme.

No fui al baño, pero me sentí un poco más tranquilo.

Galo, siempre amoroso y dispuesto, con exquisita y milimétrica dedicación, me ayudó a vestirme y a realizar toda mi rutina, transformada ese día en una especie de iniciación samurái. Galo es un ser increíble cuya historia es más apasionante que mil historias juntas. Nació en Ecuador en la máxima necesidad, con una madre sola que lo sacó adelante con todo el amor. Su deseo como hijo de hacer sentir orgullosa a su mamá lo llevó a la calle a trabajar desde los cinco años. Galo y yo tenemos trabajando juntos casi veinte años y sin duda es un personaje mítico en mi historia personal. En otra ocasión quizá me correspondería a mí, pero ese día en Nueva York Galo fungía como escudero de este caballero que iba a la batalla de mil mundos.

Cuando llegó la hora, abordamos el autobús que nos llevaría al punto de concentración en Staten Island. En el trayecto, Perla y Fuco se quedaron dormidos, mientras yo, somnoliento, pensaba en lo incomprensible que debía resultar para mucha gente el que estuviéramos a bordo de ese autobús.

Esas meditaciones se disiparon en cuanto llegamos a nuestro destino y tuve frente a mí la visión rotunda, majestuosa e implacable de algo que me trajo a la realidad y que, de paso, se mostró ante mí como el símbolo de la tarea que estaba a punto de acometer. Era el puente Verrazano-Narrows, la enorme estructura de metal y concreto donde empezaría mi combate personal.

Al verlo, un montón de imágenes y de ideas se cruzaron por mi cabeza. Pensé, por ejemplo, que no habíamos ido hasta ahí a jugar un juego inocente, que habíamos llegado hasta ahí a jugar el juego de Dios, un juego en el que debíamos competir contra nosotros mismos, contra nuestros miedos, contra nuestras debilidades, contra esos rincones oscuros que todos tenemos dentro.

Como cualquier ser humano, yo tenía mi propia historia y ese puente me recordaba que había llegado el momento de enfrentarla. Por eso el Verrazano dejó de ser para mí una bellísima estructura urbana y se convirtió en un templo. Un templo que era a la vez un gigante del que ya no podía huir.

Cuando nos bajamos del autobús, me pareció que nos habían dejado demasiado lejos del punto convenido. Ese día amanecí con la sensación de que debía administrar muy bien mis pasos y de que diez metros eran demasiados para mí. Durante un tiempo pensé que lo que sentí en aquel momento era rabia, pero con el tiempo me he dado cuenta de que aquella actitud fue una especie de concentración de fuerzas, de incubación de energías. Por supuesto: también tenía mucha ansiedad.

Cuando te acercas a la línea de salida de una aventura como esta piensas que ese es el último momento en que puedes arrepentirte. Te dices a ti mismo: «Arrepiéntete, da la vuelta y vete para tu casa». El cuerpo empieza a pesarte más de la cuenta, te duele, te grita que no lo hagas. Cada paso me hacía pensar que tenía unos grilletes en los tobillos, unos grilletes que me recordaban lo difícil que sería el camino que venía. Si cada paso me costaba tanto en ese momento, no quería pensar en los que vendrían.

A pesar de que nos estábamos acercando a un lugar donde se reunirían no menos de cuarenta mil personas, Perla, Fuco y yo nos sentíamos solos, absolutamente solos y llenos de temor.

Recuerdo que seguía viendo el puente y pensando en que aquella mole era lo único que nos separaba de la ciudad que estaba lista para tragarnos. Así que no pude dejar de ver en el puente como una enorme lengua que nos esperaba.

De alguna manera, esa hermosa visión potenciaba mis temores. El principal tenía que ver con que era la primera vez que intentábamos algo como esto, aunque hay que entender que, para cada maratonista, cada maratón es como su primer maratón. Lo bueno de esa sensación es que hace que te mantengas atento o alerta, que le prestes atención a los detalles. Cuando uno toma un desafío como si fuera el primero, no subestima nada.

Así que comenzamos a prestarle verdadera atención a esos miedos que teníamos. En mi caso, yo tenía un temor muy particular que, además, no me abandona en los entrenamientos ni en ningún otro maratón. Se trata del temor de tener que ir al baño.

La razón es que tener que ir al baño te obliga a detenerte. Eso hace que tu cuerpo, que viene caliente de la acción, se enfríe muy rápido.

Lo que hace cualquier maratonista cuando tiene ganas de ir al baño, es ir al baño. Por eso, a lo largo del recorrido, se instalan baños portátiles. Si no hay ninguno cerca, el maratonista aprovecha las calles, los parques, los árboles, los carros estacionados, los montes... Hace lo que tiene que hacer y sigue corriendo. Eso es algo legítimo y aceptado en el mundo del maratonismo.

Para mí particularmente esa acción era complicada porque tenía puestas mis licras y como requiero asistencia, en caso de que me dieran ganas de ir al baño en pleno maratón tardaría unos cuantos minutos, lo que implicaría que mi cuerpo se enfriara y que quizá no reaccionase bien cuando volviera a la acción.

En el mundo de los maratones no está mal visto que, por ejemplo, un corredor se haga pipí encima y que siga corriendo. En mis entrenamientos tratamos de practicar cómo sería correr en esas circunstancias y debo decir que no pude hacerlo. Para cualquier maratonista el tiempo de ir al baño no implica mayor riesgo porque su cuerpo se enfría y se calienta muy rápido, pero mi caso es distinto. Como tengo muy poca grasa corporal y muy poca musculatura, me enfrío en cuestión de segundos. Era un riesgo, pues no sabíamos cuánto tiempo tardaría en calentarme de nuevo ni si podría sufrir un calambre o cualquier otro tipo de reacción que me impidiera continuar mi camino. Ese era el temor de fondo: que nos detuviéramos y no pudiésemos arrancar de nuevo o que no pudiésemos retomar el ritmo.

Yo vivo en el mundo del detalle. En mí, los pequeños acontecimientos hacen la diferencia. Quizá por eso tenga una visión tan aguda de la vida. Vivo en el mundo del detalle. En mi mundo cada elemento toma una dimensión diferente y por tanto una valoración y un agradecimiento infinitos. Significa algo parecido a ponerle lentes de aumento a lo que vale la pena mirar. Que mi ritmo se desequilibrara unos pocos segundos podía hacer que la diferencia en el tiempo para llegar a la meta fuera de horas o también que no pudiera lograrlo.

Si te fijas bien, todo en esta historia era incierto. Y apostar por la incertidumbre es bonito, pero duro, sobre todo porque implica enfrentarse a varios temores e incertidumbres a la vez. En mi caso implicaba, por ejemplo, el temor de tener que ir al baño durante la carrera o de no ir al baño antes, el temor de comer o de que lo que comiera no fuera suficiente para mantenerme con energía durante los cuarenta y dos kilómetros. Como ya dije, en los entrenamientos yo recorría veintiséis. Así que lo que sucediera a partir de ahí formaba parte de lo desconocido.

Así, con el acoso de mis dudas y mis ansiedades, avanzamos hasta la carpa que albergaba a los miembros de la Fundación Achilles. Recuerdo que me hizo bien llegar hasta sus imponentes instalaciones. Era un lugar agradable no solo porque sus paredes estuvieran recubiertas con unas cortinas plásticas que impedían el paso del viento helado, sino porque ahí nos encontramos con muchas personas —competidores, organizadores, amigos en general, gente en sillas de ruedas— que se acercaron a saludarnos, a darnos ánimos y a ponerse a la orden para lo que hiciera falta. En esa carpa estuvimos un buen rato; nos tomamos fotografías, nos reímos y conversamos sobre el mundo que nos esperaba fuera de la carpa, ese lugar donde estaban los demás corredores, preparándose, alistándose, quizá tan ansiosos y tan llenos de nervios como nosotros.

Allá afuera se encontraba también mi prima Alejandra. Un personaje vital en mi vida. Fue a contagiar y a contagiarse de vitalidad. Ella correría el maratón en mi nombre; argumentaba risueña que, como ella me enseñó a caminar, yo le enseñé a correr. Con su hermosa energía, no sé cómo, pero después de mucho intentar alcanzó entrar, vernos, abrazarnos y desearnos todo lo mejor en la carrera. De algún sitio tuve que aprender yo la persistencia y la vitalidad, ¿no? La vimos salir hacia su corral y yo me sentí muy orgulloso de ella y de su impulso.

Yo tenía mucha curiosidad sobre ese mundo de cuarenta mil corredores que se encontraba detrás de las paredes recubiertas de plástico, pero Fuco, de manera muy amable, me llamó la atención sobre algo que debía hacer. Debajo de la carpa había comida, mucha comida. Era hora de desayunar, pero yo no quería comer.

Federico me habló con firmeza y me demostró su liderazgo en los aspectos físicos y deportivos. En los desafíos importantes como este que estábamos a punto de afrontar, quien sabe, sabe. Así que no quedaba otra opción que entregarse a ese liderazgo. Yo sabía de mí, de mi cuerpo, de mi deseo, de mis miedos, pero quien tenía el conocimiento real de lo que implicaba un maratón era Federico. Era mi primera vez sobre el asfalto con un número en la camiseta. Además, él fue la persona que planificó todo mi entrenamiento físico y me ayudó a llevarlo a cabo. De manera que él sabía de qué hablaba.

A pesar del rechazo que sentía, me comí un bagel con queso crema. Mientras tanto, miraba a las demás personas y notaba el entusiasmo, la alegría que había a mi alrededor. Como tenía miedo, trataba de aislarme y de concentrarme en mi labor, pero mi conexión con Perla y Fuco era demasiado fuerte. Ellos fueron mis bastiones morales y emocionales. De manera que, a pesar de todo, conversamos y la pasamos bien durante el desayuno.

Al terminar de comer, experimenté —gracias a Dios— la alegría de tener ganas de ir al baño y de encontrar un lugar adecuado no solo para hacer lo que tenía que hacer, sino para que Federico me acompañara y me ayudara. Fue muy hermoso ver su disposición a colaborar en lo que hiciera falta. Él sabía que ese día era su día.

Mi misión en la vida consiste en ayudar a otros a que saquen lo mejor de sí. Esa es la visión que tengo de mí mismo. Eso es lo que hago o intento hacer en todo. En el caso de Federico, se trata de uno de los seres más increíbles que he conocido en mi vida. Sin embargo, a él le hacía falta asumir una posición de liderazgo.

Yo venía de mi experiencia en la montaña, del logro de alcanzar la cumbre del pico Bolívar en el 2006 gracias a mi equipo y a las directrices de un jefe de expedición, mi querido Alfredo Autiero; de alguien que, con su experiencia de treinta y cinco años como montañista, ejercía un liderazgo inobjetable. Para este nuevo reto yo esperaba algo parecido, porque la vida me había puesto en el papel de ejecutante, de intérprete, no de director de la orquesta. Por eso, en medio de este proceso fui viendo cómo Fuco se transformaba en un líder de expedición. Para mí fue muy conmovedor el proceso que experimentó Federico.

En el maratón se encontraban dos funciones que se complementaban. Por una parte Perla, la directora de la orquesta, responsable de toda la organización, tanto del logro deportivo y del mensaje que se trasmitía gracias a él. Por la otra, Federico, quien dirigía la marcha de nuestro desempeño como núcleo. Yo simplemente interpretaba mi papel en un hermoso gran equipo conformado por mucha gente grandiosa.

Después de que salí del baño me sentí mucho mejor. Me había quitado una preocupación de encima, lo que permitió que me conectara con facilidad al entusiasmo que se respiraba en todo el lugar. A partir de ese momento, me sentí otro. Me sentí un ser distendido que, a pesar de mis temores, reía y disfrutaba.

UNA LÍNEA LEJANA

Cuando caminábamos a la línea de partida me preguntaba por qué la habían puesto tan lejana. ¿Por qué debía caminar tanto (y además en subida) para llegar a un lugar de donde partiría a recorrer un camino tan largo?

Para cualquier corredor, un metro no es nada, pero, para mí, caminar un metro es caminar un metro más. Yo me sentía preparado para todo, pero jamás me imaginé que debía caminar tanto para ocupar mi puesto en la salida.

Cuando por fin llegamos, se escuchaba un ruido tremendo, la algarabía de la gente, de los demás participantes, de los organizadores… La adrenalina se sentía a mil. Nosotros saldríamos de primeros, con las personas en sillas de ruedas, quince minutos antes que el resto de los corredores. Era emocionante y aterrador a la vez sentirse como la infantería.

Que fuéramos el frente de batalla me produjo muchas sensaciones simultáneas: deseo, alegría, temor, valentía…

Era un sitio privilegiado para sentirse conectado con la vida. Entre el ruido, oía mucha música, mucho rock and roll, canciones conocidas de los años ochenta. Recuerdo que desde donde estábamos no podíamos ver de dónde salía la bulla ni ver a la gente ni quién decía algo o gritaba. No tuve tiempo de ponerme a pensar. Por fin dieron la señal de partida. Mi vida entera se concentró en el camino que tenía por delante. La hora de la verdad había llegado.

Parte 2

Trazar un sueño es definir una meta

O de cómo nació un anhelo

«Cuando un sueño es grande, involucra al todo,
al universo, a la naturaleza, a Dios, a aquello
a lo que algunos no le ponen nombre».

Es hora de volver atrás en esta historia, al mes de abril del año 2009.

Érase una vez Maickel que venía de escalar la montaña más alta de su país —el pico Bolívar, 4.978 metros de altura—, y de una aventura increíble que lo llevó a mirarle el rostro a la muerte. Esa vez, como tantas otras, tuve que decidir entre la vida y la muerte.

Fue un momento sin igual que en el que se me presentó —otra vez— el dilema que viví en mi nacimiento ante la falta de oxígeno. Treinta y seis años después me colocaba intencionalmente ante la falta de oxígeno, a ver si volvía a hacer la misma elección que hice el día en que nací: vivir.

Esta vez la apuesta no era solo por mí, era por algo más grande que yo: un mensaje que teníamos la posibilidad de llevar a quien lo quisiera recibir.

En 2006 terminamos esa aventura del pico Bolívar. Como relaté en mi primer libro, en ese momento dividíamos nuestras vidas en esas dos vertientes: lo social y lo profesional. Por supuesto, acompañamos lo personal de todos los aprendizajes que me dio la montaña.

Pasamos años compartiendo los aprendizajes de esa aventura a colegios y centros de estudio, como un aporte voluntario para el desarrollo social de nuestros niños.

También, como profesionales del desarrollo humano, habíamos acumulado las experiencias para seguir validando nuestras herramientas y postulados, para —habiéndolos probado con nosotros mismos— poder aplicarlo en empresas y equipos de alto rendimiento, como veníamos haciéndolo y facilitándolo desde hacía ya un buen tiempo.

Porque es importante entender que en esta vida venimos a ser parte de una historia, a construirla, a crearla y a relatarla. Todo parte de tu historia. Tu historia te va legitimando. Estoy seguro de que por eso, durante milenios, los seres humanos nos hemos deleitado inventando aventuras tanto para vivirlas como para contarlas.

Uno no solo quiere vivir. Uno quiere contar lo que vive, porque ese es el legado que dejamos a otros. Al final, nuestro único legado es nuestra propia historia, que no tiene que ser una épica gigantesca, sino tener una gigantesca carga de humanidad.

Toda historia tiene capítulos apasionantes y trascendentes que relatar. En ese sentido, aprovechamos la historia vivida en la montaña para crear herramientas que inspiraran y empoderaran a las personas. La idea era inspirar a familias, organizaciones y sociedades. Eso es lo que quería hacer: hacer brillar los corazones de las personas y expandir su capacidad de producir felicidad y ser felices al hacerlo.

En este contexto, apelo a Indiana Jones, un héroe universal del cine, cuyas películas suelen comenzar en la universidad, con cuentos de tesoros milenarios que él había ido a buscar y había encontrado en cada una de sus aventuras. Creo que esta historia comienza igual. Indiana Jones siempre empieza en su salón de clases contento por estar compartiendo su legado, pero, al final, siempre termina escapándose por la ventana de su oficina porque está hambriento de aventuras.

Eso es lo que me empezaba a ocurrir en 2009. Mi espíritu volvía a tener hambre de aventuras y simplemente estaba esperando pescar una que fuera lo suficientemente desafiante como para abordarla.

Esa aventura llegó de la mano de uno de los compañeros del viaje al pico Bolívar, de una de las personas que conocí en esa aventura y con quien más me compenetré porque, desde el principio, entendimos que teníamos un espíritu similar, un espíritu hambriento de superación y de competitividad.

Esa persona es Alberto Camardiel.

Alberto es un periodista deportivo que emprendió el camino del deportista para vivir en carne propia qué era ser un atleta y así potenciar su trabajo profesional.

Yo hice algo parecido como consultor en desarrollo humano: emprendí estas aventuras para conocer y explorar ese mundo, el mundo del verdadero e infinito potencial humano. Entonces Alberto y yo teníamos un espíritu similar que creó, de inmediato, una complicidad única.

Tenía mucho tiempo que no hablaba con Alberto. Nos habíamos hermanado en la época en que participamos en el rescate de nuestro amado amigo en común José Antonio Delgado, que en paz descanse.

Cuando comenzamos a hablar de la aventura de la montaña, Alberto no estaba incluido, pero Alfredo Autiero lo sumó al proyecto. Alberto es ese tipo de personas que cuando nadie tiene fe, que cuando todos se asustan, él no se da por vencido hasta llegar a lo más alto. En ese espíritu estábamos juntos. Alberto es juguetón, alegre, vital, entusiasta, emprendedor, terco como yo, e irradia energía.

Alberto había tomado la decisión de convertirse en corredor entre 2007 y 2008. Como había practicado fútbol toda su vida, tenía una buena condición física, pero descubrió una condición especial para correr y todos aquellos que veían en él a un personaje entusiasta empezaron a respetarlo porque sus marcas eran asombrosas, a pesar de que él no era un profesional del deporte, sino un periodista deportivo apasionado por el deporte. La verdad, apasionado por la propia y simple idea de vivir; así es él.

Alberto hizo dos cosas que fueron muy importantes para mí: me presentó a mi montaña amada —el Ávila, el cerro que adorna Caracas, acompañándome a subir hasta donde nunca había subido antes— y me llevó al Parque del Este, que es donde todo corredor empieza a entrenar.

Cuando comencé a correr, fui al Parque del Este, pero no hice mucho. Creo que fui un par de veces, quizá. En esos días me parecía que darle una vuelta al parque era una locura. Esos dos kilómetros y medio me parecían un recorrido demasiado largo.

Alberto había comenzado a entrenar con Orlando Velásquez, quien, al año, le propuso irse al maratón de Rotterdam, en Holanda.

Un día que fui al Parque del Este, me encontré con Alberto y, como teníamos tiempo sin vernos, me dijo:

—Yo voy a entrenar este domingo. ¿Por qué no te vienes conmigo?

Yo no tenía ni idea de lo que era eso. Tenía muchas ganas de conversar con Alberto. Por tanto, me alegró su invitación. Para mí era una maravilla conectarme con su energía, con su cariño, con ese ser entusiasta. Eso sí, su invitación era para reunirnos a las seis de la mañana.

Ese día dije: «Una vez más, déjame hacer algo distinto en la vida». Sin embargo, por dentro yo no sabía que estaba ante una oportunidad para conseguir esa otra aventura que estaba anhelando. Al final uno va buscando y, cuando lo hace con entusiasmo y con conciencia, va encontrando lo que va queriendo. En ese sentido yo creo que mi espíritu hambriento de aventuras encontró un cómplice perfecto.

Ese domingo fui con Bairon, un gran muchacho a quien quiero mucho, a La Lagunita, a ver qué era eso de entrenar.

Alberto llegó con una familia entera: una señora, su hijo, una perra… «¿Qué es esto?», me pregunté entre risas, pero pronto me di cuenta de que él iba a entrenar con su amiga Helena, su hijo Arturo José y su perra Cala.

Antes de irse, Alberto me dijo:

—Bueno, Maickel, vamos a entrenar.

—Muy bien, pero dime qué tengo que hacer.

—Yo voy a correr. ¿Tú qué vas a hacer?

—No tengo ni idea —le dije.

—Yo tengo que correr. Si quieres, haz el recorrido también.

El circuito de ese día era de seis kilómetros. Recuerdo que, sin duda alguna, empecé a entrenar, o a hacer lo que yo pensaba que era entrenar (que en aquel momento era caminar), haciendo ese recorrido.

Caminaba y caminaba y esperaba que en algún momento Alberto apareciera, me buscara y se acabara.

«¿Y esto hasta cuándo es? No entiendo».

Había una subida inmensa que pensé que no podría hacer, pero la superé y seguí y seguí... No terminaba nunca y me empezaba a angustiar, porque estaba verdaderamente cansado y no llegaba nunca, y no sabía lo que para Alberto significaba entrenar ni cuántas horas debía estar en eso.

Me seguí moviendo hasta que me agoté y me dije: «Esto que estoy haciendo no tiene ningún sentido». Me acordé de un entrenamiento que hice en Mérida, a cuatro mil metros, en el que ascendía inspirado por la curiosidad, por ver qué había detrás de una curva y eso me llevó a hacer un tiempazo. Apliqué la misma herramienta hasta que llegué al punto en que el agotamiento de mi cuerpo fue mayor que la curiosidad, y me dio miedo porque, de verdad, me di cuenta de que no tenía ni la menor idea de lo que estaba haciendo.

Después de pensarlo muy bien, me detuve. Hoy sé que ese día recorrí pocos kilómetros, pero en aquel momento no sabía nada. No sabía ni siquiera dónde estaba el que me había invitado.

Estaba muy cansado. No podía con mi alma. Recuerdo que le dije a mi acompañante:

—Busquemos el carro, por favor. Nos vamos porque Alberto no aparece y yo ya no puedo más.

Yo pensé que eso que había hecho era entrenar. Mientras esperaba a que me vinieran a buscar, me dije: «Ya entendí lo que es un entrenamiento». Fue un poco aburrido. Fue chévere mientras conocía el lugar pero al poco tiempo aquello perdió sentido para mí.

Esperé el auto de pie, donde me había detenido. Cuando vi el carro, me sentí feliz porque aquello había terminado.

No sé cuántas horas habían pasado.

Llamé a Alberto para preguntarle dónde se había metido. Me dijo que entrenó veinticinco kilómetros, agotó a la perra, que literalmente terminó con la lengua afuera, y se la llevaron a su casa.

Me invitó a desayunar y de inmediato me volví a conectar con su entusiasmo, cosa que él logra de manera fácil y hábil. Me prometió la mejor cachapa de mi vida, con queso telita o queso de mano, en La Unión, que es un lugar fantástico.

Yo tenía hambre de aventuras y hambre de verdad. Además, luego de entrenar, me merecía mi cachapa.

Llegamos al lugar que nos indicó. Era un domingo muy temprano en la mañana y, sin embargo, estaba repleto de gente. Yo no entendía nada. Era un mundo nuevo para mí. A Alberto se le veía cansado también. Llevaba su vestimenta deportiva. Yo ni me acuerdo cómo me había vestido. No recordar ese detalle indica lo poco consciente que estaba de lo que había hecho ese día. Entonces me le acerco, lo saludo con un abrazo y él me presenta a un personaje que estaba a su lado: Orlando Velásquez, su entrenador, que yo en mi vida había visto.

Me contó que Orlando era una leyenda del atletismo venezolano, que ahora lo estaba entrenando y lo había acompañado a Rotterdam a hacer la excelente marca que había hecho.

Empezamos a hablar. Celebramos el triunfo de Alberto. Creo que esa es una de las cosas más bonitas que uno puede hacer en la vida: celebrar los triunfos de los seres amados.

La cachapa estaba deliciosa al igual que el jugo de alguna fruta tropical que me tomé. Mientras comíamos conversábamos felices y tranquilos.

Le pregunté por sus planes, qué iba a hacer después. Me contó que se iba al maratón de Nueva York.

En ese momento me conecté con algo que muy pocos conocen: en 2005 dije que el maratón de Nueva York era algo que yo quería hacer en mi vida. No tengo idea de por qué. Quizá solo hubo un testigo presencial: Galo. Presenció no solo eso, sino mi osadía de visitar a un experto, una eminencia en medicina deportiva.

Antes del pico Bolívar, estuve explorando un buen tiempo qué era lo que quería hacer. Visité al médico del deporte y le planteé mis posibles planes. Inmediatamente me dijo:

—Tú no vas a lograr correr el maratón de Nueva York por varias razones. Primero, es muy difícil que logres terminarlo. Segundo, solamente te dan diez horas para completarlo. Dada tu velocidad, no hay manera de que lo termines antes. Y tercero, es demasiado riesgoso. Eso te puede causar un gran daño corporal.

Al finalizar esa consulta le dije, absolutamente seguro de mí:

—Si tú no crees en mí, yo no voy a creer en ti tampoco. No me digas no. Dime cómo hacerlo.

Ante esa seguridad, ese médico del deporte, no sé si incrédulo o entusiasmado, me indicó algunos ejercicios que podía realizar.

Eso quedó en el olvido, hasta ese domingo entre cachapas y jugos naturales.

Alberto me dijo que se iba al maratón de Nueva York y me preguntó con toda seriedad:

—¿Por qué no lo hacemos juntos, chamo?

Ante ese panorama se me abrió el espíritu. El angelito o el demonio, no sé cuál, me dijo de inmediato: «Dile que sí». Casi de inmediato, el angelito o el demonio me replicó: «¿Estás seguro?». Alberto, que me conoce completamente igual que yo a él, como si fuésemos espejos y radiografías, me miró, contempló mi duda, se volteó a su entrenador y le dijo:

—Orlando, ¿verdad que Maickel puede ir conmigo al maratón de Nueva York y lo puede hacer?

Orlando, no sé si por distracción, por seguirle la corriente a Alberto, por entusiasmo o por apostar por el atleta y por los seres humanos que llegan a sus manos, respondió de manera muy amorosa:

—¡Claro! ¿Por qué no?

Ante esa opinión experta que decía que sí, teníamos la aventura que buscábamos. Allí se selló el comienzo de un camino absolutamente incierto, absolutamente absurdo, en búsqueda de lo que ni siquiera Alberto ni yo sabíamos que era posible; eso nos revelaba que éramos unos ingenuos, pero es que así son los soñadores: ingenuos. Y de su ingenuidad surge lo original, lo que nunca ha nacido, su verdadero ser, a lo que vino a este mundo, la valentía, la osadía y, sin duda, surge la capacidad de obviar y evitar los miedos ante lo que no se conoce. El soñador asume lo desconocido como una aventura, mientras otros la asumen con miedo. Por eso desarrollar la ingenuidad, en muchos casos, es hasta una competencia. Porque la ingenuidad te lleva a creer en ti, a desestimar los pesimismos de otros, a vivir en el romance eterno y a enamorarte de las posibilidades y no de las carencias. En ese sentido, nos enamoramos de las posibilidades y decidimos que íbamos a hacer el maratón de Nueva York. ¿Qué era eso? ¿Qué implicaba? No tenía idea.

Así nació el sueño.

Y el sueño era lo suficientemente grande como para no entenderlo ni atajarlo ni limitarlo; era más grande que nosotros.

Ese sueño era lo suficientemente grande como para que yo no entendiera que forzaría mi cuerpo a algo que mucha gente no logra hacer en la vida, por más que lo intenta. Ese sueño era lo suficientemente grande como para que yo no entendiera —y esto lo digo en serio— que en algún momento del camino Dios sería el verdadero y único protagonista de la historia. Porque cuando tu sueño es grande, involucra al todo, al universo, a la naturaleza, a Dios, a aquello a lo que algunos no le ponen nombre. Hay que entender que solamente cuando tu sueño es suficientemente grande involucra a Dios. Porque Dios solo se encuentra en la grandeza. Y lo grande no tiene que ver, en este caso, con la cantidad de kilómetros, no tiene que ver con lo difícil; tiene que ver con la expansión que necesitará tu organismo para cumplir ese sueño.

Puede que pintar un cuadro sea un sueño muy grande, o escribir un libro o crear una empresa. Al final, soñar algo grande tiene que ver con crearte a ti mismo, con desarrollar la capacidad de parirte a ti mismo. Un sueño grande implica la capacidad de nacer por segunda vez, de nacer de ti, en una segunda oportunidad que te da la vida. La primera vez, ya naciste de tu mamá. Tu mamá te dio ese chance primario.

Toda la vida es, en sí misma, un vientre y tú tienes la oportunidad de parirte a ti mismo otra vez, de salir de la placenta que es la sociedad y encontrarte. Y, como todo parto, es una masacre, una muerte en sí misma, la muerte de lo que aprendiste a hacer para ser de verdad. Y eso es un sueño grande.

Un sueño grande es alimentarte porque te encontraste contigo mismo. Es lo que hace el escultor cuando toma la roca en bruto y le da con el cincel para remover lo que le sobra. Eso es un sueño grande. Entonces, no es solamente expandirse, es pulirse, es quitar lo que sobra. Eso es soñar en grande. Soñar en grande puede ser confirmar lo que ya eres —¿por qué no?—, pero confirmarlo desde ti de manera consciente. Y si no es confirmarte, es recrearte, es dejar de ser quien todos quisieran que fueras para empezar a ser tú mismo, con todas tus carencias y todas tus posibilidades, y que nadie dictamine lo que eres capaz de hacer y de ser.

Soñar en grande puede ser inventar el teléfono o encontrar en tu trabajo la manera más armoniosa y fascinante de hacerlo. Soñar en grande puede ser hacer lo mismo que estás haciendo, pero hacerlo grandioso. Lo único que es definitivo es que solo aquel que sueña en grande, o solo aquel sueño lo suficientemente inmenso, logra invocar la esencia de Dios en ese sueño. Y ese Dios es el Dios que está dentro de cada quien. El Dios que llenará ese sueño con su esencia y lo inundará de posibilidades. Porque si todo está creado por la misma esencia, lo nuevo también estará creado por esa esencia. Soñar eso es soñar en grande.

La persistencia de un deseo

«Soñar en grande puede ser hacer lo mismo que estás
haciendo, pero hacerlo grandioso».

Todo sueño necesita un soñador terco.

Alberto y yo comenzamos a soñar. ¿Qué me decía él?

—Maickel, tenemos que hacer dos cosas: incluirte en el maratón y entrenar.

Ahora, ¿qué era entrenar? Yo no tenía ni idea.

Dentro de mí eso era muy bonito porque las ganas eran tan grandes que yo no dudaba de que lo fuera a lograr. Y no lo decía de mentira. Lo decía de verdad, porque cuando yo digo que voy a lograr algo, lo hago o, por lo menos, lo intento.

Cuando Alberto me dijo nuevamente que tenía que entrenar, le pregunté:

—¿Qué hago?

—Bueno, nada. Te vas al Parque del Este y le das una o dos vueltas.

Pasaban los días y no iba al parque.

—¿Estás entrenando?

—No. La verdad es que no.

—Si no entrenas, no vas a llegar. Esto no es un juego.

Yo no sabía cuánta verdad había en esas palabras. Entonces iba al parque una vez y luego dejaba de ir. ¿Para qué iba yo a entrenar tanto, si lo que quería era correr el maratón? Evidentemente, la inconsciencia de no saber ni siquiera qué era entrenar o cómo se entrenaba me ponía frente a mi ignorancia al respecto y me desesperaba profundamente.

Yo quería con todas mis ganas. Había entrenado para subir la montaña, ciertamente, pero al parecer un maratón era otra cosa.

Además, entrenaba, dejaba de entrenar, entrenaba, dejaba de entrenar... Fueron pasando los meses y se acercaba el maratón de Nueva York.

Por esos días me dedicaba a dos tareas. Una era mi trabajo habitual como consultor de desarrollo humano con organizaciones, empresas y afines junto a mi socia Perla Sananes. La otra era el estudio y la sistematización de un proyecto de valores y derechos humanos. Ese tema me apasiona y quería trabajarlo desde el punto de vista de la educación. Yo había sido educador. Me había iniciado en la oratoria como educador. He trabajado mucho con jóvenes. Creía y creo fielmente que la educación es la manera de transformar la cultura y que la cultura es la base con la que las sociedades crean y se recrean.

Quería aportar algo a mi país más allá de la labor profesional, y a eso dedicaba también tiempo de mi labor de voluntariado. Yo trabajaba esos temas junto a Daniela Blank, una gran amiga que, en algún momento, fue mi alumna y que ahora era mi compañera en esas lides. Un domingo, como a las once de la noche, Daniela me llamó entusiasmada para decirme:

—¡Estoy con Tito y acabamos de ver un documental que tienes que ver, Maickel!

Yo estaba muy ocupado en lo que estaba haciendo y, bueno, Danielita me estaba planteando que dejara todo para dedicarme a ver una película.

A la mañana siguiente, cuando nos vimos, me dio el documental y me repitió que tenía que verlo.

Cuando, por fin, pude verlo, el documental me atrapó por completo. No quería parar de verlo, pero tuve que irme a la mitad y con desesperación y apasionante incredulidad, lo terminé de ver cuando volví a mi casa. A esa hora, casi a las doce, llamé a Daniela para compartir con ella el entusiasmo que me produjo la película. Quedamos en vernos al día siguiente para conversar sobre la posibilidad de hacer algo parecido a lo que contaba el documental.

Recuerdo que en la cocina de la casa de Romina Hendlin nos sentamos tres o cuatro personas: Samuel Klein (Tito), Daniela, la propia Romina y yo.

La película que vimos se llama *Peace one day* (Paz por un día) y trata sobre una persona que había logrado que en uno de los países más peligrosos del planeta —Afganistán— cesara el fuego de las armas por un día. Al verlo pensamos que si eso se logró en Afganistán, ¿por qué no se podía hacer en Venezuela? Estamos hablando de un país con un índice de violencia y de homicidios muy alto. Nuestra sociedad puede beneficiarse al hablar de paz y en hacer todo lo posible por alcanzarla.

Ese día nació la idea de crear un movimiento de paz en Venezuela conectado tanto a la organización del Día Internacional de la Paz de Naciones Unidas, el 21 de septiembre, como al movimiento inglés «Peace one day».

Aquel año fue una incubadora de sueños.

Aunque tengamos mil sueños a la vez, es importante aprender a priorizar y a poner orden para concentrar todas nuestras fuerzas en lo que de verdad importa o es más pertinente en un momento determinado. Si no lo hacemos, corremos el riesgo de, inconscientemente, robarle la energía a un sueño por otro y, al final, no hacemos nada.

Yo seguía con mis intermitencias en el entrenamiento. Nos inscribimos en el maratón y estábamos muy entusiasmados. Sin embargo, yo todavía no sabía qué debía hacer y casi le imploraba a Alberto que me enseñara. Era muy frustrante porque él también quería, pero los tiempos no terminaban de coincidir.

Un mundo de paz

«El soñador demuestra el amor por sus sueños
cuando demuestra el amor que siente por aquellos
que se proponen acompañarle».

Llegó el mes de septiembre y por esos días el sueño de la paz se había vuelto algo muy importante. Habíamos organizado un maravilloso grupo de voluntarios cuyo nombre era «Paz con Todo», un equipo que deseaba llevar un mensaje de paz a todas partes, sin importar los colores políticos ni las diferencias de cualquier índole. Un objetivo común: la vida humana. Un medio común: la paz.

Queríamos hacer de la paz un sueño que se creaba por la inspiración de cada individuo.

Este proyecto en pro de la paz estaba en esencia unido al del maratón. De manera inconsciente, en los dos usábamos el mismo vocabulario. Cuando nos referíamos a uno y otro usábamos las mismas palabras: «sueño», «inspiración», «poder humano»… Era el mismo mensaje expresado con distintos medios. Sin embargo, para que cada uno agregara valor se iban diferenciando poco a poco.

La paz era tan imposible como el maratón. Éramos casi cincuenta jóvenes dispuestos a intentar un día de paz, lo que para nosotros era sinónimo de un día en favor de la vida y del desarrollo. Logramos ubicar un espacio, gente, voluntarios, conceptos, artistas, diseñadores y, sobre todo, creamos una narrativa que permitiera conectar a cualquier persona con este concepto de paz, y respetar el pensamiento de cada quien. Para nosotros era esencial el respeto de la humanidad de cada persona; suponíamos que estábamos apostando por salvar vidas humanas y que nadie se negaría a eso.

Llegó septiembre y nos conectamos con los personajes más hermosos de esa esencia. Sin querer, y por casualidades de la vida, conocimos a un personaje llamado Patch Adams; llegó a nuestra oficina por casualidad y nos contó su travesía por el mundo y su lucha por la paz a su manera, con su sonrisa y sin miedo a hacer las cosas de un modo distinto. El mensaje más profundo que nos dejó fue el de luchar por la paz de manera humilde y sin afanarse por el éxito. «Para que haya paz, alguien tiene que dejar de querer ganar».

También conocimos al maestro José Antonio Abreu, quien adoptó al movimiento de paz y nos invitó a no dejarlo morir. Porque el maestro nos dijo una gran verdad: muchos son los que empiezan a soñar, pero pocos los que continúan hasta lograr lo que se propusieron. El maestro nos convocó a no dejar morir este sueño al que él consideraba fundamental para cualquier sociedad y al que se refirió con unas palabras que no olvidaré:

—Hagan de ese sueño algo ineluctable.

La idea de la paz permitió que nos conectáramos con todos los sectores del país. No obstante, durante ese mes ocurrió algo que me recordó lo que siempre dice el maestro Guillermo Feo: «Cuando dices luz, dices oscuridad. Cuando dices blanco, dices negro». En otras palabras, para entender la paz, debía entender la violencia. Paradójicamente, ese mes en que trabajaba intensivamente por la paz, la violencia tocó mi puerta.

Esa noche yo estaba trabajando en la casa de María Alejandra Guerrero, productora de cine, amiga entrañable, mujer sensacional y quien nos había conectado con el Sistema Nacional de Orquestas, junto a Edgar Ramírez, increíble actor venezolano y más aún ser humano extraordinario. Conversábamos sobre ese sueño que es la paz y, de pronto, sonó mi teléfono.

Y allí me dieron una terrible noticia. Unos seres muy queridos y muy cercanos habían sido víctimas de la violencia criminal. Uno de los cientos de casos que ocurren a diario, pero que siempre que suceden le ponen rostro al miedo y tristeza al corazón. Un dolor profundo se apoderó de mi ser. Yo no sé amar a medias, y que le ocurra algo a un ser amado es mucho peor que cuando me ocurre a mí. Sentí mucha impotencia y, a la vez, reflexioné mucho. No era solo el hecho violento; era también pensar cómo hacer para que cosas como esas no sigan ocurriendo, para que no haya más victimarios.

Ningún ser humano es feliz si el único medio que tiene para sobrevivir es el ejercicio de la violencia contra otros. Venimos a este plano a construir y a trascender en el otro; a amar y ser amados. Todo lo demás es tiempo desperdiciado.

Eso le dio mucho sentido a lo que conversábamos allí esa noche y a lo que hacíamos en esos momentos. Era comprobarnos a nosotros mismos que lo que decíamos tenía sentido, que hacía falta, que era necesario desde la propia vivencia, más íntima imposible. Entendimos que debíamos superar la victimización y ponernos a trabajar para, desde nuestro pequeñísimo espacio de influencia, colocar un ladrillo para construir un país donde la paz fuese protagonista y vía de desarrollo para todos.

Estoy eternamente agradecido con María Alejandra por su apoyo y cobijo en esa época de tan duro aprendizaje. Con mucho sentir tuve que reorientar mis fuerzas a colaborar con el rescate emocional de mis seres amados y, algo más bello aún, plenamente confiado, dejar la organización y ejecución de la jornada en manos de los jóvenes que compartían ese sueño de paz.

En ese trajín, llegó septiembre, el mes más intenso del trabajo por la causa; todos hacíamos el máximo esfuerzo y yo, por supuesto, estaba dedicado a cuidar a mi gente. El entrenamiento había pasado a segundo plano. Pero yo seguía con mi sueño.

Si no puede ser hoy,
¿por qué no mañana?

«El arte de soñar en grande es apostar y no ver
ni esperar nada; es saber que estás construyendo
una gran historia, y una gran historia
siempre está llena de obstáculos».

El evento por la paz quedó muy bien. Fue un día grandioso. Yo lo viví de lejos por acompañar a esos seres que fueron violentados, y asumí eso como mi aporte del día. Pero la causa es lo que importaba y todos nuestros voluntarios, conducidos y coordinados por un gran ser humano, súper profesional y amigo de la vida llamado Pedro Martín, junto a Yolabel Díaz, Bélgica Álvarez, Alberto Pinto y Sandra Weisinger, que emprendieron con coraje el hecho de ser los protagonistas de ese día extraordinario.

El 27 de septiembre de 2009 se puede decir que volví a la vida después de tan intensa labor. Faltaba mes y medio para el maratón. Ante la enorme carga emocional que había acumulado, me dio una pulmonía que empezó con una simple tos. Un día me mojé y aquello terminó en una pulmonía profunda. Las emociones me estaban pasando la factura.

Comenzaba octubre. El maratón era la primera semana de noviembre, pero la pulmonía me hizo entender que no podría participar. Yo hice el esfuerzo. Entrené (aunque, en ese aspecto, aún estaba en fase de aprendizaje). Sin embargo, la pulmonía pudo más.

Cuando fui a ver a Emily Goetz, mi doctora, le planteé lo siguiente:

—Emily, yo quiero ir al maratón. ¿Tú me puedes dar algo para que esté fuerte?

Ella me miró con una mezcla de incredulidad y cariño. Me respondió con toda seriedad:

—Yo creo que podrás ir al maratón. También creo que lo podrás terminar y que, después de que lo termines, te vas a morir. ¿Tú quieres hacer eso? Tú dime, porque eso es lo que va a pasar. Yo conozco tu fuerza. Sé que eres capaz de hacer lo que te propongas, pero también sé cómo está tu cuerpo. Entonces puedes ir y convertirte en un mártir. Puedes hacerlo y será tu decisión.

Emily, además de mi hermana del alma, es para mí una autoridad en todo lo relativo a la salud. Así que sus palabras me hicieron pensar en que debía tomar una decisión.

Nunca me he visto como una persona sola en la vida, como alguien que no debe consultar a otros o pedir opiniones a los demás, así yo sepa que las decisiones finales con respecto a mí solo las puedo tomar yo. Para mí esta decisión ante la que me puso Emily debía tomarla junto a esas personas que confiaron en mí y se involucraron y se sumaron originalmente a mis proyectos. Alberto, Alfredo y Perla.

Emily estaba muy angustiada, pero digamos que mi doctora manejó esa angustia de una manera muy profesional, alertándome sobre el estado de mi salud y dejando en mis manos la decisión de lo que quería o no hacer. Perla estaba tan angustiada como Emily y su opinión para mí era fundamental.

Perla era mi socia desde hacía un tiempo en esta aventura profesional de desarrollar el máximo potencial de seres humanos y organizaciones. Una grandiosa persona que había sido mi jefa y que como directora de un departamento de educación me acompañó años atrás a desarrollar mi trabajo de liderazgo con jóvenes. Había sido una época fantástica de grandes experiencias y construcciones. Ella trabajó durante veinte años en la organización de grandes eventos y programas educativos para la inserción de valores juveniles e institucionales antes de decidir trabajar juntos. Es experta en gerencia, educación y desarrollo de proyectos. Con trayectoria y formación en diversos países. Entrega, pasión y capacidad gerencial eran las tres cualidades que le ponía a todo lo que hacía y construía. Una mujer apasionada, con un inmenso corazón, entregada y exigente en cuanto a su amor por la excelencia y por el detalle.

Poco después de conversar con Alberto en aquel desayuno, la llamé, nos tomamos un café y le conté el deseo que tenía, le pedí su opinión.

De inmediato se sumó con emoción y ganas de abrirse a este mundo nuevo que en aquel momento era el maratón para nosotros. Y para mí fue un gran alivio y alegría, porque venimos a esta vida a vivir y a crear mundos distintos y diversos. Cuando nos quedamos mucho tiempo en un mundo, creemos que la verdad está en ese mundo, y eso es peligroso porque empezamos a creer que esa es «la verdad», y ni siquiera se nos pasa por la mente que esa es nuestra verdad, y la defendemos porque sí, porque ¿quién no defiende la verdad? Solo cuando empezamos a abrirnos al mundo, a crear mundos y a vivir mundos distintos, entendemos que la verdad no está en ningún sitio específico, sino que está en todos lados, y en todos lados puedes encontrar un pedacito de esa verdad, y un pedacito de tu verdad también, y que tu verdad no es la verdad sino que se va construyendo y se va deconstruyendo también. Para mí eso siempre ha sido apasionante.

Perla advirtió la posibilidad de apostar por lo invisible. Solo el que apuesta por lo invisible logra lo imposible. Eso yo lo había visto mil veces. Mucha gente ha apostado por mí a lo largo de mi vida, pero esta apuesta no era cualquiera; por eso me resultó impresionante.

Para mí aquel encuentro fue como sellar un pacto con la compañera con quien construía sueños, y este del maratón era quizá la aventura más fuerte hasta ahora. Fue una decisión trascendente. Recuerdo que después de esa conversación terminamos muy contentos, con una sonrisa que hablaba de ese compromiso que estábamos asumiendo.

Me pregunto cuántas personas se atreven a dejar el mundo que les da tanta seguridad por algo absolutamente desconocido y, en este caso, además, invisible, absurdo y paradójico, porque además ella abandonaba la comodidad de lo cotidiano para trabajar en una total incertidumbre.

Pero ella cambió la incertidumbre por ganas, por aventura, por vida, por vitalidad, y eso es loable. Ella pudo ser la alquimista de su propia vida, y eso es maravilloso. Su actitud para mí era conmovedora, porque yo sabía que ella derrumbaba en este proyecto la certeza, que es uno de los ídolos a los cuales le rezamos los seres humanos de Occidente. Eso hablaba de un ser de alto rendimiento.

Cuento todo esto porque el encuentro con Alfredo Autiero significó la confluencia de mucha gente, de muchas experiencias, de muchas decisiones y de muchos mundos.

Para tomar la decisión que debía tomar, llamé a Alfredo y le pedí que me ayudara. Faltaban dos semanas para el maratón.

Creo que no es necesario conocer mucha gente, sino la gente que resuene contigo y con tus sueños. Creo que eso es algo fundamental para un emprendedor. Al final, los grandes sueños siempre son construcciones colectivas y allí los seres adecuados hacen la diferencia.

Y Perla era quien justo me había presentado a Alfredo años atrás. Él era mi maestro, con quien yo había subido al pico Bolívar y con quien experimenté por primera vez el mundo de los grandes desafíos. Era como sentir en carne propia los dichos populares y ver que, de verdad, la vida da muchas vueltas y que el mundo es muy pequeño. Aunque uno puede pensar otra cosa y decir que no es que la vida da muchas vueltas o que el mundo es muy pequeño; es que el mundo es uno, y realmente creo que las energías se juntan, y que Perla nos juntó a Alfredo y a mí, y ahora Alfredo, ella y yo confluíamos en ese desayuno decisivo para el futuro.

Cuando estuvimos los tres sentados alrededor de esa mesa, básicamente le conté a Alfredo lo que me había dicho Emily y agregué que la decisión la iba a tomar después de hablar con él.

Alfredo me dijo:

—El maratón es una distancia que no es para seres humanos. Eso está comprobado. Todo el mundo dice que la distancia ideal para un ser humano es de veintiún kilómetros. Cuarenta y dos kilómetros es para destruirte. Todo aquel que hace ese maratón se está destruyendo a sí mismo y eso está comprobado. En estos momentos tú tienes una condición física mermada por una pulmonía y por un decaimiento emocional. Coincido con tu doctora en que si participaras, lo lograrías, pero a un costo de salud muy elevado. Si quieres, yo te puedo decir cómo hacerlo.

Yo escuchaba extasiado, porque esa es una de las premisas de mi vida: «No me digas "no se puede"; dime cómo se hace». En ese sentido, Alfredo había dicho las palabras mágicas.

—Yo te puedo enseñar cómo hacer el maratón. Cómo hacerlo bien para que, además, sea algo muy importante para ti y para los demás. Eso sí: si lo haces hoy, te vas a morir. Yo no te voy a decir que no lo hagas; te voy a dejar la decisión, por supuesto. Yo no te acompaño en eso. Ahora, si tú decides que no vas a ir este año, yo te digo cómo lo puedes hacer.

Ante el maestro uno calla. Esa es mi versión de la vida. Yo creo que uno no vino a esta vida para sabérselo todo. A veces la vida es el maestro.

Después de un duelo personal muy fuerte, de matar mi ego con el dolor que eso implica, de matar mi orgullo personal con la autodisciplina que eso supone, decidí no ir.

Alfredo continuó:

—Si quieres hacer el maratón, yo te recomiendo que hables con el Fuco, con Federico Pisani. Tú lo conociste cuando ocurrió lo de José Antonio. Él es un muchacho muy inteligente y brillante. Justamente está terminando su tesis sobre el desarrollo de los músculos de los pájaros. Como tus músculos son como «de pollo» —dijo bromeando—, yo creo que te puede ayudar.

Cuando terminó de hablar, se echó a reír.

Y ese fue el día en que decidí, por un lado, crecer. Porque cuando él me dijo no, para decir sí y hacerlo bien, me hizo entender muchas cosas. Cuando uno posterga algo en función de la excelencia, está pensando bien. Cuando uno puede matar el orgullo para que nazca la grandeza, está creciendo. Así que ese día decidí crecer. Ese día volví a decidir vivir. Sabía que iba a ser un año más, un año difícil y distinto. Pero decidí apostar por la vida otra vez. Y así terminaba 2009 y comenzaba 2010.

Así que decidimos correr sin ser mártires porque el tiempo de los mártires se había acabado. Decidimos que el verdadero heroísmo consiste en ser un ejemplo completo de sustentabilidad. Eso es lo que descubrimos: la palabra «sustentabilidad». Y entendimos que un verdadero desafío es aquel que requiere un esfuerzo constante y continuo y que no da frutos de la noche a la mañana. Entendimos que la vida nos estaba diciendo, por alguna razón, que requeríamos más esfuerzo todavía, y que debíamos probar si de verdad queríamos eso que decíamos.

Ese día también entendí que el maratón no es el día del maratón, ni son cuarenta y dos kilómetros; que es el entrenamiento, vivir el mundo del maratonista que se prepara y se desvive por alcanzar una meta que pocos alcanzan en el mundo.

Y, bueno, también confirmé lo que siempre se ha dicho: que un sueño necesita un soñador entusiasta, ingenuo, corajudo, valiente, dispuesto a todo por su sueño, pero, a la vez, necesita un técnico que haga un plan para lograr ese sueño y organizarlo en el tiempo, ponerle fechas, darle forma y ponerle los andamios y los pilares que permitan darle solidez para que se mantenga en el tiempo. A todo eso me refiero cuando hablo de hacer del sueño algo sustentable.

Un sueño grande

«Solamente cuando tu sueño
es suficientemente grande, involucra a Dios.
Porque Dios solo se encuentra en la grandeza».

Mi primera meta luego de decidir ir al maratón de Nueva York era lograr que mi sueño fuera sostenible. Para ello Alfredo me sugirió que trabajara con Federico Pisani, un ser maravilloso que había conocido en el marco de un evento dramático como lo fue el rescate fallido de mi amigo José Antonio Delgado en el Nanga Parbat, en Pakistán, que muy tristemente falleció después de hacer cumbre en esa dificilísima montaña de más de 8.000 metros.

En esa semana del intento de rescate, Federico y yo nos conocimos, e hicimos una amistad hermanada y una relación afectiva muy poderosa. Lo que nunca pensamos es que siendo él uno de los mejores escaladores de roca de altura en el país, sería el héroe encargado de diseñar el plan que cimentara este sueño del maratón que serviría para que otros, a su vez, se acercaran a sus propios sueños.

En las semanas posteriores a haber pospuesto mi participación en el maratón, sentí que el tiempo se detuvo, que la vida se retrasaba. Un año me parecía una eternidad.

Es interesante. Cuando le ponemos fecha a los sueños, los matamos antes de tiempo. Eso no quiere decir que no debemos planificar. Quiere decir que el sueño siempre ha de estar por encima de las expectativas del tiempo. Sobre todo si es un sueño grande. Porque si son sueños operativos, si son sueños pequeños, está bien.

¿Y qué es un sueño operativo? Lo cotidiano, que son los bloques que forman el edificio. Amarrarse los zapatos o entrenar todos los días son sueños operativos. Si no los vemos así, no nos emocionamos tanto cuando los hacemos. Desde cada llamada que uno hace y cada tarea que uno emprende; porque no es que uno hace o cumple: uno emprende una tarea. Así es la vida del aventurero, del soñador, del emprendedor, del que está viviendo cada segundo como una misión que tiene que cumplir, como un camino que viene a recorrer en esta corta, determinada y específica existencia, en este plano y en este planeta. Una cosa es un sueño operativo y otra cosa es un sueño trascendente. Aunque de distintas naturalezas, ambos son sueños.

Un sueño grande siempre ha de estar por encima de la expectativa del tiempo, de las fechas y de las agendas. Si no, no se trata de un sueño grande ni lo querías tanto como decías. Tal vez no se tratara de un sueño tuyo. Quizá fuese un sueño aprendido, delegado, un sueño prestado, una pose, un sueño heredado, no solo de los padres, sino de amigos, sociedades, comunidades, colectivos... ¿Cuántos no nos dejamos arrastrar por sueños ajenos, aunque sepamos, muy en lo profundo, que no son nuestros? Hasta nos llegamos a convencer racionalmente de que son nuestros para justificar, ante todos y ante el espejo, las acciones cotidianas. Es como un proceso de hipnosis: nos dejamos hipnotizar y entramos en ese trance. No queremos despertarnos porque, si nos despertamos, develaremos lo que ya sabemos: que no tenemos un sueño propio.

En todo caso, si se necesita un soñador y un técnico para hacer verdad un imposible, ese técnico es Federico. Como buen discípulo de Alfredo, lo llamé. Recuerdo que me atendió con mucho cariño. Quedamos en vernos para tomar un café. Recuerdo que llegué diez minutos después de lo previsto y con grandes expectativas.

Ese día acepté la postergación del sueño, sobre todo porque, cuando empecé a oír a Federico, me di cuenta de que si yo asumía solo el reto físico no llegaría a ninguna parte.

Ya había experimentado el hecho de no entender o no conocer cómo era entrenar. Alberto había intentado darme unas pequeñas pautas, pero él tenía que cumplir las suyas, que eran muy duras, así que él no podía cubrir esa faceta de entrenador que yo necesitaba.

Ese día entendí que para lograr lo que me había propuesto debíamos sumar voluntades y comprendí, además, que esto ya no consistía en ir a correr el maratón de Nueva York; consistía en enviar un mensaje. Porque no íbamos a hacer tal esfuerzo, tal cantidad de sacrificios, si no era para lograr algo trascendente que tocara el corazón de las personas. Íbamos a enviar un mensaje y se requerirían muchas, muchas voluntades. Nos tocó convencernos de que debíamos postergar el sueño. Como buenos guerreros, nos costaba no ir a la batalla, pero como mejores estrategas entendimos que las mejores batallas son las que se planifican y en las que se espera el momento adecuado para abordar al enemigo, que en este caso era lo imposible.

Sí. En mi caso, el enemigo era un imposible: que yo llegara a la tan ansiada meta del maratón. Si asumíamos el maratón como la oportunidad de enviar un mensaje, ¿cuál era ese mensaje? ¿Cómo lo llamaríamos? ¿Cómo lo comunicaríamos?

Así como necesitábamos a Federico para que fuera el técnico de mi entrenamiento, necesitábamos a alguien que hiciera lo propio en el terreno del mensaje. Así que, por donde lo viera, requería voluntades, sumar gente a este proyecto.

Había vislumbrado que en mi vida como profesional del desarrollo del talento humano tampoco podría solo; que era mucha la demanda y requería ayuda. Era como entender que en lo profesional estábamos armando un equipo de trabajo como lo armamos en el movimiento por la paz. Ahora venía la conformación del equipo de trabajo de algo que comenzó como un desafío emocionante en el que, curiosamente, coincidían mis inquietudes como profesional y como agente de un mensaje trascendente. Perla, que como jefa había sido fuente de impulso y apoyo, ahora como socia ya se había anotado sin chistar, con su inmensa capacidad gerencial, aliviada y emocionada por la responsabilidad con que asumimos las decisiones. Posponer mi participación en el maratón fue una decisión dura que, sin embargo, acentuó la confianza, el respeto y la admiración que existía entre nosotros.

La credibilidad viene cuando demuestras que de verdad quieres algo, cuando no importan las adversidades ni las dificultades ni el tiempo que tardes en lograrlo, ni la oscuridad que tengas que atravesar, porque quieres ver la luz y sabes que ese es el túnel que te va a llevar hacia la luz. Por tanto, vas sin mirar a los lados, sin mirar atrás, siempre hacia delante, y entiendes que ese es tu camino. Cuando sabes eso, ganas credibilidad.

Entonces, volviendo a la reunión con Federico, llegué a ese café diez minutos después de lo acordado. Cuando Galo me ayudó a subir las escaleras, vi a Federico acompañado de una muchacha a quien yo conocía y admiraba por su trabajo fotográfico: Arianna Arteaga.

Cuando llegué al café y vi a Arianna, no sabía qué hacía ahí, pero de pronto me enteré de una bella noticia: Arianna se había hecho novia de mi amigo Fuco y eso me puso muy contento porque, de verdad, Federico se merece la mejor novia del mundo, una mujer que lo quiera y lo impulse. No hay nada que me haga más feliz que ver felices a mis amigos, a la gente que quiero y amo con todo mi corazón.

Con la noticia de ese noviazgo, ese encuentro ya había valido la pena. No importaba si no llegábamos a nada porque ver a mis amigos relajados, expandidos y amándose ya era más que suficiente.

Así que me senté con ellos dos y les empecé a contar. Había dos miradas: una de asombro y otra de escepticismo. La de asombro era de Federico. Asombro por lo que yo quería hacer, y más asombro aún porque yo le estaba pidiendo que fuese él quien diseñara el plan para construir ese sueño y hacerlo realidad desde el punto de vista deportivo. Él no entendía, realmente no entendía; le daba temor y emoción al mismo tiempo.

Federico me expresó esa incertidumbre de la manera más sutil, con más gestos que palabras porque Fuco es un hombre callado. Y evidentemente sus ojos, abiertos de par en par, cual ventanas que se abren a un mundo nuevo, decían: «Quiero, pero me da miedo; quiero, pero no entiendo; quiero pero, ¿cómo lo vamos a hacer?», cuando era yo quien se suponía que se hacía esas preguntas e iba ante su amigo Federico en busca de respuestas.

Así son las cosas. Cuando el soñador sueña en grande, normalmente tiene que convencer, y tiene que convencer en el entendimiento de que a pesar de que los otros van a construir el cómo, tiene que haber un cómo inicial, o por lo menos un cómo emocional, un cómo energético, que permita sustentar a los demás mientras encuentran un cómo racional. Esa es una parte importante del trabajo del soñador, del líder, de su sueño y de su vida.

La otra mirada que tenía frente a mí era de asombro amoroso, de escepticismo y desconfianza. Era una mirada de mujer. No era malintencionada. Era una mirada femenina que unía dos cosas fundamentales: una, la protección. Yo sentía que Arianna me miraba con esa cara de «¿Qué locura es esta?» porque quería cuidarme y que no me pasara nada malo. Dos, la implacable necesidad de que yo le expusiese una justificación ética que la convenciera de aquel asunto; algo muy importante, porque la razón por la cual me sometería a esta prueba debía ser no solo gigantesca, sino irrebatible y sustentable.

Básicamente sus planteamientos, expresados o no, eran: «¿Es que tú te crees el salvador de qué?». Y «¿Te vas a hacer daño y les vas a hacer daño a los que te acompañan para complacer a tu ego?».

Por eso me pareció tan importante que el desafío ya no fuera físico nada más, sino ético, personal, de convencimiento y convicción. Ya no se trataba solamente de un desafío deportivo, sino de algo que implicaba convencer a la humanidad de que lo imposible era posible, de que vale la pena plantearse sueños enormes.

Para mí era muy importante que este proyecto se volviera algo útil y sustentable para todos. Nos íbamos a esforzar de tal manera que mejor que fuera así.

También era importante entender (y hacerles entender a quienes sumaran sus voluntades, como nosotros estábamos poniendo las nuestras) que el esfuerzo no sería recompensado; que, al contrario, tal vez fuese penado con el escepticismo hasta no demostrar, o hasta no hacer entender, de qué iba este sueño poco comprensible por inédito.

Como todo sueño inédito, nadie lo iba a entender, comprar ni desear, hasta que no demostráramos con hechos su utilidad y su sustentabilidad. Por eso la mirada de Arianna fue muy importante para mí. Fue como un termómetro. Hasta que ella no viera claramente lo que tratábamos de hacer, yo no me iba a quedar tranquilo. Para mí, su criterio era el criterio de esa generación, y su visión ética era la ética que yo deseaba para el proyecto, para mi sueño, para mi país y para mi mundo. Cada vez que yo viera esa mirada escéptica se me encendería una alarma que me llamaría a revisar, orientar o reorientar el camino.

Federico, como siempre, de manera heroica, sin estar convencido para nada, asintió y aceptó el desafío después de un diálogo muy parecido al que sigue:

—¿Qué? No entiendo. O sea, ¿vamos a hacer cuarenta y dos kilómetros?

—Sí —y se queda en silencio durante unos segundos antes de añadir:

—Bueno, por lo menos vamos a comenzar; mediremos y veremos de qué estamos hablando.

Como buen científico, se dejó guiar por su curiosidad, pero también por la capacidad de medir y plantear los desafíos desde el punto de vista de la ciencia. Ahí comenzó todo. Ahí comenzamos a plantearnos dudas y preguntas.

—Ok. Vamos a comenzar mañana. Me voy a ir contigo a entrenar por primera vez y así podremos entender de qué estamos hablando.

Yo me fui muy sonriente de esa reunión, pues una nueva aventura acababa de comenzar.

Al día siguiente nos fuimos a entrenar. Empezamos por primera vez a recorrer el asfalto y, cuál sería la sorpresa, al hacer apenas quinientos metros a una velocidad que para mí era forzada, empezaron a dolerme los tobillos y las rodillas, y si la cara de Federico el día anterior era de asombro, esta vez era de espanto.

Sabíamos que nos estábamos metiendo, definitivamente, en un imposible, en un camino muy arduo y largo, que tendría riesgos serios de no hacerlo con la delicadeza necesaria.

Estábamos metiéndonos en una selva inexplorada llena de peligros; eso no quiere decir que no hay que explorarla, sino que se necesita mucho coraje para explorarla. De ahí surgen los descubridores: Cristóbal Colón, Magallanes. Éramos navegantes hacia un mundo nuevo.

Los dolores en tobillos y en rodillas, absolutamente desconocidos para mí, me produjeron miedo y emoción a la vez, porque entendía que el desafío iba a ser más difícil de lo que pensaba.

De manera muy responsable, Federico me dijo:

—Detente, detente. No demos un paso más. Recuperémonos de ese dolor y déjame pensar cómo hacer que esto sea viable, si es que lo es.

El soñador demuestra el amor por sus sueños cuando demuestra el amor que siente por aquellos que se proponen acompañarle. Como aquella vez que me había entregado a Alfredo Autiero en el ascenso a la montaña, al pico Bolívar. En realidad entregaba mi vida, y dejaba que él decidiera cada paso que dábamos porque él era el que sabía. Y creo que parte del liderazgo que te impulsa hacia tu sueño tiene que ver con eso, con entender que: no puedes solo y que cuando hay alguien que sepa más que tú en un tema, ese es el líder y tú su seguidor. Necesitas entregarte al ciento por ciento, en confianza, en credibilidad, porque si no, no llegas. Para eso debes escoger de manera adecuada a quién le vas a entregar tu confianza. Yo, sencillamente, me entregué a lo que Federico me dijera porque entendía que si quería que él fuese mi entrenador, necesitaba confiar en él.

Y en el ámbito deportivo, él sería el líder de este camino. Ese día Federico y yo nos despedimos. Él se fue a estudiar, a crear la arquitectura de este plan para presentarme una propuesta. Me fui a mi casa a seguir mi rutina de vida con la tarea de recuperarme de esos dolores.

En el camino hacia la meta, se unen voluntades

«Es posible cambiar el mundo, a partir del cambio del mundo de cada quien».

Cuando nos volvimos a ver, Federico me planteó una manera de hacer las cosas, de lograr mi sueño.

—Si vamos a acometer este desafío, quiero que entiendas lo siguiente: estoy arriesgando mi futuro profesional contigo. Si voy a arriesgar mi carrera contigo, lo mínimo que te voy a pedir es que lo que te diga, lo hagas. Porque si no, no tiene sentido. Esto puede salir muy bien o muy mal, si no hacemos lo que tenemos que hacer.

Respondí que jamás pondría en riesgo a mis seres amados y menos a quienes apostaron por mí, y que lo que él me dijera yo lo iba a hacer. Entonces me planteó una manera de trabajar. La pregunta no era si yo podría recorrer cuarenta y dos kilómetros o no; esa pregunta ni siquiera nos la estábamos planteando todavía porque era muy distante. La pregunta era si yo podría modificar y transformar mi cuerpo, y eso requeriría un esfuerzo demasiado continuo y constante.

—Necesitas dos cosas más: debemos construir fuerza, para lo cual necesitamos trabajar en una piscina, y hacer un régimen alimenticio y de hidratación adecuado. Además, necesitamos medir variables y hacer exámenes.

—Como tú digas —asentí.

Y lo primero que me pregunté fue: «¿Dónde consigo una piscina, dónde consigo esto, dónde consigo lo otro…?». Porque esa es la manera; es decir: tienes un sueño, tienes un técnico que te arma el plan y ese plan tiene requerimientos que si no se tienen, hay que buscarlos. Y hay que buscarlos con la pasión que requiere ese sueño, no quedarse detenidos por lo que no se tiene, sino que hay que salir a buscar lo que se necesita y no se tiene, de manera responsable.

Así que empecé a buscar una piscina. Y además una piscina que me permitiese hacer lo que este señor me estaba pidiendo. Entonces ocurrió un milagro.

En mi faceta de psicoterapeuta una vez conocí a un señor que se llama Igor, y que daba técnicas terapéuticas de recuperación y relajación en piscinas. Lo hacía en un lugar que queda muy cerca de donde yo vivía y trabajaba. Un día me presenté ahí un tanto entusiasmado por mi sueño y por el nuevo arquitecto que habíamos conseguido.

Fui a ese lugar porque fue el primero que se me pasó por la cabeza. Yo entendía que allí había una piscina y que podía conseguir lo que buscaba. Cuando llegué a la recepción de Zona Pilates, sentí una enorme decepción cuando me dijeron:

—No. Igor ya no trabaja aquí.

Cuando daba la vuelta para irme, una señora muy enérgica y elegante con una gran y linda sonrisa me llamó con un tono de voz muy alto.

—¡Epa! Mira, tú.

—Hola. ¿Cómo le va?

—¿Tú no eres el de Proyecto Cumbre?

«Proyecto Cumbre» es un célebre grupo explorador venezolano, admiradísimo, queridísimo, emblemático. Es de esas inspiraciones que me llevaron en algún momento a creer y a querer subir el pico Bolívar. José Antonio Delgado, que en paz descanse, fue parte fundamental de ese grupo de venezolanos que llegó a la cumbre del Everest; Alfredo Autiero, mi maestro de montaña y maestro de muchos de aquellos jóvenes, algunas veces trabajó con ellos en algunas expediciones.

Entonces, cuando la señora me preguntó si yo era del Proyecto Cumbre, primero me sentí honrado por la hermosa referencia a seres que tanto admiraba y, luego, verdaderamente apenado por la confusa comparación, porque yo no pertenecía a ese grupo. Al final me sentí bien y sonriente porque entendía que la referencia había sido la montaña; es decir: la señora sabía que yo había conseguido subir a la montaña y, bueno, subir montañas en Venezuela es como hablar del Proyecto Cumbre. Me pareció bella e irónica la situación.

Y además, me sentí confortado al recordar que Alfredo era parte de la élite de montañistas pioneros en este país; Alfredo, mi maestro y maestro de muchos de aquellos muchachos montañistas.

Cuando estuve a punto de responderle a la señora que no, que yo no pertenecía al Proyecto Cumbre, que muchas gracias por la referencia, pero que lo que yo había hecho era otra cosa, ella no me dejó.

—Sí. Tú eres —y con un ademán amable y firme a la vez, me hizo pasar a su oficina.

Cuando ya estábamos sentados, se presentó.

—Yo soy Gladys Escotet. Soy la dueña del lugar y para mí es un honor que tú estés acá en este momento.

Yo estaba abrumado por la hospitalidad de esta grandiosa mujer. También sentía un poco de pena porque no hallaba cómo decirle que no era miembro del Proyecto Cumbre. Ante su energía no podía hacer nada, salvo dejarme llevar.

—Con mucho respeto, lo que hice fue subir una montaña, la más alta del país, con un grupo de montañistas liderado por Alfredo Autiero. Logramos hacer cumbre en el Bolívar…

—Ajá, muy bien, muy bien —no importaba lo que le dijera. Para ella yo era parte del Proyecto Cumbre y punto—. ¿Y qué te trae por aquí? ¿Qué necesitas?

Ella repitió varias veces «qué necesitas, qué necesitas…». Si hay algo que he aprendido como soñador es que saber escuchar a las personas es tan importante como saber contar tu sueño. La vida te puede estar ofreciendo cosas que si tú no las capturas en el momento, te las puedes perder para siempre.

En ese momento la vida me estaba diciendo algo. Dejé de hablar y empecé a escuchar. La señora lo único que decía era: «¿Qué necesitas, qué necesitas, qué necesitas…?». Esta señora maravillosa me estaba preguntando algo y yo tenía que responder.

—Emprendemos un camino hacia el maratón de Nueva York, pero mi entrenador, Federico Pisani, me dijo que yo necesitaba una piscina para entrenar. Y a mí me dijeron que aquí había un señor llamado Igor y que había una piscina…

—Bueno, listo. Igor no está, pero la piscina sí, y además hay un señor, un muchacho, que es muy bueno, y que me trata a mí; se llama Óscar Flores. A mí me gustaría que tú fueras parte de este lugar. Por eso lo pongo a tu disposición. Yo quiero que tu sueño sea parte de este lugar, y yo quiero que tú alcances tu sueño. Y si está en mí ayudarte, lo haré de esta manera. Quiero que conozcas a Óscar, que conozcas la piscina y veas si te sirve.

Ese fue uno de esos momentos abrumadores en los que uno se siente avergonzado, agradecido, privilegiado... Un momento en que la vida te grita que vas por buen camino. Que vas por buen camino y, aún así, te apenas. Uno se pregunta: «¿Qué hice yo para merecer esto?», y probablemente haya hecho mucho y necesite creer que se lo merece para poder aceptarlo.

La pregunta, la vergüenza, la gratitud… Todo vino junto y fue sobrecogedor porque sentí la presencia de Dios en los seres humanos. Fue algo comparable con aquel episodio bíblico en el que Moisés no podía verle el rostro a Dios por vergüenza, y Dios le dice: «Descálzate, porque estás pisando tierra sagrada». Esa es la sensación que yo tengo cada vez que un ser humano se suma, suma su voluntad, su deseo, su amor o lo que tenga, a esto que se llama sueño.

El sueño es tierra sagrada, y como tierra sagrada yo me descalzo y entiendo que cada paso que doy allí es Dios que está hablando. Y con esa responsabilidad y pequeñez humana la asumo. Eso es. Me siento pequeño y cada vez entiendo más que para soñar en grande es necesario sentirse y saberse pequeño.

Si no te sientes pequeño ante tu sueño, ese sueño no es grande.

Entonces me sentía muy pequeño ante esa grandiosa mujer que ponía lo que tenía a disposición de este sueño que ya no era mío solamente. Esa es la sensación más conmovedora y aterradora que puede existir. Porque, ¿sabes qué es cómodo, tranquilo y confortable? Ser el líder de tu propio sueño. Aterrador, profundamente aterrador, es entender que tu sueño ya no es tuyo nada más; que aquello que sueñas también le pertenece a mucha gente.

Esto lo digo porque, a esas alturas, ya se habían sumado varias voluntades: Alfredo, Perla, Alberto, Fuco, Arianna y ahora esta grandiosa mujer que ponía a disposición del sueño todo lo que tenía.

Le di las gracias y le dije que claro que sí, que probáramos a ver cómo nos iba con sus instalaciones. También le acoté que la decisión no dependía de mí, que mi entrenador (que el líder deportivo de esta iniciativa) debía ver la piscina y todas las instalaciones para ver si eran adecuadas para lo que nos proponíamos.

Ella estuvo de acuerdo, pero insistió en algo que fue muy importante.

—Por favor, hazte una evaluación física con Óscar. Él te la hace de mil amores.

Al terminar esa reunión, llamé a Fuco y le conté. Estuvo de acuerdo con Gladys en que aprovechara la oportunidad de que un fisioterapeuta me evaluara.

Así fue como conocí a otro héroe de esta historia: Óscar Flores.

Como uno fluye con lo que va ocurriendo en el camino, no es de extrañar que ocurran los milagros. De las más locas confusiones a veces surge lo que necesitas. La decepción de no haber encontrado a la persona que yo estaba buscando se transformó en la alegría de conocer a Óscar Flores y a Gladys Escotet, dos personas muy importantes en mi vida: un gran amigo (o mejor: un hermano) y una madre para lo deportivo que fue algo así como la hospitalidad personificada. Zona Pilates fue como un templo sagrado, un recinto donde comencé, primero la evaluación, y posteriormente una de las grandes hermandades que hoy tengo en mi vida.

Esas son cosas que nunca entenderé... Pero bueno, los sueños no son para entenderlos, sino para hacerlos realidad.

Los sueños no son lógicos, porque el mundo tampoco lo es. Las creaciones, las invenciones, no son lógicas; son de saltos cuánticos, son de romper estructuras y paradigmas.

Repito: los sueños no son para entenderlos; son para hacerlos realidad.

En esta parte del viaje había conseguido muchas cosas importantes: un «recinto sagrado» y dos técnicos: Federico, mi entrenador, que se encargaría de la parte científica de la actividad que estaba a punto de emprender, y Óscar, mi fisioterapista, un ser extraordinario en el que se conjugan con extraordinario·equilibrio la sutileza, la rudeza, el cariño y el conocimiento.

Óscar me ha hecho pensar mucho en algo. Él conoce su oficio. Lo conoce en profundidad, tiene formación científica, lo que le permite ser un artista de la técnica. ¡Eso es! El arte es producto de la repetición infinita de la técnica. Y se nota que Óscar ha tenido el deseo de ser un artista de la fisioterapia. Que él se sumara al proyecto fue muy importante porque, mediante su trabajo, nos hizo ver a todos que ese sueño debía ser tratado con el ahínco, el cuidado, la técnica y el ardor con el que se trabaja una obra de arte.

Para Óscar, la obra de arte en la que trabajábamos era como un acto circense.

Óscar me hizo ver que, para mí, correr es algo muy parecido al acto de unos trapecistas. Por tanto, los ejercicios que diseñaba para mí eran muy parecidos, al menos en su estructura, a los de unos equilibristas. Eso era y es fascinante porque abrió una dimensión absolutamente nueva para mí.

De Óscar descubriríamos más adelante otras cualidades tan relevantes como su desempeño y su formación profesional. Me refiero a su vocación de padre de familia, de esposo, amigo y ser humano extraordinario. Yo, a veces, no lo entendía (ni lo entiendo), pero aprendí a disfrutar el trabajo junto a un ser humano integral que siempre te sorprende porque quizá todo artista termine convirtiéndose en una obra de arte. No hay manera de que no sea así. Para crear obras de arte necesitas pulirte y convertirte en algo digno de lo que quieres crear. Eso es lo que yo siento que mi fisioterapista aplica en su trabajo y en la vida.

Óscar me evaluó y asumió con gallardía este desafío. Lo tomó como algo novedoso y apasionante que nutriría tanto su vida como las de los demás.

Hay algo muy importante: estas voluntades se sumaron sin pedir nada a cambio.

Yo creo que eso hacía que el sueño fuese cada vez más digno, más puro. Yo tampoco pedía nada a cambio; simplemente quería esforzarme para llevar este mensaje con el medio que habíamos encontrado, el maratón.

En esta historia hay otro personaje digno de mención: Pedro Martín Valera.

Pedro es un amigo entrañable, a quien conozco desde nuestra época formativa en educación experiencial. Pedro es un soldado del amor, un amante de lo humano, que en esa época estaba tomando definitivamente el control de su vida. Él fue uno de los miembros de la organización «Paz con Todo», de la cual ya hablamos, y ahí, en ese trabajo de voluntariado, nos encontramos, compartimos y discutimos todas las posibilidades que existían para construir en este país y en este mundo.

Pedro es un militante de la causa, y sin duda, cuando le asomé la idea del mensaje que queríamos transmitir con el maratón, se sumó a él feliz de la vida y nos ayudó a perfilarlo y a hacerlo comunicable.

—¿Cuál es el mensaje?

—El camino que debe recorrer un hombre que quiere alcanzar un sueño.

—¿Y cuál es el camino?

—Todo lo que tendríamos que hacer para alcanzar lo que nos habíamos propuesto.

Si hubiéramos participado en el maratón en 2009, solo habríamos relatado el resultado. No hubiésemos podido contar el camino completo.

Ante eso, entre todos acordamos aprovechar el infortunio para construir un mensaje poderoso. Porque, ¿qué es más poderoso que la meta? El camino. ¿Y qué es más poderoso como mensaje: el camino o la meta? El camino.

El camino estaría conformado por cada paso que tendríamos que dar para alcanzar esa meta tan ansiada que era el maratón de Nueva York, ese imposible que estábamos enfrentando. Entonces, con esa lógica constructivista, elaboramos un título que rezaba: «Paso a paso hacia la meta». Ese era el relato que íbamos a contar.

Pedro, de manera amable y amorosa, eligió sumar su voluntad, otra vez, para contar este relato con los nuevos medios digitales. Él estaba en el comienzo de una carrera de ascenso. Ya había pasado su proceso de deconstrucción, y tiene muchas habilidades en las cuales es muy bueno. Pedro estudió Educación, se ha aplicado en el área de desarrollo humano; escribe, le gusta la tecnología. En internet encontró la oportunidad perfecta para juntar todas esas habilidades. De ese modo se convirtió en parte importante de la comunicación de todas nuestras peripecias en las redes sociales y los medios digitales en general.

Como nosotros ofrecíamos nuestro tiempo al proyecto, Pedro también nos ofreció una fracción de su tiempo para construir el portal web que se llamaría «Paso a paso hacia la meta», donde contaríamos lo que nos ocurriera en el camino hacia el maratón de Nueva York.

Por esos días también nos reunimos con una joven y querida amiga fotógrafa profesional, a la que ya mencioné antes: Romina Hendlin. Al contarle lo que estaba haciendo, ella se ofreció a ayudar a documentar este proceso; tomaría fotos y hablaría con sus compañeros fotógrafos para que también participaran en ese trabajo. Así comenzaron a laborar con nosotros Iván González y Leo Ramírez, impresionantes artistas y seres humanos.

Marlon Monsalve, un querido amigo, gerente de Mercadeo Deportivo de Gatorade, se conectó con nuestro proyecto de una manera activa y generosa. La primera vez que nos reunimos, nos contó de su sobrino Maikol, un deportista de excelencia a quien le habían amputado una pierna. Por eso entendía apasionadamente el mensaje y la necesidad de difundirlo de todas las maneras posibles. Además, coincidía a plenitud con la esencia de su marca.

Marlon generosamente nos invitó a todos a encontramos en un salón en el edificio de Empresas Polar, donde tenía su oficina. En ese salón tomamos varias decisiones importantes. En primer lugar, debíamos perfilar el sueño: no era que Maickel Melamed asumía un desafío deportivo. Era algo más grande. Ese algo más grande había que definirlo bien. En segundo lugar, yo debía someterme a un riguroso examen dirigido por especialistas.

Marlon se dedicó a reunir a un grupo de médicos que evaluaría mi caso. En esa junta destacó Pedro Reinaldo García, un médico especialista en nutrición deportiva, que tenía la perfecta combinación de conocimiento y humildad. Tú vas a su consultorio, te mide, te pesa, te ayuda a diseñar un plan de nutrición y te explica, de manera apasionante, todo lo que debes hacer. Para mí fue un honor y una gran alegría conocerlo, y más cuando supe que nuestro primer encuentro coincidió con el nacimiento de su segundo hijo, lo que, no sé por qué, se conectaba simbólicamente con el camino que estábamos construyendo.

Pedro Reinaldo tiene algo único. Él te habla de asuntos médicos, pero lo hace con tal calidez y tal claridad que no solo te sientes bien como paciente, sino que te sientes estimulado a llevar a cabo tus labores. Él no me hablaba como si quisiera adjudicarse algún triunfo ni como si fuera a curarme o a salvarme; me hablaba para darme la responsabilidad sobre mi propia vida, para empoderarme y para que, gracias a la nutrición y la hidratación adecuadas, lograra aquello que yo quería.

La verdad es que agradezco enorme y profundamente a Marlon por habernos presentado a Pedro Reinaldo, quien, para ese entonces, era el presidente del Instituto Gatorade de Ciencias del Deporte en Venezuela, y me parecía alucinante poder hacer de este trabajo un compendio científico que permitiera, con números, demostrar que lo que no se podía, se puede; que lo que no se podía, se pudo.

Por el lado creativo conocimos a dos personas cuyo aporte fue invalorable: Uberto Brunicardi y Alberto Ciammaricone.

Uberto, el gerente de Mercadeo de Nike para aquel momento, fue un aliado inteligente, lleno de buen humor y de conocimientos profundos, con quien trabajamos los temas del equipamiento deportivo y del mercadeo para la difusión del mensaje. Nuestra relación fue muy fluida desde el principio, porque Uberto es un personaje integrador con una gran capacidad de análisis. Él fue quien nos recomendó a una agencia que podría voluntariamente ayudarnos a darle forma a esta esencia transformadora.

Alberto Ciammaricone era uno de los directivos de Aerolínea Creativa, un diseñador y creativo con quien comenzamos a trabajar en el mensaje que queríamos transmitir. Trabajar con Alberto era muy divertido porque era una persona desfachatada, ocurrente, retadora, llena de ideas delirantes que expresaba sin ambages ni pudores. Su equipo estaba lleno de personas jóvenes y talentosas que le seguían el trote y alimentaban nuestras conversaciones con propuestas y más ideas. A mí me encantaba reunirme con ella y ver cómo avanzábamos poco a poco hacia un boceto más cercano y potable del anhelado sueño.

El gran sueño se empezó a confirmar en un equipo soñado.

Parte 3

Entrenamiento para soñadores

«Si tú no te rindes, yo no me rindo»

«Solo si reconocemos nuestra finitud, podemos
empezar a construir algo perdurable, a rozar la certeza».

Empecé los entrenamientos. Federico diseñaba un plan semanal de distancia y fuerza. Con Óscar hacía sesiones de pilates, piscina y ejercicios. Al inicio, solo trabajábamos en la piscina, que era el lugar que me permitía recuperar lo que Fuco destruía con el entrenamiento.

Para mí era abrir un mundo nuevo, entender y apreciar el mundo del deporte, que hasta entonces era pura teoría para mí. De hecho creía que el mundo del deporte era para que yo lo viera, lo celebrara y lo admirara, pero nunca pensé que era para que lo practicara. No sabía que cada vez que haces un esfuerzo se te rompe una fibra muscular. No sabía la diferencia que hace un segundo más de velocidad. Lo hermoso del deporte es que lo vives; vives el esfuerzo y el logro en el cuerpo, lo vives en lo más tangible que puede haber, dentro de tu piel.

El entrenamiento era algo especial. No sabíamos a ciencia cierta si los ejercicios que hacíamos servirían para algo. El sueño era tan insólito que cualquier cosa que inventáramos formaría parte de una apuesta. Las cosas podían funcionar o no. No había otra forma de entenderlo y menos aún de afrontarlo. Por otro lado, este entrenamiento era más que deportivo… Es decir: yo no era un maratonista propiamente, al menos hasta ese momento… Por eso nos concentramos en entrenarnos en algo más que en el propio deporte. Nos concentramos en el arte de soñar.

Ningún atleta entrenaba las horas que yo entrenaba. Muchos periodistas y deportistas me preguntaban: «¿Qué hace que te dediques a esto durante tantas horas?». «¿Por qué te das tanta tabla?» y he de agregar, «voluntariamente». Por que, visto de lejos, era raro que yo anduviese por ahí corriendo. Quizá la palabra no sea «raro», sino absurdo. Y tantas horas mucho más.

Había mucha gente que «sabía» (o creía saber) que los ejercicios que hacíamos no iban a funcionar. No nos lo decían abiertamente, pero ponían cara de «qué loco que estén perdiendo su vida en algo que no va a funcionar». Había otras personas que decían: «Qué loco que estén perdiendo su tiempo y, además, estén dañando a Maickel», como si Maickel, es decir, yo, no tuviese discernimiento de lo que estaba haciendo. Otros decían: «Mejor quédate haciendo distancias cortas». Está bien. Es natural que unos cuantos hayan pensado así. Porque si realmente yo me pongo desde fuera a ver lo que hacía, puedo verlo como ellos lo veían: era una locura lo que estaba haciendo.

Mirándolo bien, no puedo hablar de mi entrenamiento desde el punto de vista meramente deportivo. Esto que yo haría era un extremo del deporte.

Cuando un atleta entrena durante tanto tiempo, sabe que logrará marcas, que alcanzará metas o por lo menos las probabilidades de lograrlo aumentan con la preparación. Yo no tenía esas certezas. No sabía nada. Lo mío era una apuesta por mi musculatura, por la organización del maratón, por la gente, por el mensaje que se quería transmitir. Siempre fue una apuesta en la que todo me decía que no. Así que, más que un entrenamiento deportivo, fue una experiencia que tenía que ver con el arte de soñar en grande.

La pregunta de Fuco era: «¿Podrás transformar tu organismo?», porque de no ser así no sería posible. Esa transformación podía verificarse con la medición periódica de ciertas variables. Pero la otra pregunta que pudiese haberse hecho era: «¿Podrás transformar tu organismo lo suficiente para llegar?», y ella sí nos acompañaría hasta el último paso, el último centímetro de recorrido.

El arte de soñar en grande es apostar y no ver ni esperar nada; es saber que estás construyendo una gran historia, y una gran historia siempre está llena de obstáculos. Mientras más obstáculos, más grande es la historia. Mientras más grande es la historia, más pruebas te pone. Puedes decidir rendirte cuando quieras, pero asumir las consecuencias de no obtener ese sueño, que es tu sueño. Mientras más notorios sean la dificultad o el absurdo, más tendrás que luchar para que ese sueño se haga realidad. Cuando hayas avanzado un buen trecho del maratón, muy probablemente entenderás hacia dónde iba tu sueño.

De vuelta al entrenamiento, hay que decir que una buena parte de su importancia tenía —y tiene— que ver con la vida diaria. Entender que el entrenamiento es cotidiano, que ocurre en cada segundo, es más absurdo todavía. Si te dicen: «Mira, tienes un gran sueño y lo vas a lograr en esta fecha, y vas a tener que realizar tales y cuales actividades», uno calcula y se da cuenta de que eso puede tardar años. Solo tú sabes lo que debes hacer o no, si lo haces o no, si cada segundo de tu vida estás enfocado en eso o no. Es en esa soledad donde descubres si lo quieres o no. Nueva York era un sueño, que, a su vez, era parte del sueño. Cuando abres una puerta, se te abren otros caminos, y los ves clarísimo. Pero hasta que esa puerta no está abierta, no ves qué hay detrás. Nueva York era una puerta a otra etapa del sueño, que sigue siendo el mismo sueño. Un niño me pide que no me detenga. Un niño me pide que no me rinda. Ese es el trato: yo no me rindo si tú no te rindes. Hay una hoja grande donde la gente y yo firmamos. La hoja solamente dice eso: «Si tú no te rindes, yo no me rindo». Hay personas que lo entienden temprano y otras que no. Yo me levanto a firmar esa hoja todos los días con quienes quieran firmarla conmigo. No se ofrecen certidumbres; se ofrece vida, se ofrece amor y entrega total.

Entonces, el entrenamiento era y es un absurdo. Eso sí, poco a poco obteníamos logros en función de ese absurdo. La meta, en este caso, era Nueva York. Nos dijeron:

—Bueno, pero corre cualquier otra carrera.

—No. La meta es Nueva York.

—¿Por qué?

—Vamos a Nueva York porque hay que difundir el mensaje. Y como el mensaje es grande, hay que hacerlo en un lugar grande, haciendo algo grande. En esa tarea diaria, en esa lucha absurda y hermosa de todos los días, íbamos obteniendo logros: mayor movilidad en el cuerpo, mejoras cardiopulmonares, mejoras metabólicas… Porque es muy importante ir midiendo las mejoras para entender, por lo menos, que vas por un camino evolutivo. Siento que eso es muy importante, lo que no le quita lo absurdo a lo que hago. Un día descubrimos esas mejoras y entendimos que ese proceso de evolución era el camino, el sueño. Así que nos tomamos en serio las mediciones de todo: del tiempo, de las pulsaciones, de los pasos... Si no mides, ¿cómo sabes que estás mejorando?

Al principio de los entrenamientos aprendimos que cada segundo contaba. Es absurdo, sí, pero hasta que no lo vives, no lo entiendes. Entender que si hoy no entreno lo que me toca entrenar o no como lo que me toca comer o no duermo lo que me toca dormir, repercutirá mañana, y mañana en pasado mañana, y pasado mañana en la semana completa, y la semana completa en el mes completo… Yo decía: «Vamos a correr Nueva York y ya. Yo tengo las ganas, con eso basta». No, no basta con eso. Las ganas son fundamentales, las ganas de soñar son increíblemente fundamentales, pero las ganas de soñar se demuestran con decisiones y con hechos.

Los entrenamientos largos se convirtieron en un ritual para todos, en un espacio sagrado en los que a Perla y a Asdrúbal se le sumaban en rotación Pedro, María Alejandra, Marlon, Romina, Iván, Leo y Alberto.

Un día hicimos nuestros primeros cinco kilómetros. Recuerdo que la calle por donde transité estaba muy complicada. Me caí. Me golpeé la cabeza en plena avenida. Visto en retrospectiva, me doy cuenta de que éramos un elemento nuevo en ese mundo del atletismo.

Yo era un elemento rompedor, incómodo, en el sentido de que, para los organizadores de la carrera, era un problema porque ellos no sabían cómo tratarme. Para los corredores yo era casi un obstáculo que, además, andaba rodeado de un grupo de gente que estaba ahí para cuidarme o simplemente para acompañarme porque también soñaba y era parte del sueño. Poca gente entendía qué hacía un loco, para ellos, caminando, para mí, corriendo, en medio de la calle, antes, durante y después de la carrera.

Yo era un dolor de cabeza para los organizadores. Y era algo muy distinto, diferente, desconocido y, a veces, una obstrucción para aquellos que están acostumbrados a correr y a disfrutar de su carrera, libres, sin algo en el medio que apareciese a una velocidad casi estática. Además, cuando se abrían las calles, porque ya había terminado la competición, empezaba el corneteo de los vehículos, cuyos conductores no entendían qué hacíamos ahí, si aquello que había sido una carrera ya se había acabado. ¿Qué hacía ese grupo de gente en la calle? Para ellos yo estaba caminando más lento que nadie y para mí yo estaba corriendo a mi máxima velocidad. Y esa era la paradoja, eran los mundos paralelos que se dibujaban ahí. Yo era como un extraterrestre que vino al planeta Tierra, y que, como nadie lo entiende, hay que agredirlo.

Nuestro imaginario popular dice que los extraterrestres vienen a invadir la Tierra. ¿Por qué? Porque es algo desconocido y lo desconocido, para la mayoría de las personas que no se dedican a la aventura de vivir, les da miedo. Entonces, como yo era algo desconocido, como era un extraterrestre, venía a invadir un espacio, así que ellos se sentían con el derecho de tocarme la corneta, de gritarme, de agredirme.

En esa carrera de cinco kilómetros me caí cuando ya la calle estuvo abierta. Si no hubiera caído como caí, podría haber sido arrollado, lo que no ocurrió gracias a que conmigo iban Perla, Alberto, Elena e Iván.

A pesar de todo, terminamos esos primeros cinco kilómetros contentos, pero con la sensación de que fue complicado e incómodo. Debíamos buscar la manera de hacer todo mejor.

Fue muy bonito porque era como trabajar en la NASA. Era ensayo y error. Nos reuníamos todos y evaluábamos lo que había ocurrido.

Para cada entrenamiento largo lo que hacíamos era preguntar qué tocaba hacer y dónde lo haríamos. Después cada quien hablaba de un sitio al que fue o que visitó y que podía servirnos para realizar el próximo entrenamiento. Por último, mis amigos se turnaban para acompañarme a entrenar o decían si podían ir o no. Esa era la sensación y ese era el ambiente. Cuando digo «nosotros íbamos» es porque en cada entrenamiento se sumaba gente. Para mí era muy bonito ver cómo el grupo rotaba y se iba ampliando con nuevos personajes que encontrábamos en el camino.

De los primeros cinco kilómetros pasamos a un episodio muy hermoso que fue cuando corrí mis primeros siete kilómetros. Para mí esa distancia era larga. Para los maratonistas tradicionales siete kilómetros era algo común. Para mí era algo nuevo, algo que estaba desafiando todo lo que había podido hacer. Cada kilómetro adicional que pudiese hacer era una manera de demostrar que aquello que me dijeron que no se podía, se pudo. Era sumar al imposible, expandir mis límites y demostrar que realmente estábamos encaminados, aunque no había que olvidar que la auténtica meta eran los cuarenta y dos kilómetros del maratón de Nueva York.

Siempre sacamos cálculos irrisorios; en este caso, cuando empezamos a hacer los siete, decíamos siete por seis cuarenta y dos… Eso solo implicaba que quedaba un camino muy largo por recorrer.

Mis primeros 7K

«La magia necesita magia para continuar».

Mis primeros siete kilómetros fueron muy bellos, porque era una carrera a beneficio de Unicef, y para mí el trabajo con y por la infancia es algo que me impulsa. La mirada de un niño, la sonrisa de un niño, la aproximación de un niño, le dan sentido a mi vida. Siento que, de alguna manera, ese niño que todavía vive en mí queda reivindicado. Ese niño que a lo mejor no pudo vivir cosas no quiere que ningún otro niño se pierda de nada. Ese niño que es incomprendido, que inventa, que celebra, que reconoce, que se conecta con la vida como es y no como otros dicen que debe ser, al conectarse con otros niños encuentra cabida en este mundo y encuentra un sentido.

Creo que la sonrisa de un niño es la mayor demostración de que la vida tiene sentido. Eso hizo que me sintiera muy contento y muy motivado a emprender estos 7K.

Para esta oportunidad nos organizamos mejor. Le pedimos ayuda a Marlon, que era parte de los organizadores de la carrera, y tratamos de ponernos tareas que cada uno pudiera cumplir.

Esta carrera fue muy bonita porque estuvo llena de amigos por todas partes. Fuco y Óscar estuvieron ahí. Fue la primera que corrió Asdrúbal, un personaje extraordinario que, desde ese día, comenzó a trabajar conmigo.

Marlon, como conté antes, formaba parte del comité organizador, Alberto dio la partida. Iván González, el fotógrafo, también corrió por primera vez. Perla, como nunca dejó de estarlo, ese día también estaba conmigo, dirigiendo, organizando y cuidando cada detalle. Al final la vida es eso, un detalle, y por un detalle la vida te puede cambiar o se te puede escapar.

Comenzó la carrera. Comenzó mi camino.

Hay un puente en Caracas, «el elevado de Los Ruices», que para mí subirlo fue algo realmente difícil; verdaderamente complicado. Y, bueno, subirlo, bajarlo, empezar a recorrer, uno, dos, tres… De pronto me pasaron los corredores por mi lado izquierdo y la gente empezó a gritar y a vitorear y a emocionarse cada vez más y más.

«Bueno, estamos conectando con algo, ¿no?», empezamos a sentir. Yo, concentrado, ese día se rompía un imposible; pequeño pero imposible al fin. Porque nunca habíamos hecho 7K. Y empezaron a pasar los corredores… Más y más corredores… Era una sensación nueva para mí.

Dimos la vuelta y ya los corredores no pasaban porque se habían ido todos, y seguíamos y seguíamos y… Era mucho esfuerzo. Salía el sol. Comenzamos a un cuarto para las siete, y el sol a las ocho de la mañana era insólito… pero seguimos.

Cuando nos faltaba un kilómetro, nos emocionamos mucho, porque era la primera vez que yo pasaba de cinco kilómetros en mi vida y, ¿cómo explicarle a la gente lo que significaba eso? Es muy difícil. ¿Cómo explicar la sensación de lograr lo que nunca lograste antes, pero también lo que siempre te dijeron que no podrías hacer? Fue como gritarle al mundo: «Mira, aquí estamos. Lo que dijimos que íbamos a hacer, ya lo estamos haciendo. La vida se vive en gerundio. Ya empezamos a superarnos. Ya empezamos a ir más allá de lo que hemos hecho nunca en la vida». No podíamos creerlo.

En algún momento de los preparativos para esta carrera, Marlon dijo algo muy cómico. Estábamos hablando de cómo nos íbamos a organizar, de que en tal etapa de la carrera experimentaríamos con tales o cuales técnicas, que haríamos tales o cuales ejercicios, y entonces, cuando vieron mi actitud obstinada (o terca, si prefieren) y mi deseo por hacer las cosas por más difíciles que fueran, Marlon espetó con ese humor maravilloso de nuestra tierra:

—¿Sabes qué? Al final, con quien van a experimentar es contigo. Así que dale. A mí no me va a doler.

Lo dijo con tanto amor y con tanto humor que todos rieron a carcajadas. Yo también, solo que adentro; hacia afuera todo era foco. Así era el ambiente que reinaba en nuestro equipo, y así, creo yo, es el ambiente que reina en todo equipo de alto desempeño. Un equipo que quiere lograr algo necesita pasarlo bien. Nosotros la pasamos bien, a pesar del esfuerzo supremo que hacíamos. La pasamos bien porque nos queremos y también porque, en ese momento, estábamos claros en que no hacíamos lo que hacíamos solo para que Maickel lograra algo; hacíamos lo que hacíamos para que mucha gente, muchos niños, muchos jóvenes, ampliaran su mundo.

Faltaban unos setecientos metros. Marlon estaba emocionado… Perla estaba pendiente de todos y de todo; de cada ser, cada paso, cada detalle. Recuerdo su sonrisa de incredulidad, de emoción, de vivir algo que ella nunca había experimentado. Iván se escondía dentro de su cámara, pero estaba embelesado también.

Ya la carrera había terminado. Cuando cruzamos cierto punto de la ruta cercano a la meta, los conductores de las ambulancias, que estaban estacionadas, encendieron sus sirenas y fue muy emocionante, porque hacían mucho ruido, anunciaban algo, una buena nueva, una posibilidad para todos. «Todo es posible» chillaban entre agudos. Alberto nos anunciaba en la tarima. Nos anunciaban Alejandro Cañizales y la gente de Unicef. Ya había terminado la carrera. Ya había pasado la premiación. Ya había terminado todo y la gente seguía parada ahí, como esperando un concierto.

Y entonces anunciaban al extraterrestre, al diferente, al que nadie esperaba porque ya había finalizado la carrera… Marlon se colocó enfrente y Perla atrás, como para protegerme. Marlon abría camino. Perla verificaba que nadie me tropezara… porque ya estábamos logrando los siete kilómetros. Entramos en una plaza en la que había una multitud. La gente nos aplaudía. Recuerdo que no había arco de llegada porque ya lo habían quitado. Alguien nos gritó:

—¡Vayan de una vez a la tarima!

Hacia allá nos fuimos porque esa sería nuestra llegada. Recuerdo la cara de satisfacción de Marlon y la alegría impresionante de Perla. Yo estaba feliz. Todos estábamos felices. Me fascina verlos felices. Si esto no produce felicidad, no tiene sentido. Nada de esto tiene sentido si no produce algo, esa chispa irreconocible que han intentado apagar tantas veces, en cada uno.

Yo no sabía qué hacer. ¿Qué se hace cuando se logra algo que nunca pensaste que ibas a lograr? Me hubiera encantado tener fuerza en los brazos para levantarlos pero no la tenía. Entonces levantaba los ojos al cielo y agradecía. Levantaba la mirada a la gente que me veía y me tomaba fotos, que me veía con una sonrisa que no entendía. Vi muchas, muchas, sonrisas al mismo tiempo. Nunca había experimentado tanta alegría junta. Y yo no sabía qué hacer. Solo que las sonrisas era una buena señal.

Me montaron en la tarima. Ahí estaba Pedro Mora, un hombre extraordinario que en 2012 nos representaría en los Juegos Olímpicos de Londres, a quien Alberto me había presentado. Pedro se me acercó y me felicitó. Luego me dieron un micrófono y dije unas palabras que no recuerdo con exactitud, pero, en síntesis, el mensaje central fue que ofrecemos la vida y ofrecemos las piernas en función de que cada niño pueda soñar con tener el futuro que merece, y con jugar a ser feliz.

Cuando me bajé de la tarima, ocurrieron dos cosas muy emocionantes. La primera es que vino un niño con otro niño más pequeño aún. El más grande me dijo:

—Hola. Yo te admiro. Vine a traerte a mi hermanito para que él te conozca —ahí se me partió el corazón. Porque es absurdo que alguien quiera que alguien como yo sea el héroe de un niño. Eso no pasaba; yo era el diferente, el que no era normal, el que no era aceptado, el excluido, la forma no agradable. Yo era lo menos socialmente aceptado, y mucho menos lo que la gente aspiraba a ser. Entonces, que viniese un niño (ya no un padre, sino un niño) y me presentase a su hermanito pequeño porque él quería que, de alguna manera, su hermanito se inspirara en mí para hacer lo que quisiera hacer, era una locura. Era el símbolo del mundo que quebraba sus formas para atraer nuevas formas que tuvieran fondo. Donde la esencia era más importante que la forma. Y eso lo cambia todo.

Lo segundo que ocurrió fue que una muchacha rompió el cerco de seguridad, se acercó hacia mí, llorando, me dio un marcador y me dijo:

—Por favor, escríbeme algo en la franela. Escríbelo donde quieras, como quieras —ella nunca imaginó a qué estaba dando origen.

Pero cuando fui a escribirle algo, y habiendo hecho lo que habíamos hecho allí, lo único que se me ocurrió escribir era algo que nunca había dicho, que nunca había pensado, pero que se convertiría en mi huella, en mi marca personal... lo que me salió escribir, fue: «Si lo sueñas, haz que pase».

Ese vendría a ser el mensaje: si lo sueñas, haz que pase. Cuando vio lo que escribí, la muchacha me dijo:

—Pensé que me ibas a escribir cualquier cosa. No lo puedo creer. No sabía que escribías así.

Eran esas cosas tan extrañas y tan opuestas: un niño que creía que yo lo podía todo y una muchacha que creía que yo no podía nada, pero ambos se juntaban en esa emoción que no entendían, en esa emoción de: «Tú tienes algo que yo quiero para mí». Lo que lógicamente no debería pasar. Ahí quebramos muchas cosas al mismo tiempo. Para mí lo más importante fue la alegría de los míos, que era a la vez mi alegría máxima. La alegría y el orgullo del equipo que estaba viendo los resultados de un entrenamiento, de un esfuerzo, pero también estaba viendo los resultados de la apuesta personal de cada uno. Porque cuando el resultado se lo espera o se lo conoce, eso es una compra. Cuando compras algo, sabes lo que vas a comprar; eso lo hace todo el mundo. Pero cuando el resultado es incierto, cuando no se sabe lo que va a ocurrir, eso es una apuesta. Eso solo lo hacen los grandes, los que se atreven a ir más allá de lo conocido, de lo tradicional, de ellos mismos. Eso solamente lo hacen los corazones grandes.

Terminé esta carrera de siete kilómetros. Yo me reía mucho, y repetía todo el tiempo: «Tranquilo, Maickel. Siete por seis son cuarenta y dos». Evidentemente, repetir aquello seis veces más me parecía una locura. Pero tenía una sensación de certeza tal que no íbamos a descansar hasta lograrlo, y como no íbamos a descansar hasta lograrlo, sabía que lo íbamos a lograr. Eso sí, sabíamos también cuánto esfuerzo, incluso dolor, podía implicar aquel logro, pero estábamos dispuestos. Entonces no había más que celebrar por el logro y por la transgresión a lo imposible, mientras seguíamos buscando el imposible mayor.

Las piedras en el camino

«Siempre es preferible extralimitarse que subestimarse.
Cuando te subestimas, no tienes cómo saber si puedes
llegar. Si te extralimitas, sabes dónde está tu frontera y
puedes llegar al punto de superarla y expandirla».

Entonces volvimos a esa sala de reuniones, volvimos a la plenaria, con todo el mundo. Nos reunimos para evaluar cómo nos había ido en la carrera de Unicef y la verdad es que había mucha emoción. Alguien, creo que Fuco, dijo:

—Maickel debe empezar a entrenar largos, y hay que acompañarlo los domingos.

Yo no tenía idea de lo que debía hacer. Por eso repetía en esas reuniones que yo estaba en sus manos, que ellos decidieran qué debía hacer porque yo no sabía cuándo parar, cuándo seguir, a qué velocidad ir, por dónde agarrar, porque eran unas rutas completamente nuevas. Es decir: no es lo mismo hacer cinco kilómetros que empezar a hacer... Ya había hecho siete, tocaban los ocho, y los nueve... y dónde lo íbamos a hacer, y dónde se hacían esas cosas. La verdad es que era un mundo desconocido y aterrador. Cada kilómetro que sumáramos era descubrir un mundo nuevo. Entonces, era cuidar a este ser que lo estaba intentando pero que cada paso que daba era muy delicado. Era todo o nada. Eso era algo muy bonito: cada día era todo o nada. Cada día podía ser el día en que lográsemos algo nuevo o que se acabara todo, porque no sabíamos hasta dónde resistiría. Nadie sabía y yo apostaba a que podía resistirlo todo, pero me parecía adecuado que tomáramos todas las precauciones, y la verdad es que era hermoso cómo me cuidaban.

—Entonces: ¿dónde corremos los ocho?

Alberto, entusiasta y emprendedor, lanzó la idea:

—El próximo domingo voy a correr con un grupo de amigos, que son unos duros, en El Jarillo. Creo que como Maickel se está preparando para hacer un maratón, debe correr donde corren los maratonistas. Propongo que se vengan a El Jarillo y corran todos.

Alguien respondió preocupado:

—Oye, Alberto, eso es difícil.

Y yo, que era de los desafiantes, dije:

—No, vale, qué difícil va a ser. A mí no me excluyan. Yo quiero ir a El Jarillo.

Mientras más negaban la posibilidad, más me encantaba la idea. Porque era ir a donde van los grandes, pero además era ir a donde la gente dice que no. Donde la gente dice que no, ahí teníamos que estar nosotros. Eso era una filosofía de vida.

Yo tomaba cada entrenamiento de manera muy ingenua. Todavía no entendía este mundo del maratón. Aún no tenía conciencia de que todo en la vida del maratonista es a largo plazo. Yo vivía el día a día. Vivía cada entrenamiento como si fuera el último, con la misma pasión, con la misma emoción... Entonces, en la semana, entrenábamos todos los días, nos empezamos a acostumbrar a comer como teníamos que comer, hacíamos el entrenamiento de fuerza con Óscar, en piscina, salía absolutamente agotado, y me preparaba para que el domingo fuera la aventura.

En esos días Pedro me invitó: «Maickel, escribe lo que estás viviendo». Y a mí, que me encanta escribir, por primera vez en mi vida no podía ni pensar de lo agotado que estaba. No me venían las palabras a la cabeza del agotamiento que tenía. Estaba volviendo a un mundo conocido, un mundo en el que estuve una y mil veces años atrás en mi vida: el mundo de la impotencia.

La impotencia volvía a mi vida, la impotencia de niño, la impotencia de no poder. Porque entonces era un «no poder», pero ya ahora nadie me estaba obligando a no poder. Ahora era la vida. Era descubrir la vida otra vez con la sensación de «no poder» que yo evité; abandonaba mi cuerpo un día y la sensación de «no poder» volvía. Sin embargo, volvía porque yo decidía experimentar esa sensación, y eso lo hacía muy distinto. La experimentaba con la certeza de que cada vez que la sentía era porque estaba llegando al límite en el que no se puede durante un momento para en otro momento poder más.

Llegó el domingo de la aventura en El Jarillo. Perla, María Alejandra, Leo Ramírez y Asdrúbal se fueron conmigo. A las cinco de la mañana ya estábamos todos en el auto, viendo un increíble amanecer en una caravana que se encaminaba hacia un lugar desconocido para mí. Para Alberto y sus colegas corredores se trataba de una ruta de unos quince kilómetros en *cross country*, es decir: sobre piedras y terreno rústico.

Entonces llegamos a un sitio, después de recorrer carreteras y ver paisajes hermosos de Venezuela. Ahí todos los corredores estacionaron sus autos y se prepararon para realizar un entrenamiento que, para ellos, era normal. Yo estaba muy emocionado. De pronto, Alberto se me acercó para indicarme:

—Bueno, Maickel, es por allá. Son tres kilómetros hasta una reja que vas a encontrar cerrada. Te vas a tener que meter por un barranco para cruzarla y seguir un kilómetro más. Luego te devuelves para completar tus ocho kilómetros, ¿de acuerdo? Yo me voy a correr. Nos vemos más tarde —y, puf, en menos de dos segundos se perdió junto a los demás corredores.

Ahí quedamos Perla, Asdrúbal, Leo, María Alejandra y yo. Cuando empecé, me di cuenta de que el camino estaba lleno de piedras; eso me asustó. A la dificultad de dar cada paso se sumó la de tener que esquivar piedras. Un paso mal dado era una caída en un terreno que te podías golpear con todo y en todos lados. Yo no podía creer que estaba corriendo en ese terreno, pero yo lo pedí, así que hacia adelante.

Todo el mundo estaba alerta. Cada dos segundos me preguntaban si estaba bien. Sabían que se trataba de un esfuerzo distinto, superior, no solo para poder dar dos pasos, sino para evitar caerme.

Ante ese esfuerzo mayor, avanzamos hasta encontrar paisajes increíbles que fueron un deleite para la cámara de Leo, un deleite para la vista de todos nosotros… Pero el esfuerzo era supremo. Pasamos uno, dos, tres kilómetros, y la topografía empeoraba… Poco a poco el terreno se volvía un campo minado, un mar de piedras, y cualquier tropiezo supondría una caída terrible.

Llegamos a la reja. Perla, muy asustada, no podía creer que aquella instrucción de «te vas a tener que meter por un barranco» fuera en serio. Y de verdad teníamos que cruzar por un barranco después de cruzar esa reja para llegar al kilómetro cuatro. Por supuesto, aquello no era nada sencillo. Para mí era muy arriesgado.

Al verles las caras a todos, tuve que animarme, y me dije:

—No. Yo no me voy a quedar sin mis ocho kilómetros. ¡Ni de broma! Y menos después de tanto esfuerzo...

Nos ayudamos los unos a los otros. Cuando pasamos la reja, sentí mucha alegría. Le dimos un kilómetro más. Ahí nos encontramos a Alberto, que ya venía de vuelta después de hacer no sé cuántos kilómetros.

—Chamo, estás pasado. Devuélvete.

Cuando oí a Alberto, me desesperé, pero di media vuelta y volvimos a pasar el barranco. Eso implicó más esfuerzo.

Al mismo tiempo, como en un mundo paralelo, mientras nos cuidábamos segundo a segundo con susto y detalle milimétrico, mirábamos enamorados los parajes más maravillosos que pudieran existir. El miedo, la dificultad y la belleza convivían en un mismo instante, y cada uno elegía a qué le ponía atención.

La verdad es que esta tierra tiene cosas surrealistas en todos los sentidos porque, ¿quién iba a colocar una reja ahí? ¿Qué estaban tratando de separar de qué? Una reja cerrada en el medio de la nada, como tantas que los humanos nos colocamos, para así perder espacios, mundos, vida.

Cuando íbamos de regreso, tuve la misma sensación que experimenté cuando iba bajando de la montaña después de haber hecho cumbre. Como ya habíamos tenido la experiencia de la montaña, yo sabía que es en la bajada donde ocurren los peores accidentes; por lo tanto debía estar más alerta. Pero mis piernas ya estaban muy cansadas, y el mismo campo minado que habíamos pasado ya no era el mismo. Era mucho peor.

Todo el mundo iba agotado, sobre todo emocionalmente. Yo podía evitar las piedras grandes, pero las pequeñas se nos escapaban a la mirada. En este mundo, los obstáculos más peligrosos son los que no se ven. Y así fue. Un sobresaliente, un pequeño detalle en la tierra, fue el que produjo el primer tropezón, y caí. Caí de rodillas sobre las piedras y sangré. Lo peor no fue la sangre, sino el golpe en un lugar delicado de una de mis rodillas. El dolor en ese lugar fue mucho más intenso que las gotas de sangre que caían por mis piernas.

La cara de susto, de palidez, de ya no poder ver los paisajes y de «sáquenme de aquí» de todo el equipo era conmovedora. Por supuesto, me levantaron, y yo, como si nada hubiera pasado, dije: «Aquí seguimos». Además, estábamos volviendo. No había nada que hacer, salvo llegar hasta el carro con la actitud de «me caigo, me levanto y sigo». El dolor en las piernas era insoportable, pero más insoportable era el miedo en el corazón de mi gente amada. Así que debía guapear.

Seguimos un kilómetro y medio más. Yo estaba muy débil y, lamentablemente, me volví a tropezar, me volví a caer y me volví a golpear las rodillas. Por las mejillas de Perla corrieron lágrimas de frustración, de rabia, de susto. María Alejandra y Asdrúbal estaban en su segundo entrenamiento. ¡Pobres! ¡Lo que les tocó ese día! Leo, como buen profesional, no paró de captar con su cámara lo que estaba pasando. Sin embargo, en la segunda caída, dejó de tomar fotos y se dispuso a ayudar en lo que hiciera falta.

Esa vuelta fue un vía crucis. La sangre que derramé representaba varias cosas. Una era el verdadero deseo, ese pacto milenario que se hace con sangre cuando uno realmente batalla por algo que ama profundamente. También simbolizaba la madurez, el niño aventurero que se convierte en hombre responsable; ahí comprendí que esa sería mi última aventura inconsciente, porque si yo no me medía y no sabía ni conocía mis límites, no los podría superar. Y un entrenamiento que podía ser uno de muchos podía convertirse en el último.

Todo eso pasaba por nuestras cabezas y nuestros corazones y ya entonces la llegada se convirtió en un ansia, en un anhelo, en una necesidad de terminar lo que se había convertido en una pesadilla. Yo me levantaba y continuaba, pero las piedras seguían ahí. Mis piernas estaban cada vez más débiles y, además, sentía que en cualquier momento podría volver a caer. Ahí aprendí con dolor.

Tuve un aprendizaje que no es otra cosa que un cambio de conducta y de actitud. Debía trabajar de otra manera para conseguir resultados distintos y más eficientes.

Por fin vimos el último pasillo. A nuestros rostros volvió la esperanza, la esperanza de terminar con bien un entrenamiento que nos dejó grandes lecciones. El Jarillo nos hizo recordar algo: este sueño sería siempre más grande que nosotros. Y cuando uno crece y se expande como una liga que se estira, eso seguramente produce dolor, mucho dolor.

Los primeros ocho kilómetros de mi vida terminaron del mismo color de la camisa y de mis piernas: manchados de sangre. Pero teníamos una infinita alegría y estábamos muy agradecidos por la lección dada por la gran maestra que es la naturaleza.

Llegamos al auto, limpiamos las heridas con agua y nos tomamos una foto para recordar ese momento inolvidable en el que los que se comprometen saben a qué se comprometen y entienden que los verdaderos sueños no son ingenuos; son responsables y consecuentes con los esfuerzos y los dolores que ellos implican e implicarán.

Y yo en la mirada de esas personas veía un verdadero compromiso, un amor honesto e insuperable. En mí, el fuego ardía, pero esta vez ya no era un fuego incendiario, sino una brasa permanente. Descubría que todo en la vida tiene su tiempo de cocción. Mientras tanto, había que trabajar con esfuerzo y buena actitud.

Mis primeros y accidentados 10K

«No puedes romper los esquemas
si no lo haces desde dentro».

Si quería hacer el maratón de Nueva York, debía participar en una carrera de diez kilómetros. No podía soslayar esa responsabilidad que es como el primer paso para que oficialmente puedas decirte que eres un corredor. Por esos días tuve una cita con mi dermatólogo, que me encontró un lunar cercano al tabique nasal que debía retirar. Así que me sometí a un procedimiento quirúrgico que vino acompañado de las consabidas recomendaciones de «cuídate del sol, cuídate de todo». Yo entrenaba en una piscina y corría al aire libre. De manera que ese «cuídate de todo» hizo que nos replanteáramos ciertos detalles del entrenamiento. Por ejemplo: tuve que taparme la nariz con un plástico oscuro que fungía de filtro contra los rayos del sol. Ensayo y error. Siempre estábamos adaptándonos.

Entonces llegó el día de los 10K, que además organizaba Marlon Monsalve.

En aquel momento todo el mundo sentía una gran curiosidad de ver cómo iba a reaccionar en una distancia tan larga, sabiendo, además, que queríamos hacer un cuarenta y dos.

Todo estaba listo. Perla organizó al grupo. Iván González tomaría las fotos. Pedro nos acompañaría. Salimos a las 5:30 de la mañana. En el camino íbamos conversando sobre la cantidad de corredores que participarían en una carrera de 10K y sobre cuánta gente lo haría en un maratón como el de Nueva York. La pregunta que nos habíamos hecho muchas veces era: ¿qué haremos entre tanta gente? Todavía no hallábamos cómo coexistir de manera simbiótica con la carrera. De manera que estos 10K también formaban parte del proceso de entrenamiento y preparación al que estábamos sometidos. Todos compartíamos el susto y la emoción de saber que pronto iban a pasar por nuestro lado cinco mil personas corriendo, y que había que hacer algo para que ellos se dieran cuenta de que yo estaba ahí o para frenar cualquier caída.

La línea de salida estaba en el elevado de Las Mercedes, un puente que te permitía posarte por encima del asfalto y tener una perspectiva magnífica del amanecer en la ciudad.

Iván González retrató magistralmente la luz de esa hora. Una de esas fotografías terminó formando parte de la portada de mi primer libro, *Si lo sueñas, haz que pase*. Un amanecer para nunca olvidar.

Los organizadores de la carrera nos permitieron arrancar antes que el resto. Avanzamos uno, dos, tres kilómetros… Cuando llegamos al cinco, dijimos: «Bueno, ya la carrera arrancó. En cualquier momento viene "el pelotón", que es donde se acumula la mayor cantidad de corredores, que no son los élites (que son poquitos), y tampoco los rezagados (que también son poquitos)». Entonces es cuando te pasa por el lado la mayor cantidad de corredores. Eso puede durar unos buenos minutos. Nuestra gran preocupación era lograr que no nos chocaran. De manera muy hábil, Perla y Pedro acordaron que ellos dos se colocarían detrás de mí y no permitirían que nadie se me acercara. Frente a mí iría el camarógrafo, Marcos Blanco, un personaje que sería muy importante para nosotros a partir de entonces. Iván estaría rodeándonos todo el tiempo.

Empezó a pasar la gente. Cientos de pisadas se escuchaban cual estampida. La adrenalina se elevaba, así como la tensión. Cruzamos hacia Santa Mónica. Como venía otro cruce, yo debía pasar de la derecha hacia la izquierda. A la vez que cruzaba la calle, debía pasar por el medio de la gente. ¿Y qué ocurrió? Una persona se metió entre Perla y Pedro, chocó conmigo y me empujó abruptamente. En milésimas de segundos, caí como un árbol al que cortan y que se derriba en peso muerto, como si me hubiesen cortado de raíz. Caí de frente, además, con la operación en la cara. Sentí que lo primero que pegué contra el asfalto fue la nariz. Por cierto: fue muy extraño porque, a pesar de que llevaba ese trozo de plástico en el rostro después de la operación, lo primero que hice fue preguntar por mis dientes. Ni me acordaba de que tenía una herida en la nariz. Hubo mucha sangre y todos estaban preocupados y conmocionados. Perla y Pedro hicieron su mayor esfuerzo y no esperaban que entre ellos se colara alguien.

Cuando me limpiaban, al primero que vi frente a mí fue al gran Marcos. De inmediato le pregunté con ironía, para bajar la presión y ponerle humor al asunto:

—¿Lo filmaste? —él se puso pálido y me respondió:

—¡No, no! ¡Yo vine a ayudar, yo vine a ayudar!

—No. ¡No puede ser! Una caída así, no la quiero repetir.

Todos reímos al mismo tiempo y seguimos. Teníamos que mantener arriba el espíritu del grupo. Fue mi primera caída de frente en una carrera. Yo me sentía orgulloso de mi gloriosa (y sangrienta) participación en mis primeros 10K y seguimos.

Quedé con dolores en las piernas y en todo el cuerpo. Sentía un dolor desconocido hasta ese momento. Sin embargo, no se me pasó por la cabeza claudicar. Debía seguir. En el kilómetro ocho tuvimos que explicarle a la gente que me había caído y que, en verdad, no tenía nada grave. Lo que sucedía era que el plástico que llevaba por la operación hacía que aquello se viera peor de lo que era en realidad.

Cuando llegué al kilómetro nueve, me sentí contento y renovado. En el kilómetro previo a la meta siempre te da una energía loca. Tú estás cansado y ya no puedes más, pero enterarte de que te falta muy poco hace que recibas una especie de inyección de fuerza que es precisamente la que te hace falta para completar la carrera.

En este caso, ese remate final era un último kilómetro hasta llegar al famoso elevado de Las Mercedes, que había que subir y bajar para llegar a la meta.

Entonces subimos el elevado y se nos fue pegando la gente. Ahí se encontraba Jean Paul Leroux, un gran actor y ser humano, que nos animó de una manera impresionante con sus gritos. Era la primera vez que yo hacía 10K y estaba muy emocionado.

Quinientos metros, doscientos metros… Lo hicimos.

Cuando llegamos a la meta, hubo una algarabía tremenda. Ya no era siete por seis; era diez por cuatro. La multiplicación era cada vez «menor».

Después de que me revisaron, hubo algo que me llamó mucho la atención y que hizo que la meta de estos 10K fuera inolvidable. Un señor ya mayor se me acercó y me dijo:

—Oye, yo me quiero tomar una foto contigo —y llamó a su hijo, que era otro señor de unos cincuenta años. A su vez, ese señor llamó a su hijo, que debía tener unos veinte, para que se tomara la foto.

Fue una hermosa fotografía final que reunía tres generaciones entusiasmadas por un mismo sueño.

Inmediatamente recordé una referencia que yo tenía en mi vida. Se trataba de la vez en que fui al estadio Wembley a ver a los Rolling Stones. El escenario era magnífico, pero lo que a mí me llamó más la atención de ese concierto no fueron el lleno total, ni Mick Jagger, ni Keith Richards; fue la cantidad de abuelos, padres y nietos que había por todas partes. Era como constatar que los Rolling Stones llegaron a todas las generaciones y se convirtieron en un clásico.

Así que esa foto me habló del posible alcance de este mensaje, del alcance y de la responsabilidad que traía implícitos este mensaje porque, por lo visto, era un mensaje que podía tocar el alma de tres generaciones por igual con el mismo entusiasmo.

Después de un 10K, ganamos un mérito de corredor. Por lo menos me lo hicieron sentir así y fue un gran honor. Necesito ganarme las cosas y mucho más aquello que se considera un título de relevancia. La vida debe tener coherencia y honestidad plena.

Nuestro trabajo para seguir subiendo la cuesta, kilómetro a kilómetro, domingo a domingo, continuaba, pero, a partir del 10K, todo fue distinto. Ya el foco de nuestro entrenamiento no era la organización de un evento en el que tendríamos a miles de personas que nos acompañaban o que exaltaban nuestro trabajo. A partir de allí comenzaría el verdadero esfuerzo, el que nadie ve, el que simplemente se hace porque se ama, se cree, se apuesta. Nadie sería testigo de ello.

Un nuevo camino

«Cuando creas que no puedes más, ¡puedes!
Y es apenas un nuevo punto de partida».

A partir de mis primeros 10K, comenzaron los 11K, 12K, 13K, 14K y así. La organización de nuestro equipo se tornó distinta; las personas comenzaron a rotar. Perla siempre estaba presente con el auto junto a Asdrúbal, para atender los asuntos de la seguridad y la logística. Imagínense cinco horas o más metido en un auto que ande a diez kilómetros por hora; pues eso es lo que hizo este ser por muchos domingos. Romina estaba también ahí, con su cámara fotográfica lista para disparar. Todos participaban intensamente en aquel entonces de formas y en ocasiones diversas.

La pregunta que nos hacíamos todo el tiempo era cuál ruta íbamos a hacer. ¿Adónde iríamos, dónde entrenaríamos? Mientras yo entrenaba toda la semana, se escogía la ruta y se preparaba el equipo para que ese domingo cumpliéramos un paso más y ampliáramos esa posibilidad que teníamos de acceder a la meta del maratón de Nueva York. Evidentemente, el verdadero trabajo se hacía en la semana y el domingo era como una prueba de si ese trabajo había tenido resultado.

Cuando hablo de prueba es porque estábamos por probar la verdadera incertidumbre. Las preguntas nos las hicimos a partir de los 10K. En los primeros 11K, recuerdo una escena maravillosa en la que estaban Marlon, Romina y Perla. Nuestro conductor se desvió de la ruta y el auto quedó a contravía. Por unos minutos estuvimos solos, sin ningún carro detrás. De pronto, un conductor, de avanzada edad, se distrajo por unos instantes y casi nos arrolla. Recuerdo la reacción, heroica de Perla, que se lanzó encima del automóvil para detener su avance.

Evidentemente, yo veía hacia delante. No vi la acción en vivo. Mi trabajo era enfocarme, concentrarme y nunca detenerme para terminar ese día un trabajo que al final era para todos. Eso permitiría que todos anotaran los números y las medidas, y que todo el mundo celebrara que dimos un paso más. Ese era mi trabajo, y cada uno cumplía su labor.

Por supuesto, cuando me enteré del gesto amoroso de Perla, me conmoví mucho.

Ese día Marlon y Romina terminaron estirándome y celebrando esos primeros 11K de la vida.

Es importante resaltar que, a partir de los 11K, todo lo que ocurriera los domingos ocurriría por primera vez en la vida. Eso tenía un sabor sin igual, un sabor distintivo, una marca en mi alma y en mi entorno.

Doce, trece, catorce… Insisto en que el verdadero trabajo se hacía durante la semana. Un trabajo que era muy duro y meticuloso. Estábamos obsesionados por cumplir al pie de la letra el plan que Federico trazaba. Incluso cambié los hábitos alimenticios. Aprendimos cosas que nunca habíamos aprendido; por ejemplo, que la musculatura se desarrolla en el descanso (y por eso el descanso es tan importante como el entrenamiento); que los músculos se expandían siempre y cuando tuvieran las proteínas suficientes para tomar un buen material del cual construirse. Aprendimos de suplementos, de nutrientes, de cómo la biomecánica que estábamos trabajando con Óscar no necesariamente crearía más musculatura, pero sí mayor eficiencia muscular. Esto me hizo reflexionar que en la cultura del emprendedor hay un error: creer que tener más es mejor. La clave es ser más eficiente con lo poco que se posea: mientras más eficiencia más construcción, más consolidación, y después se puede entonces aspirar a más, siempre y cuando ese poco que tengas esté consolidado, sea sólido y eficiente.

En este camino fijamos unas reglas. Tal vez la más importante consistía en respetar las exigencias del entrenamiento y no detenernos, así lloviera o tuviéramos las condiciones menos favorables. Recuerdo muchos entrenamientos bajo una lluvia incesante. Salíamos a la calle como todos los corredores a entrenar y transformábamos ese entrenamiento en un juego en el que todo el mundo estaba resguardado en su auto, cómodo, y nos veía afuera, absolutamente empapados, salpicando agua por doquier. Nuestro deseo era ayudar a cambiar la percepción de esos seres que estaban allí, cómodos en su automóvil, o metidos en su hogar o en su negocio, quejándose de la vida, mientras nosotros pasábamos y dejábamos como una estela de alegría o de reflexión sobre sus verdaderas condiciones y sobre el agradecimiento cotidiano que hay que tener para avanzar.

También recuerdo días dramáticos. Especialmente un entrenamiento que vivimos cuando rondábamos los dieciocho kilómetros. Estábamos en las instalaciones de un club. Íbamos a trabajar en la piscina. Como tenía el tiempo exacto para entrenar, fui, me cambié, me puse mi traje de baño y mis zapatillas de agua, y salí.

Entre el apuro, las ganas de entrenar y de hacer la marca del día, no me di cuenta de que el piso era irregular. Pisé mal. Mis piernas no me respondieron con rapidez y me derrumbé. Caí primero contra una pared y luego pegué la cabeza contra el piso. Hasta ahí supe de mí. Se apagaron las luces. Todo se puso negro.

Quien alertó a los demás sobre mi caída fue mi sobrinita Michelle. Ella llamó a su mamá, mi prima Geraldine, que ese día salvó la jornada al asumir el liderazgo de la situación. Demostró una gran entereza cuando todos estaban muy asustados.

En la enfermería todo el mundo estaba aterrado. A cada rato preguntaban: «¿Despertó?», pero no había respuesta.

Galo estaba totalmente paralizado del miedo. Fue quien me cargó del piso. De pronto volvieron a encenderse las luces. Me desperté en un lugar que no conocía. Dejé de ver el techo, volteé y vi a Galo, que estaba sentado a mi lado. Su cara de pavor era insólita.

—¿Dónde estoy?

—Estás en una ambulancia y vamos camino a la clínica —ahí identifiqué todo lo que se asocia con una ambulancia. Me habían cambiado la ropa por una bata azul. Estaba en una camilla y cerca de mí había unas bombonas de oxígeno. La cara de Galo era de tanto pavor que quise bromear para tranquilizarlo un poco y alejar el miedo:

—Galo, estoy en una ambulancia.

—Sí. Te caíste. Fue muy fuerte…

—¿Tienes mi teléfono?

—Sí.

—¿Me tomas una foto para el Twitter?¡Por Dios! ¡Primera vez en una ambulancia! Y pensar que me lo estaba perdiendo —a Galo, por supuesto, le dio risa y se tranquilizó un poco; esa era la idea. Siempre es necesario hacer del entorno algo tranquilo o hermoso de vivir por más difícil la circunstancia.

Volví a quedar inconsciente. No sé si dormido o desmayado. El traumatismo de verdad había sido fuerte. Volví a despertar en otra camilla. Fue como una aventura de tres camillas en tres sitios distintos.

Esta vez desperté rodeado de gente. Mi prima Geri, con ojos de amor, Galo y mi papá estaban ahí. Ver a mi papá me calmó mucho porque pude cederle mi responsabilidad de hablar con los demás y tranquilizarlos.

Recuerdo que me explicaron que me tenían que hacer una tomografía. Fui cobrando fuerzas y conciencia de la realidad. Como entendía el temor que todo el mundo sentía, accedí a quedarme tranquilo.

Llegó un momento en que todos estábamos más calmados. Ya me habían hecho los exámenes y me encontraba esperando los resultados. De pronto sentí la desesperación de estar acostado, cuando debía estar entrenando, o descansando, pero con otra mentalidad.

Los seres humanos podemos escoger la actitud, la mentalidad y la disposición que debemos tener ante cualquier circunstancia. La crisis había pasado. Ya me habían hecho los exámenes. Sentía que debía pasar a otro estado, seguir con mi vida.

Al día siguiente tenía que recuperar el tiempo que había perdido. Debía entender que todo en la vida —todas las caídas, todos los golpes, desde los más duros hasta los que nos dejan inconscientes— son episodios, y que el pasar de la página depende de cada uno. Y así fue. Al día siguiente llamé al médico, que me dijo que no habían visto nada irregular. Así que seguí adelante. Le conté a Federico y recibí de buen ánimo las instrucciones de todos para recuperarme del traumatismo y continuar con el trabajo.

Esa caída fue una alarma para todos nosotros porque no fue una caída cualquiera. El color rojo que dejé en el piso y el color blanco que adquirió el rostro de la gente fueron la expresión del miedo y de la necesidad imperiosa de conservar la vida, porque la verdad es que en cualquier golpe de ese estilo se puede perder mucho más que el conocimiento. Entonces fuimos mucho más cuidadosos a la hora de usar los zapatos de correr o las zapatillas de agua. Fuimos más cuidadosos en el entrenamiento tanto en la piscina como en la ruta de cada día. Ya estábamos en alerta sobre la posibilidad de más caídas, así que tomamos muchas medidas de precaución, eso sí, sin que el miedo nos paralizara, lo que era un gran desafío.

Usamos un circuito muy fuerte, el de La Lagunita. Las subidas y bajadas que hay en ese terreno nos hacían pensar en los puentes que tendríamos que subir y bajar en Nueva York. Era una ruta de seis kilómetros que repetíamos todos los días de los largos varias veces dependiendo de lo que tocara. A pesar de lo dura que era recorrerla, ya se había vuelto una actividad que sabíamos, o mejor dicho apostábamos, que cumpliera un papel fundamental en la prueba final. Comenzábamos a las cinco de la mañana y terminábamos cada vez más tarde, a las diez o a las once, sin comer nada, lo que hacía que el desayuno junto al equipo fuera un rato muy placentero.

A esas alturas, el equipo que me acompañaba en cada entrenamiento se había reducido. Con el pasar de los días, el grupo de personas que disponía de un tiempo tan largo era más pequeño. Hubo ratos en los que estuve solo... Asdrúbal y Perla siempre me acompañaban desde las 4:30 de la mañana, mientras Galo hacía lo suyo en los días de semana.

Esa reducción se debía a que cada quien tenía sus obligaciones y a que cada vez la sorpresa era menor. Evidentemente, el amor se alimenta de la sorpresa, y la persistencia se alimenta del vacío de sorpresa. Creo que ahí es donde te mides. Te mides cuando no es tan emocionante, pero es necesario. He ahí el puente entre la vida y la muerte, entre los que lo logran y los que no lo logran. Estás cerca de eso que quieres, cuando la persistencia supera la emoción de la sorpresa, cuando soportas el recorrido por ese terreno que quizá sea aburrido, pero necesario. Más que necesario, es indispensable para la gran sorpresa, que es esa prueba final, sea cual sea tu sueño.

Entonces me fui quedando solo con el sueño, en esos largos entrenamientos. Cada uno se fue especializando en su trabajo, haciéndolo espectacularmente, lo que me invitaba a hacer el mío. Y ese era. Esa sensación lo que hacía era darnos espacio para seguir soñando, persistiendo y fortaleciendo tanto la mente como el espíritu. Porque me tocaba el trabajo de persistir.

Cuando pasamos a diecisiete kilómetros ya se acercaba lo que sería una prueba fundamental: nuestros primeros veintiún kilómetros. Yo le preguntaba a Federico qué teníamos que hacer. Él siempre me respondía que no necesitábamos hacer veintiún kilómetros de entrenamiento para participar en esa prueba. Ya veintiún kilómetros es media maratón, la mitad de lo que aspirábamos. Ya teníamos simplemente que multiplicar por dos. Era la entrada. Veintiuno es la entrada a otro mundo; es la entrada a los segundos veintiuno que son otro mundo al que no accedes si no llegas, si no pasas por esos primeros veintiuno. Esa prueba significaba certificarme como corredor, estar entre los duros, entre los que llegan, por lo menos, a la mitad del camino.

Entonces, mientras hacía quince o dieciséis, y esperaba los siguientes, que eran diecisiete y dieciocho, ocurrió algo inesperado.

Una meta invisible: media maratón

«La incertidumbre se maneja con concentración
y foco. Si se le bajaba el volumen, lo más probable
es que la ansiedad por no encontrar el camino
se vuelva manejable».

Era el mes de junio de 2010.

Ya contábamos con más de un año de entrenamiento. Ya llevábamos un año contándole a la gente lo que estábamos haciendo. Habíamos compartido un año obsesionados, emocionados, trabajando, creyendo, superando todos los pesimismos, las caídas, la sangre, el dolor, todo. Ya lo que venía tenía que ser el esfuerzo más grande. Pero, digamos, para eso ya nos habíamos preparado mental y espiritualmente. Sin embargo, creo que para que un sueño sea grande deben ocurrir las cosas más inesperadas. Así, al superarlas y enfrentarlas, te pruebas a ti mismo que lo que quieres lo quieres de verdad. A grandes sueños, grandes piedras en el camino.

Recuerdo que estaba en la isla de Margarita. Fue un viaje de un día, por trabajo, porque por supuesto también teníamos que dedicar tiempo a lo profesional. Teníamos tiempo aplicando los estudios universitarios, dedicándonos Perla y yo al desarrollo humano en consultas, talleres, *coaching* y conferencias corporativas. Pero la inversión de tiempo voluntario que hacíamos al maratón era tan grande que decidimos dedicarnos solo a conferencias de gran impacto para optimizar cada segundo. Hubo muchos sacrificios; incluso me costaba escribir, que es una de mis grandes pasiones, pero teníamos un sueño para muchos y eso nos apasionaba más todavía. Era un esfuerzo total. Nos daba mucha risa que a veces entrenaba y al terminar me colocaba un pantalón encima para ir directamente a trabajar. No había excusas para dejar de hacer nada.

Era de noche, estaba cansado en el aeropuerto, mientras esperaba el avión para regresar a Caracas. Sabía que al día siguiente me tocaría levantarme muy temprano para ir a entrenar. También estaba emocionado tanto por la labor que había cumplido como por haber dejado gente empoderada de sus competencias y posibilidades. Eso nos entusiasmaba para realizar la labor que continuaría en la mañana.

Nos inscribimos en el maratón de Nueva York por intermedio de una institución benéfica. Queríamos que nuestra participación simbolizara el esfuerzo y el logro, pero también que sirviera para algo más concreto; es decir: que le aportara algo a alguien. ¿Qué mejor que correr en nombre de los niños? Esta institución benéfica, que a su vez organizaba y apoyaba al maratón, se encargaba de trabajar en pro de la educación y del resguardo de los niños en Estados Unidos. Por eso, junto a Deborah Apeloig, una gran amiga que nos ayudaba desde allá, nos pareció la institución más indicada.

Entablamos una relación muy cercana con los miembros de esa institución. Incluso visitamos sus instalaciones y conocimos a una muchacha muy amable que nos habló del trabajo que hacían. Por nuestra parte, manifestamos nuestro deseo de apoyarlos y de contribuir con ellos en todo lo que pudiéramos. Ellos se mostraron encantados y de inmediato comenzamos a sugerir ideas y a producir cosas. Esa ONG se comunicaba regularmente con Pedro, que tenía, de todos, el mejor manejo del inglés. Pedían datos e información que nosotros les enviábamos felices de la vida. Todos los enlaces con respecto a la inscripción llegaban por intermedio de Pedro.

Esa noche yo estaba en el aeropuerto de Margarita, a punto de abordar el avión que me traería de vuelta a Caracas. El teléfono sonó. Era una llamada inesperada de Pedro.

—Maickel, ¿viste el correo?

—¿Qué correo?

—Revisa tu correo. Acabo de recibir un mensaje de la organización. Dice que te quitaron el número de corredor y que no vas a poder participar en el maratón de Nueva York.

Palidecí.

Es como si el mundo se hubiera detenido y hubiera perdido la dirección.

Le volví a preguntar:

—¿De qué estás hablando?

—Por favor revisa tu correo. Es urgente, porque a lo mejor lo estoy entendiendo mal. Quiero estar seguro de lo que dice —Pedro estaba siempre muy pendiente.

—Déjame revisarlo. Pásamelo otra vez.

Me reenvió el mensaje y lo leí. Decía casi literalmente lo siguiente: «En este momento le acabamos de notificar su revocatoria de la inscripción del maratón. Su número ha sido excluido. Los fondos que usted aportó se le devolverán a su cuenta. Usted no puede participar en el próximo maratón, pero si quisiera hacerlo en algún otro momento, pudiera tocar las puertas de la Fundación Achilles International. Tal vez ellos lo admitan…».

En agosto ya todas las posibilidades para inscribirse por medio de otra fundación estaban cerradas. Cerraron las puertas luego de mantener una relación fluida durante meses. Yo ya tenía mi número asignado, lo que significaba que ya tenía algo parecido a un contrato firmado. Por lo menos eso creíamos. Pero me cerraron las puertas.

Se veía que el correo estaba escrito y revisado perfectamente desde el punto de vista legal, y que habían realizado el resguardo que hacen las organizaciones en Estados Unidos y en otros países para evitar posibles demandas.

En el momento sentí una total desorientación, un vacío completo, un sinsentido.

Llamé a Pedro y le dije:

—Sí. Dice lo que dice. No hay dudas.

Llamé a Perla, que estaba justo cumpliendo con otro compromiso laboral y le conté. Quedó desolada. Yo no tenía ni chance de hablar con nadie porque debía abordar el avión. El vuelo de Margarita a Caracas dura cuarenta y cinco minutos, más o menos. En ese tiempo no hice sino llorar porque era como si hubiesen matado una parte de mí. Lloraba y lloraba y lloraba y lloraba… Y Galo no entendía. Yo estaba desesperado, sin esperanza. Me habían quitado la vida y, además, yo no entendía. Fue como cuando un amor te dice chao y no te explica nada. Por más que quieras entenderlo, no puedes. Si uno siente que el otro tenía la necesidad de decirte adiós y que esa necesidad era muy superior a la necesidad de hacerte sentir bien, cuando entiendes eso, no hay confusión posible. Pero cuando no hay señales claras y de un día para otro te cierran la puerta, no hay contención de nada. Se quiebra la represa, se desborda el río y se lleva por delante todo lo que se le atraviese.

Cuando llegué a mi casa, no había nadie. Mis padres se habían ido de viaje. Me sentí muy solo. Recuerdo que me acosté a dormir y lloré. Quedé inconsciente, como en aquella caída. Cuando desperté en la mañana: al abrir los ojos, estaba tranquilo. Durante milésimas de segundos hice una especie de chequeo personal. Me preguntaba si fue una pesadilla o no. Cuando hice la primera respiración, desperté y me di cuenta de que era verdad y no lo podía creer... Fue morir otra vez.

Era como si me clavaran mil cuchillos al mismo tiempo. Mi pecho no aguantaba tanto dolor, tanto vacío. «Levantarse hoy no tiene sentido. ¿A qué te vas a levantar hoy, si tienes un año y medio (o más) cambiando tu vida y la de mucha gente, dedicándote a algo que otros te quitaron de un tajo?».

Galo llegó y me quiso levantar, pero me negué. Me quedé allí por cinco o diez minutos más. De pronto me di cuenta de que, si no me levantaba en ese instante, tal vez posteriormente no tuviera fuerzas para hacerlo. Quizá me quedara ahogado en la desesperanza, sin la fuerza ni la necesidad ni el deseo de levantarme. Traté de centrarme. Respiré. Me dije a mí mismo: «Levántate, así sea para levantarte, así sea para entender que cada cosa que hagas ahorita cuenta. Levántate, a ver qué cambia, si eso cambia algo». Creo que ya eso habla de un camino, de una vía, para salir de cualquiera que sea la oscuridad más profunda, que seguramente en muchos momentos nos alcanza y nos arropa.

Entonces llamé a Galo para que me ayudara a levantarme de la cama. Cuando estaba ahí, sentado, me dije: «Necesito un puente». O sea: un puente conmigo mismo, con mi vida y con la vida. ¿Quién podía serlo? Inmediatamente pasó por mi cabeza mi maestro de montaña: Alfredo. «Él me puede contener como maestro que es. Él me puede dar fe. Él me puede orientar en esta tormenta de arena que no me permite ver nada».

Cuando el dolor no te deja ver más allá de tu nariz, necesitas una brújula. Debes buscar a tu alrededor algo que te pueda anclar con la vida, algo que te diga que la vida es mucho más que ese dolor y esa impotencia.

Al escuchar la voz de Alfredo sentí un anclaje con la vida. Alfredo me escuchó y se molestó mucho.

—Maickel, eso es discriminación. Eso se puede llevar a juicio. Puedes pelear y apelar esa decisión.

Yo no dije nada. Solo lo escuchaba:

—Eso sí: tienes que saber que si vas a pelear la decisión, vas a pelear con gente muy grande y eso tomará tiempo y energía. Si quieres dedicarte a eso, probablemente logres unas consecuencias positivas, pero tienes que estar consciente de que lo que emprenderás será una pelea.

Hablar con Alfredo me permitió sentarme a preguntarme cosas. Es como si él hubiera contenido un poco el dolor, y me abriese un boquete de racionalidad para poner en un paréntesis la emoción y permitirme recordar quién era, para qué estaba haciendo lo que estaba haciendo. Alfredo me dio una alternativa... Creo que, cuando te dan alternativas, te permiten vivir. Vivir es tener alternativas. Vivir es elegir. Saber que tienes una alternativa te hace sentir vivo.

Antes de terminar de hablar con Alfredo le agradecí profundamente su atención y sus consejos. Cuando te abres a tu debilidad, puedes encontrar a tu alrededor muchas fortalezas. Y, tras colgar el teléfono, me pregunté si quería y si necesitaba pelear.

Fui más hondo y me pregunté para qué hacía todo eso del entrenamiento y para qué había movido a tanta gente. Decidí llamar a Perla para que supiera que estaba bien y en movimiento; su paz, apoyo y capacidad operativa me impulsaban con serenidad. También llamé a Alberto. Alfredo, Perla, Alberto, las anclas de mi vida...

Era impresionante. Lo primero que me dijo Alberto con su conocimiento del deporte fue:

—Bueno, ¿qué vamos a correr entonces? —y me dio un menú de alternativas.

Lo importante para salir del vacío es la acción. En la acción y en el movimiento está la vida. Entonces, cuando me puse en movimiento, y con la posibilidad de elegir que me dieron Alfredo, Perla y Alberto, me pregunté: «¿Para qué estás haciendo esto? ¿Tiene sentido pelear?». La verdad es que inmediatamente después de preguntarme si tenía sentido pelear me cuestioné sobre si tiene sentido no pelear. ¿Qué tenía más sentido?

No quería dedicar parte de mi vida a un juicio, a pelear en un juzgado. Aunque eso hubiera sido un mensaje en contra de la discriminación, yo no estaba buscando protestar por nada. Estaba buscando construir todo.

Construir era ir hacia delante, era inspirar. Pelear era otra cosa. Entonces me dije: «Si no quieres pelear, ¿qué construye mensaje?». Lo que construía mensaje era continuar, era seguir, era decirme a mí mismo: «¿Cambias la meta? No. Sin duda que no. ¿Persistes en la meta? Sí, claro que sí. ¿Implicaba eso un año, tres meses más de trabajo? Sí, claro que sí. ¿Estás dispuesto a hacer eso?». No lo sabía hasta que hablara con quienes me habían apoyado. Porque es importante entender que mi desesperanza y mi dolor no tenían que ver solo conmigo; tenían que ver con los corazones de muchas personas que habían apostado por esto, que habían creído en mí, que habían creído en lo que íbamos a lograr, y postergarles su vida un año y tres meses más era una inmensa responsabilidad. Yo sentía mucha vergüenza. Sin embargo, al hablar con Alfredo, Perla y Alberto, me di cuenta de que eso tenía que venir de ellos, tenía que consultarlo con ellos, y que ellos tenían que decidir si eso era lo que querían a hacer o no.

«Consulta con cada una de las personas si están dispuestas a hacerlo, y si lo están, ¿tú no? Claro que sí. ¿Eso construye mensaje? Sí. ¿Eso construye contenido? Sí. ¿Eso habla de perseverancia, de esfuerzo, de logro? Sí. Bueno, entonces a actuar». Y ya ahí me volvió el alma al cuerpo.

Me volvió el alma y también el dolor. Al dolor lo había puesto entre paréntesis.

Simplemente teníamos que armar otro plan. Lo primero que debíamos hacer era hablar con cada una de las personas que habían sido parte de esto. Recuerdo que ese día llamé a Marlon, que nos había apoyado como amigo y como representante de Gatorade en Venezuela. Yo sentía mucha vergüenza con las personas que habían apostado por mí. La voz de Marlon fue de amistad, de apoyo:

—Maickel, vamos a almorzar de inmediato. Planifiquemos algo.

Cuando Marlon me dijo «planifiquemos», sentí un alivio inmenso. Fue hermoso sentir que él era parte del proyecto y sentir su cariño en esos momentos de dificultades.

Lo mismo pasó con Federico, con Óscar… ¿Cuántas cosas no los hice vivir? Me sentía muy responsable por ese amor que me daban. Necesitaba devolverles lo mismo o más. Y tener que darles una tristeza era lo peor que me podía pasar.

Fui a almorzar con Marlon y Alberto en una pequeña tasca. El lugar lo recuerdo muy oscuro. No sé si de verdad era oscuro, o si era yo el que estaba en la más profunda oscuridad. La poca luz que entraba se reflejaba en sus rostros. No paraba de llorar. Sentía el vacío más profundo. Les pedía disculpas, les enseñaba el correo y les decía:

—No quiero pelear. No hace falta. No tiene sentido. Pelear no construye nada. Pelear quizá nos dé la razón, pero no nos da la felicidad; no nos da la alegría de inspirar a otros; no nos da la trascendencia. Pelear es simplemente tener razón, pero no es tener sentido.

Y Alberto, otra vez, proactivo, dijo:

—Maickel: Bogotá. Vamos, de una. Pensemos en Bogotá. Hay una media maratón en Bogotá, es una carrera con certificado internacional. Vamos a empezar a acumular certificaciones internacionales para que en el maratón de Nueva York te permitan participar el año que viene.

Marlon dijo amén.

De verdad, dijo «amén». Y esas dos personas que estuvieron en ese almuerzo reafirmando su apoyo me dieron vida. Me dieron vida y me impulsaron a seguir adelante.

Perla y yo ya habíamos hablado antes de esa opción y le parecía genial; con tal de tener un nuevo punto de partida, todo era genial. Siempre decimos que el verdadero éxito es saber empezar una y otra vez desde cero.

Le contamos la verdad a la gente, porque ya eran parte intrínseca de este proyecto. Necesitábamos contar que esto se postergaba; que esto requería más consistencia, más esfuerzo, más trabajo… Y así organizamos la ida a Bogotá. Esa semana me tocaban los últimos dieciocho kilómetros antes de los veintiuno. Hablamos con el equipo completo y al día siguiente me tocaba entrenar. Dieciocho kilómetros eran cinco horas y media. Y mientras todos se preparaban y digerían la noticia, yo tenía que decidir si iba a entrenar o no. Y la verdad, la verdad, viéndolo en retrospectiva, cualquiera se hubiera perdonado no entrenar en esos días. Pero mi decisión era: «Si no entrenas mañana, vas a sentir la emoción de que nada tiene sentido. Te van a invadir el miedo y la duda». Yo no podía darle espacio a la duda. Sin decirle nada a nadie, porque tenía mucha vergüenza con todos, al día siguiente, en la madrugada, con Asdrúbal, fui a hacer los primeros dieciocho kilómetros de mi vida, porque la semana siguiente tocaban los primeros veintiuno. Yo no lo entendí en el primer momento, pero eso me dio mucha dignidad, mucha dignidad en el sentido de que no lo hacía para que nadie me apoyara; lo hacía por mí. Era algo para mí mismo, para probarme nuevamente si lo hacía porque creía en esto o porque estaba apoyado por otros. ¿Qué otra cosa significaba ese momento cumbre, ese momento de estar entrenando solo durante cinco horas y media un domingo en la madrugada, cuando nadie sabía nada de la carta que me habían enviado? Todo el mundo que me veía en la calle me vitoreaba porque creía que aún iba a Nueva York, y yo ahí, solo, sabiendo que no iría. La noticia la íbamos a publicar la siguiente semana, porque aún no la habíamos digerido. Es más: ni siquiera nos habíamos podido comunicar con los organizadores del maratón para ver si había alguna posibilidad, porque nos habían cerrado por completo las puertas. Después de recibir el mensaje electrónico, llamé al día siguiente a la organización, y no había nadie con quien hablar.

¿Qué debíamos hacer? Tenía muchas preguntas: Nueva York, Bogotá, la comunicación con mi equipo y con el público, la tristeza…

Eran cinco caminos que debía recorrer al mismo tiempo. Y en el medio, la decisión de si entrenaba o no. Y la verdad es que fui a entrenar. Tardé lo que tenía que tardar y terminé lo que tenía que terminar. Fue como expulsar el dolor con la dignidad. Era como dignificar ese hecho. Era como decirme: «¿Sabes qué? No. No me vas a ganar. Si me vas a probar, me vas a probar, pero no me vas a ganar». Esa era la prueba para saber si yo realmente quería y si esto tenía sentido; en primer lugar, sentido para mí. Porque creo que los grandes sueños se miden en y con uno, y después salen. Porque los aplausos pueden ser muy bonitos, pero la vida tiene sentido si el paso que das te resuena, te hace digno y te permite, paradójicamente, andar derecho, andar erguido, con el pecho hacia fuera, como lo único que eres. Y yo necesitaba darme mucho valor. Valor de valoración y valor de coraje. Y esas subidas fueron las más horrendas subidas, pero fueron las más dignificantes, las más purificadoras, las más enfurecidas, rabiosas y, a la vez, aquellas que le daban sentido a la siguiente apuesta.

Toda esa semana fue una completa pesadilla.

Debíamos reorientar otra vez todo este esfuerzo y tomar decisiones. Al final, lo que te da vida es cada decisión que tomas. Cuando puedes soltar para atajar algo nuevo… El limbo, la incertidumbre, es lo que desgasta.

El lunes llamamos a Nueva York.

Confirmamos que no había con quién hablar y que no había nada que hacer. El martes nos inscribimos en la carrera de Bogotá. El miércoles hablamos con todo el equipo y confirmamos si todos estaban dispuestos a hacer lo que teníamos que hacer. El jueves debía hablar con la Fundación Achilles para explorar nuevas posibilidades. El nuevo camino era incierto. Yo me decía una y otra vez: «Ya teníamos el número, ya teníamos el número…». Y al rato pensaba: «Si lo hacemos con Achilles y nos dan un número, ¿qué nos dice que no nos lo van a volver a quitar?». Ahí me di cuenta de que ese temor nos iba a acompañar un año. No había manera de quitárnoslo de encima. Porque no importaba lo que dijera la Fundación Achilles: no había nada seguro. La otra organización me había dicho que sí, me dio el número, me había permitido inscribirme, los visité, ¡nos abrazamos! E incluso así, me revocaron todo.

Hasta el día anterior al maratón, en 2011, viví en la incertidumbre más absoluta. Por eso desde entonces, con mayor ahínco, cada milímetro se cuidaba. Hablaba con Achilles y, al día siguiente, a correr, a no dejar de entrenar.

El domingo de esa semana debía correr los primeros 21K de mi vida.

Mucha gente corría ese día. Todo el mundo vitoreaba sin saber que no íbamos a Nueva York. Fue muy intenso e interesante. Perla coordinó con Fuco, Marcos y Pedro Reinaldo García. También estaba Randy Carrero. Randy es como de la familia, y había afrontado con nosotros el desafío de la montaña; siempre, con su inmensa humanidad concentrada, estaba presente y dispuesto para todo.

Comenzamos más temprano que nunca en la madrugada y tardamos seis horas veintiún minutos en llegar a los pasos finales, cuando pronto se acercaba el mediodía y su sol incandescente.

Llegábamos a una plaza que se llama Alfredo Sadel, en Las Mercedes. Ya todo estaba recogido. Nadie nos estaba esperando. No había línea de llegada. No había nada... Eso fue vivir de nuevo la soledad. Era entender que este sueño iba a ser muy solitario para nosotros como equipo, este equipo iba a estar muy solo hasta que se hiciera realidad. Y dar los últimos pasos hasta la plaza Alfredo Sadel, los últimos pasos de los primeros veintiún kilómetros de mi vida, con la certeza de que no iban a llenar nada, porque eran parte del plan de entrenamiento para noviembre, y ya noviembre no existía más. ¿Tenía sentido? No tenía ningún sentido. En cuanto a entrenamiento, no tenía ningún sentido. Un esfuerzo de seis horas veintiuno, sin un después a continuación, no tenía sentido, porque sabíamos que después íbamos a tener que recoger todo, como recoger nuestro equipaje, y volver al punto de partida, desde cero. Otro año de entrenamiento para un maratón. Sabíamos que ese era un cierre para volver a comenzar de cero. Pero era un cierre digno, porque íbamos a probarnos a nosotros mismos que podíamos hacer veintiún kilómetros. No había nadie. No había aplausos. Ahí no había nada. Era todo para nosotros. Era un homenaje para Perla, para Fuco, para Pedro, para Alberto, para Alfredo, para Marlon, para María Alejandra, para

Uberto, para Romina, Leo, Iván, Galo y Asdrúbal… Para todos los que estuvieron ese año creyendo y apostando.

Los últimos pasos en los últimos cien metros los di con todo y me dolieron muchísimo las piernas. Yo gritaba. No sé de dónde venía el dolor: si de las piernas o del corazón. Cien metros, cincuenta metros y no había meta ni siquiera. ¡Qué simbólico! No había meta, pero aún así llegamos al punto donde estuvo.

Cuando llegamos a esa meta invisible, todos celebraron con un ritual. Perla tomaba una botella de agua y la destapaba como champaña. Todo gran equipo ha de tener su ritual de celebración y ella como experta en el área lo sabía. Yo por dentro celebré, pero a la vez sabía que venía un año completo otra vez. Que empezaría desde cero. Era una decisión tomada. Recuerdo que Fuco estaba muy contento porque había logrado que yo hiciera veintiún kilómetros, y recordábamos aquellos quinientos metros que no podíamos hacer.

Yo caí en un banco de concreto frío en su estructura, pero caliente por el sol. Caí porque me dolía todo. Fuco me estiró. Luego me abracé con Perla y lloramos y lloramos y lloramos… nos abrazamos todos. Y cuando se acabaron las lágrimas, la decisión estaba tomada: íbamos a volver a comenzar, íbamos a volver a creer e íbamos a volver a apostar. Y todos estaban conmigo y yo con ellos. Pero esto tenía que ser más grande. Si íbamos a seguir creyendo, esto tenía que ser más grande. Si íbamos a apostar un año entero más, esto tenía que ser aún más grande, y tenía que ser para más personas, tenía que ser más importante y más trascendente para la gente. Esa era la apuesta, esa era la decisión, esa era nuestra convicción. Y desde el momento en que se secaron las lágrimas comenzó una nueva aventura, comenzó una nueva vida y comenzó un nuevo deseo, con toda la rabia del mundo y con todo el amor del planeta, para que aquello que íbamos a hacer con la incertidumbre más profunda influyera sobre la mayor cantidad de personas posible.

Después de esos veintiún kilómetros, debíamos comenzar otra vez desde cero.

Fueron veintiún kilómetros para nosotros, para la rabia, para la conciencia de mejora, para darnos dignidad, porque, a pesar de todo, lo habíamos logrado. Habíamos empezado de la nada y ese día, sin aplausos, logramos media maratón.

Media maratón significa graduarte. Veintiún kilómetros no los hace cualquiera. Así que ese día obtuve una certificación muy personal. También empecé a comprender la magnitud de lo que significa un maratón. La pregunta que siguió fue: «¿Y esto tengo que hacerlo dos veces?». La respuesta inmediata fue «Sí. Las matemáticas no engañan». Sin embargo (y esto que diré a continuación lo pueden corroborar quienes corren), a partir de los veintiún kilómetros, la realidad espacio-tiempo cambia por completo, y los siguientes veintiún del maratón no tienen nada que ver con los primeros veintiún kilómetros, pero eso tendríamos que descubrirlo como todo, con el esfuerzo y la propia vivencia

Terminamos esa jornada digna y triunfal a la que sentimos como una doble despedida. Por un lado, nos despedimos de una etapa de todo este proyecto y, por otro, nos despedimos definitivamente del maratón de Nueva York de ese año. También nos despedimos de la rabia y dimos paso a la acción.

Parte 4

Un nuevo comienzo para un sueño grande

La incertidumbre del riesgo

«Solo el que apuesta por lo invisible
logra lo imposible».

Al día siguiente de los 21K comenzamos a explorar distintas opciones para participar en el maratón del año siguiente. Tenía que existir alguna manera; era un derecho humano. Si no me lo permitían, estaban cometiendo un acto de discriminación. Para encontrar ese camino lo primero que hicimos fue aceptar que si yo quería participar, debía aceptar las condiciones que me pusieran. La humildad siempre te permite ubicarte en el mapa de tu historia. Es la famosa flecha grandota que te indica: «Usted se encuentra aquí». Debía dejar en claro que yo aceptaba lo que dispusieran los organizadores del maratón.

Las relaciones humanas tienen que ver con la capacidad de valorarte en la justa medida; saber qué tienes para dar, qué tienes para ofrecer, qué tienes para recibir. Y valorarse en la justa medida. Entonces, solamente si valorábamos a la institución, al maratón, podíamos merecer ser parte de él. No era «contraponiéndonos a»; era mereciéndonos «ser parte de» como podíamos ser aceptados.

Del lado del maratón, debían ponernos condiciones y aclararlas muy bien porque nosotros estábamos dispuestos a todo. Creo que esa es la mayor decisión: estar dispuesto a todo. La mayor decisión es la que te golpea la vida, pero tú estás dispuesto a todo, y a todo es «ponme las condiciones que me vayas a poner, que yo las voy a cumplir».

Y vives la emoción… Ya no sentía rabia; ahora era la emoción de tener condiciones que cumplir.

Esto me lleva a un tema: la metamorfosis de la crisis. Esa metamorfosis de una circunstancia difícil a una realidad emocionante, apasionante, retadora, desafiante, fue la llave que nos permitió acceder al verdadero camino.

Quizá, ante los ojos del maratón, los caminos que habíamos recorrido no eran los correctos. Simplemente fueron pruebas para ver si merecíamos, en términos de aptitud, de personalidad, la llave al verdadero camino. Era como uno de esos cuentos en los que al final, cuando el héroe cambia de actitud, se le muestra el verdadero camino. Entonces decidimos cumplir todas las condiciones. La primera era acumular certificados internacionales. Por eso decidimos participar en una carrera Gold, con certificación de la IAAF, la Asociación Internacional de Federaciones de Atletismo, que certifica la carrera, la ruta, y permite decir que realmente recorriste tal distancia. En ese sentido, nos planteamos Bogotá.

Bogotá era un doble desafío: era la primera carrera internacional en una ciudad que está a dos mil seiscientos metros de altura. Para este evento decidimos movernos distinto. Como decía Einstein, si siempre haces lo mismo, no puedes conseguir resultados diferentes. Así que esta vez no cometimos el mismo error que cometimos en Nueva York.

Esta vez no ofrecimos de manera tan fluida la información. No le aclaramos a la organización de la media maratón quién era exactamente yo y qué características tenía, para no asustar a nadie. En Nueva York ofrecimos todos esos datos. Creíamos y creemos que mientras más honestos somos, más confianza ofrecemos. Sin embargo, en Nueva York la transparencia produjo miedo, todo lo contrario a lo que esperábamos. Así que, en Bogotá, no cometimos el mismo error. Decidimos inscribirnos desde aquí, pero que nos conocieran allá. Creemos en la presencia humana y en la interacción a partir de esa presencia.

Eso también era valorar el gentilicio latinoamericano, que de alguna manera nos permite, como latinoamericanos, tener una personalidad más flexible, más abierta y menos rígida ante las realidades, y eso permite también que el intercambio sea más humano. Porque al final los seres humanos somos tan distintos que cuando te metes en una estructura rígida siempre surge la exclusión.

Armamos el equipo. Fue un mes y medio de planificación intenso desde la oficina de Perla. Marlon y la gente de Gatorade nos apoyó. Una gran amiga y hermana de la vida, Frida Ayala, nos ofreció un apartamento en Bogotá y una recomendación:

—Antes de correr en esa ciudad, debes aclimatarte —Frida es experta en montañismo—. ¿Por qué no te pasas unos días en la finca donde vive mi hermana, en Guasca, muy cerca de Bogotá?

Como iba a correr en altura y todo lo que hago en altura y hacia las alturas se lo consulto a Alfredo Autiero, eso fue lo que hice.

—Sí, Maickel. Necesitas aclimatarte para garantizar que la altura no te afectará. Entrena dos días antes, lo más alto que puedas para que cuando llegues a los dos mil seiscientos metros te sientas mejor.

Por su parte, Pedro Martín se ofreció de forma voluntaria y cariñosa a acompañarme y a asistirme en todo lo que pudiera necesitar. También se encargaría de la relación con los organizadores. Marcos Blanco, el camarógrafo, se fue con nosotros a la aventura de conseguir nuestra primera certificación internacional.

Días antes de la carrera, empecé a entrenar desde cero. La de Bogotá era una media maratón, pero había la posibilidad de correr veintiuno o diez kilómetros. En mi caso yo iba a hacer los diez. Porque era el comienzo del entrenamiento para el año siguiente en Nueva York. Trazamos una ruta de certificaciones internacionales. Teníamos tres pasos que seguir. El primero era correr los 10K de la media maratón de Bogotá. El segundo era ir a Nueva York a conocer a la institución que el maratón nos había asignado para poder participar el año siguiente: Achilles International.

Achilles International, como ya lo conté al inicio de este libro, es una maravillosa ONG estadounidense que se encarga de organizar la logística para que los corredores con diferencias funcionales puedan participar en las carreras más importantes en setenta países del mundo. Achilles comenzó en Nueva York; por lo tanto, tiene toda la legitimidad del mundo allí.

El tercer paso era correr, a finales de enero de 2011, la media maratón de Miami.

Esa era la ruta. El reto era acumular credenciales internacionales y certificar que yo podía hacer la distancia, por lo menos de veintiún kilómetros, de manera de ofrecerles confianza a los organizadores del maratón de Nueva York gracias a la intermediación de la Fundación Achilles. Por más que eso fuese engorroso, decidimos verlo como un desafío.

Días antes de la carrera, Frida me dijo que estaría en Bogotá. Que alguien que uno quiere y admira tanto se haya sumado a este proyecto, fue muy bonito. Al final, el maratón de una persona se estaba convirtiendo en el sueño de mucha gente. Esa era la idea.

En el camino de la preparación a Bogotá tomamos la decisión de hacer que el maratón de Nueva York fuera el mensaje. Desarrollaríamos esa idea y convertiríamos ese mensaje en una realidad, en una institución, en una posibilidad para muchos. Eso era «Paso a paso hacia la meta», la transmisión de un mensaje inspirador mediante la construcción de una meta que se alcanzaría en un año. Entonces, en ese lapso, se documentaría todo el trabajo. Al final queríamos tener en nuestras manos una prueba contundente contra aquellos que no creen que los imposibles son posibles. Con eso queríamos inspirar a miles de personas, ayudarlas a que accedan a sus propias metas, sueños y objetivos.

Ese era el proyecto en sí. Eso era «Paso a paso hacia la meta». A esas alturas, Alberto Ciammaricone y su equipo de Aerolínea Creativa intervinieron esa idea y le dieron un giro que la hizo todavía más interesante.

El viaje a Bogotá fue muy emocionante. Pedro, Marcos y yo estábamos muy asustados porque los organizadores sabían que había un Maickel Melamed inscrito, pero no sabían quién era Maickel Melamed. La idea en este caso fue decir: «Hola, conóceme de frente para que realmente tengas el valor de decirme frente a frente cómo lo hacemos juntos». Porque lo frustrante con Nueva York ese año (lo que quizá me dolió más) fue que no hubo nadie que diera la cara; ¡ni siquiera las personas que habíamos conocido y que ya nos habían visto!

Cuando llegamos al aeropuerto de El Dorado, nos encontramos con muchos venezolanos que viajaban para asistir a la carrera. Ahí debo apuntar dos cosas: primero, la emoción que todos manifestaron por nuestra participación. Eso era muy hermoso, muy solidario. Segundo: todos preguntaban absolutamente lo mismo: «Mira, ¿cómo vas a hacer con la altura? ¿Te preparaste para la altura? ¿Cómo hacemos con la altura? Porque es que la altura, la altura, la altura...». Con mi ingenuidad yo decía que todos tenían una obsesión por la altura. Porque nunca lo vimos como un problema, sino una parte más de la realidad que enfrentábamos. Porque cuando te planteas una dificultad necesitas una alternativa ante esa dificultad, porque si no esa dificultad te perseguirá hasta que te alcanza. Y eso me llamó la atención. La alternativa nuestra era ir a Guasca para la aclimatarnos.

Llegamos a Bogotá un jueves y de inmediato nos fuimos a Guasca. El plan era quedarnos una noche en la posada de la familia de Frida y al día siguiente volver a Bogotá y descansar hasta el domingo, el día de la carrera.

La verdad es que fue increíble. Estaba en otro país, representando al mío, y eso ya era una sensación novedosa y trascendente. Recuerdo que lo que más nos emocionó fue usar unas chaquetas que nos habían preparado Uberto y la gente de Nike, en las que nosotros estampamos la bandera, grande, la bandera de Venezuela y nuestros nombres. Tener tu nombre al lado de tu bandera es una sensación que no se entiende. Realmente la identidad patria, de tu tierra, de tu pueblo, de tu arraigo, es algo muy hermoso. Es como si tuvieras arraigo al vientre de tu mamá. Es como si reconocieras los brazos de tu madre, de la madre tierra que te vio nacer y la sintieras como una parte tuya y tú como una parte de ella. Es muy emocionante ofrecerle a tu tierra cada cosa que logras.

Salimos de Bogotá y, al ver el paisaje, era fácil decir: «Oye, pero ¿estoy en Venezuela o en Colombia?», y eso para mí era muy hermoso, porque era como experimentar una conciencia continental, la conciencia de que somos uno, de que las fronteras son imaginarias y de que al final los paisajes y los olores son los mismos. Por supuesto, cada país tiene sus particularidades como las tenemos todos los seres humanos, como las tienen hasta los hermanos gemelos… Así, Venezuela y Colombia son distintas, pero comparten la misma esencia. Eso me impresionó mucho.

Llegamos a la finca San Antonio, que queda cerca de Guasca, a cien kilómetros de Bogotá. La recepción fue muy cálida. La familia de Frida nos recibió con todo el amor del mundo. Ellos se habían ido a vivir allá y lo que más me impresionó fue su deseo y su capacidad de emprendimiento. Se trataba de gente que comenzó con las uñas, de personas que estaban haciendo un enorme esfuerzo por prosperar en esa tierra. Era bello valorar esos deseos humanos de triunfo y el empeño que ponían en alcanzar la excelencia en cada cosa.

El lugar era precioso. Otra vez decía: «¿Bueno, estoy en Colombia o estoy en Venezuela?», porque era una finca típica de montaña, muy semejante a las que había visitado en los páramos andinos venezolanos. Las casitas, las cabañas, las habitaciones, el comedor, estaba hecho todo con mucho cariño y pasión. Te lo contaban, te lo explicaban, te presentaban y te enseñaban, desde los lugares, la estructura, hasta los animales, hasta... todo tenía esa esencia noble del lugar, que en Colombia es una maravilla, y la esencia del venezolano, hospitalario y solidario, que también es una maravilla. Era la mezcla de lo mejor de ambos mundos.

Nos instalamos. Teníamos un plan que cumplir. Y la verdad es que Pedro, en ese sentido, es una persona muy estructurada, lo que se le agradece, porque permite ser eficiente en los tiempos y en los esfuerzos que, en definitiva, hacen posible alcanzar la excelencia.

Después de pasear un rato, compartir con la gente, comer y reposar durante media hora, debíamos salir a entrenar. Entrenar implicaba trabajar durante un tiempo, cubrir una distancia y alcanzar una frecuencia cardíaca, de manera que alcanzáramos la aclimatación. Nos organizamos y cumplimos cada uno de los pasos necesarios.

Recuerdo con mucho cariño una conversación entre Pedro y yo durante el entrenamiento. Hablamos sobre el amor. Más bien hablamos sobre el romance, porque en aquel momento había una muchacha que él había conocido en «Paz con Todo», Ana María Blanco, y que, bueno, como decimos en Venezuela, se estaban echando los perros mutuamente.

Hablamos de los temores habituales de los seres humanos a la hora del cortejo, de los temores típicos, como cuidarse del dolor si la cosa no funciona. ¡Es impresionante cómo le tenemos miedo al amor por el dolor que puede implicar! El acto amoroso más profundo que hay, el nacimiento, es un acto lleno de profundo dolor. Y ahí está la paradoja humana: nos cuidamos del dolor toda la vida cuando en verdad venimos del dolor. Lo humano viene del dolor. Lo más bello del mundo proviene del dolor. Y ahí hay una paradoja muy profunda.

Recuerdo que le dije:

—Señor, a usted esa mujer lo quiere. Échele pichón y listo. Vaya pa'lante, porque te está dando todas las señales del mundo.

Hoy en día, Ana y Pedro son marido y mujer, una realidad muy bella.

Cuento esta pequeña anécdota porque es una de esas cosas que se dan en el entrenamiento y en el esfuerzo colectivo. Gestos de amor mutuos, noviazgos, conversaciones de hermanos… Es bello ser parte de la historia de seres que tú quieres. Creo que eso es lo más grande que hay en las historias, en los sueños, en los proyectos, en los logros: ser parte de esas grandes historias que se van conformando paralelamente, y que quizá no tienen un destino tan claro, tan fijo, pero son igual de apasionantes o quizá más.

Entrenamos, nos bañamos, comimos, descansamos, como decía el plan. Debíamos cuidar los detalles. Teníamos una responsabilidad muy grande. No había que dar pie a que la responsabilidad de nuestro triunfo o de nuestro fracaso la tuvieran otros en sus manos.

En mi caso, la idea era empoderarme a mí mismo, estar alerta siempre, no olvidar que mi triunfo o mi fracaso dependían de mi apego a los detalles para hacer realidad un deseo claro y concreto. En otras palabras: si quieres algo, asume las consecuencias de desear algo. Eso es todo muy parecido, y vuelvo al ejemplo de los hijos: si tienes la capacidad de decidir tener un hijo, asume la responsabilidad y las consecuencias que vengan con ese hijo. En nuestro caso, nosotros lo asumíamos con el mismo amor y responsabilidad.

Frida llegó a Guasca esa noche. Fue un encuentro muy emotivo y hermoso. Entonces comimos y nos acostamos, sabiendo que al día siguiente debíamos pararnos, entrenar e irnos a Bogotá.

Cumplimos la fase de entrenamiento en Guasca, conocimos a la familia de Frida, conocimos parte de esa esencia colombiana que es tan parecida a la nuestra, y pasamos a la segunda fase, la vuelta a Bogotá y el comienzo de la preparación, ahora sí, para la carrera.

Frida nos acompañó a Bogotá y nos llevó a su apartamento. Ahí estuvimos Marcos, Frida, Pedro y yo. Era muy hermoso ver cómo crecía este proyecto. Fuimos a la expo a resolver los asuntos que teníamos pendientes. Nos encontramos con la gente de Carabobo Runners, que venían de Venezuela. Yo no sabía quiénes eran, y resulta que era el club de corredores más grande y más antiguo de Venezuela. ¡Qué honor conseguirse con gente tan bonita en otro país, con tu bandera! Fue una experiencia totalmente novedosa que me llenaba de amor por mi país.

La diferencia entre el entrenamiento y la carrera es que en la carrera debes considerar a las treinta mil personas que participan en ella. Tienes que tomar en cuenta la organización, las calles, los transeúntes, la ciudad, los espectadores… Ya no eres tú solo. Creo que eso es parte de asumir la vida como parte de la humanidad: entender que no estamos solos y entender que uno ha de ser con el otro para completarse. Si asumes un desafío como participar en una carrera, también tienes que tomar en cuenta todos los elementos que están y que incluyen a la carrera en sí. En mi caso, era el desafío de ir a la expo, de explicar lo que estábamos haciendo, de saber cuál era la consecuencia, el resultado, de esa explicación; de saber qué era una exposición internacional, algo muy emocionante; de ver a montones de personas que correrían contigo el domingo. Y todo eso se hizo el viernes.

Pedro cumplió todos los protocolos que habíamos pautado desde Caracas. El momento más interesante ocurrió cuando se reunió con la gente de la organización, les habló de mí y les pidió que me fueran a conocer.

Cuando los organizadores del maratón me vieron, exclamaron: «¡Wao! ¿Qué tenemos acá?». Ahí es cuando reafirmo lo orgulloso que estoy de tener la esencia latinoamericana. Porque sí, es verdad, hubo sorpresa, susto y desagrado en la primera mirada de parte de los organizadores, pero esa mirada duró unos pocos segundos porque, en seguida, pasó de la sorpresa al asombro, del asombro al desafío, del desafío a la solidaridad, de la solidaridad a la responsabilidad, y de ahí a ver cómo hacíamos para hacer realidad lo que fuimos a hacer ahí.

Al principio, ellos no entendían nada. Nunca habían hecho algo semejante ni se habían planteado que la organización que tenían pautada se adaptara a las necesidades de alguien como yo. Por supuesto que expusieron su preocupación ante los problemas que mi participación podría traerles, pero, como buenos latinoamericanos, se fueron por el lado apasionado, por lo romántico, por el idilio y no por el pragmatismo sistemático. Así que se abrieron a la posibilidad de que participara.

Dijeron que sí, que iban a hablar con las autoridades para armar algo que nos permitiera algún grado de seguridad mientras ellos iban abriendo las calles.

El viernes en la noche, al salir de la expo, debíamos reunirnos con un grupo de corredores de Empresas Polar que estaba en Bogotá. La reunión era de carácter profesional y debía asumir mi papel que mezclaba al *coach* de vida, al motivador, al conferencista y al profesional en el área de planeación y logro. La idea era organizar una especie de ritual de preparación y visualización para la carrera. Con todo el amor del mundo fui a conocer y a acompañar a esos corredores. Estaban en el salón de un hotel. Di unas palabras e hice un ejercicio, porque para visualizar la meta de manera de alcanzarla necesitas tener clara cuál es la meta. Y la idea mía era que ellos lograran visualizar su meta y, como se llama en procesos creativos, «incubarla» dentro de ellos durante un día completo, hasta hacerla realidad el domingo.

Después de mis palabras hice un ejercicio de planteamiento de metas, y cuando empecé a preguntar cuál era la meta de cada uno, me encontré con una sorpresa que, además, me habló de mi país, de lo que somos y de eso que irradiamos por doquier.

Empecé a preguntarle a la persona que tenía más cerca: «¿Cuál es tu meta?», e inmediatamente, sin pensarlo, me señaló a la muchacha que tenía al lado, y me dijo: «Que ella llegue a la meta». Y yo: «¡Qué bonito, qué chévere!». Y le pregunté a otro, que estaba en otro lugar extremo de la habitación: «Mira, ¿cuál es tu meta?». «Que Fulano de Tal llegue a su meta». Y al preguntarle a Fulano de Tal por su meta, me dijo: «Bueno, que él, que desea que yo llegue a mi meta, llegue a la suya». Y al final lo que me encontré fue que el mayor deseo de todos era que cada uno llegara a la meta del otro y del otro y del otro... lo que hablaba de nuestra capacidad de vincularnos, de nuestra vocación solidaria... Evidentemente esa noche terminó muy bien. Visualizamos, meditamos, dimos forma a metas individuales y colectivas.

En esa reunión conocí a alguien que sería muy importante para mí, como amiga y ser humano, así como en todo lo referente al mundo de la nutrición: Patricia Vegas (Pacha). Todo el mundo la abordaba para preguntarle detalles sobre la carrera. Pacha es una dura en este mundo deportivo. Me impresionó cómo la gente la respetaba y la tenían como una referencia.

Cuando llegué al apartamento, le escribí a un amigo que conocí en Venezuela y que estaba en Colombia trabajando: Jean Paul Leroux.

Jean Paul me escribió diciéndome que no estaba seguro de podernos acompañar en la carrera, pero que en la noche del domingo sí podríamos vernos y conversar un buen rato.

El día siguiente era de descanso obligatorio. Era sábado, el día previo a la carrera. Debía tener las piernas en alto y hacer la menor cantidad de actividades que fuese posible. Entre lo poco que hicimos ese día, nos tomamos un café. Coordinamos un encuentro con los corredores venezolanos con los que habíamos estado la noche anterior, para comer la pasta previa a la carrera. A la cena colectiva fuimos Frida, Marcos, Pedro y yo, e invitamos a Jean Paul.

La cena colectiva estuvo muy animada. Conversamos, compartimos, la pasamos muy bien. Con Jean Paul la charla estuvo muy amena, muy cálida, como siempre.

Al final, le dije:

—Si quieres, nos acompañas mañana en la ruta. No estás inscrito, pero vemos qué hacemos. Nos acompañas en la logística.

Después de la conversación, Jean Paul quedó muy emocionado y accedió a formar parte del equipo, a colaborar con todo lo que estaba ocurriendo, cosa que nos honró y nos pareció muy lindo y muy hermoso de su parte.

Nosotros llevábamos una silla de ruedas que utilizaríamos para llegar a la línea de partida y que luego la desecharíamos. Cuando Jean Paul nos dijo que se anotaba, se ofreció humildemente a hacerse cargo de la silla de ruedas; es decir: buscarla y luego devolverla. Fue un acto muy generoso y humano.

Al día siguiente teníamos los nervios de punta, pero estábamos contentos. Era nuestra primera intervención internacional. No conocíamos las calles ni los lugares, ni la gente… La gente tampoco me conocía. No tenía idea de qué podía pasar… Simplemente era como aquella vez en que me lancé en parapente, en espeluznante o en paracaídas. Asumir un riesgo o una aventura significa entregarte a la incertidumbre, con sus posibles resultados, fantásticos o terribles.

Nos paramos muy temprano. Pedro y Marcos, que estaban autorizados, me acompañaron. Frida entraría a colaborar con nosotros como a diez metros después de la salida. Jean Paul buscaría la silla de ruedas en la salida.

El ambiente era festivo. La hermosa Plaza de Bolívar estaba repleta. Hacía frío. Cuando empezó el conteo, la gente se multiplicó.

«¿Cómo voy a salir desde aquí? ¿Cómo hago para que no me tumben?». Eso era lo que pensaba en medio de la aglomeración.

Lo que hicimos fue muy sencillo: mientras tuviéramos la silla, Pedro la colocó detrás de mí para evitar que alguien me chocara. Luego, cuando llegara Jean Paul y se llevara la silla, Pedro caminaría detrás de mí. Dieron la partida y, con todo el susto y con toda la emoción, comenzamos la carrera.

Cuando llegó Jean Paul, tomó la silla, pero ni él ni la silla se fueron. Ambos nos acompañaron durante todo el recorrido. Lo mismo hicieron Frida y Marcos. Ella nos apoyaba y Marcos documentaba con su cámara la carrera. Yo simplemente ponía el alma y el corazón en lo que sería nuestra primera certificación internacional.

Pedro comandaba ese día al equipo; velaba por mí para que los demás corredores no se tropezaran conmigo. A los veinte minutos de comenzar ya nos habíamos quedado solos. Éramos los últimos.

A los treinta minutos, las autoridades empezaron a abrir las calles. A los treinta y cinco minutos, empezó a llover en una ciudad que ya es fría de por sí. Llovió a cántaros, lo que hizo que nos empapáramos y que la temperatura bajara aún más. No obstante, estábamos demasiado decididos. Yo me sentía físicamente bien; sin embargo, en el kilómetro siete los latidos del corazón se aceleraban.

En las carreras de 10K hay unos kilómetros —el seis y el siete— en los que uno se pregunta si llegará o no a la meta. Son kilómetros indefinidos. Así ocurre en la vida. A veces sentimos que estamos en esos kilómetros en los que no tenemos idea de lo que puede venir.

¿En qué kilómetro de mi vida estoy? ¿En qué kilómetro de este proyecto, de este matrimonio, de este emprendimiento, de esta bajada de peso, de este abandono del cigarrillo o de tantas cosas que uno se propone?

Es bueno saber que entre los kilómetros seis y siete —es decir, entre el sesenta y el setenta por ciento de algo— la vida te pondrá todas las excusas para abandonar. Cuando te das cuenta de eso, de que vas por el setenta por ciento de algo, lo que queda es terminar. Ya te habituaste, ya sientes y percibes que estás cerca de la meta. No importa cuánto falta sino darle valor a lo que has hecho y seguirlo haciendo hasta que lo termines.

De vuelta a la media maratón de Bogotá, hacia el kilómetro siete empecé a notar que el corazón se me aceleraba. Como dije, me sentía bien, pero tenía un monitor cardíaco que medía la frecuencia de mis latidos. En esa parte del recorrido mi corazón se aceleró mucho, cosa que evidentemente era una reacción a la altura. Si no hubiese sabido que en la altura la frecuencia cardíaca aumenta para buscar el oxígeno que le falta al cuerpo, me habría asustado. Pero ¿hasta dónde podía llegar? Porque cuando tienes una frecuencia cardíaca que ronda los noventa y aumenta a cien, uno empieza, por lo menos, a preguntarse cosas.

Pero yo me guardé para mí esas preguntas. Fui muy cómplice de mi cuerpo. Eso me pasa mucho con los dolores, con esas anormalidades que son mías, y que probablemente a otra persona la alarmen más allá de la cuenta. Como entiendo que son mías y que son muy diferentes, a veces eso de guardármelas me permite llevar la medida sin producir una alarma extrema. Porque la alarma extrema lo que lleva es a la parálisis. Si me hubiese dedicado a expresar mis dolores, ¿cuántas veces no me hubieran dicho «ya, hasta aquí» porque yo hubiera dado un dato que en otros casos o en otras personas significa alarma extrema? Eso era valorar y reconocer mi diferencia, entender que a veces los dolores pasan, que las cosas que se ven anormales en un momento son las más normales para ti, y que es justamente reconocer esas anomalías lo que te permite reconocerte, descubrirte y, además, ir a la búsqueda de la superación de los límites, que para otros son estandarizados. Quien quiera salirse de lo normal, quien quiera ser notorio, quien quiera ser extraordinario, tiene que salirse de los parámetros estandarizados en todos los aspectos y en todas las medidas. Yo no quería ser notorio, ni extraordinario; quería que cada ser humano entendiera su propia notoriedad y su posibilidad extraordinaria, y para eso habría que hacerlo con ejemplo.

Yo seguí adelante, tranquilo, contento y emocionado. Debo resaltar la solidaridad de la gente. Era la primera vez que estaba en un lugar como Bogotá, donde nadie me conocía, y en el kilómetro seis la policía se nos aproximó. Un oficial muy educado nos preguntó:

—Mire, ¿cuánto les falta?

Pedro fue muy honesto y le contestó que no sabía, que no podía decir con exactitud el tiempo que nos faltaba.

El policía, sin saber quién era yo y sin haberme visto nunca, dijo:

—Bueno, ¿sabe qué? Yo voy a hacer que el señor pueda terminar su carrera. Yo asumo la responsabilidad y le cierro las calles que hagan falta hasta que termine.

La gente, en los carros, que veía que trancábamos el tráfico, en vez de tocar corneta e insultarnos, nos tocaba cornetas para auparnos. Se salían de los vehículos para darnos ánimo, para alegrarse con la vida, para alegrarse con nuestro sueño y nuestro desafío. La gente en la calle nos gritaba y veía nuestra bandera tricolor en nuestro brazo, sabiendo que éramos venezolanos… y además, había algo muy particular en aquel momento: había una disputa entre Venezuela y Colombia, y para mí era increíble que mientras nosotros hacíamos eso allá, Venezuela y Colombia estuvieran enfrentados por la política y esas cosas incomprensibles. Justo ese fin de semana ambos países evaluaban posibles acciones bélicas. Fue hermoso notar que, en las calles, la gente nos sentía como sus hermanos y nos lo gritaba: «¡Somos hermanos! ¡Somos hermanos! ¡Somos hermanos!». La verdad es que me sentí muy orgulloso de los venezolanos, muy orgulloso de los colombianos y de nuestra hermandad como pueblos.

Cuando pasamos frente a una brigada completa de militares, se cuadraron con mucho respeto, respeto que yo les devolví dando cada paso, manteniendo el ritmo y continuando hacia delante.

Así nos hicimos parte de la ciudad. Nos hicimos parte de esa esencia. Nos hicimos parte de esos gritos, de la gente que no entendía qué estaba pasando porque, por primera vez en su ciudad, la carrera se había acabado pero había un corredor que aún no había llegado a la meta. Además, la escena era muy cómica porque yo iba corriendo y detrás de mí venía un gigante (porque Jean Paul es un gigante) empujando una silla de ruedas vacía.

Viéndolo bien, aquello era un símbolo hermoso: una silla de ruedas vacía y alguien, que debería estar en la silla de ruedas, haciendo el esfuerzo. La emoción de Frida, de Jean Paul, de Pedro, de Marcos… Debo admitir que me sentí muy amado y sentí también que amo mucho, que mi esfuerzo es puro corazón, es amor, es esencia y apuesta.

Una hora cuarenta. Estábamos empapados y teníamos frío. Estábamos a punto de llegar… Y cuando cruzamos esa meta lo teníamos: teníamos nuestra primera certificación internacional.

Evidentemente no hubo aplausos, porque no había nadie. Solamente alguien de la organización, que certificó que habíamos llegado, algo que agradecimos mucho.

Y nos abrazamos todos.

Como había llovido tanto, nadie nos esperó. La gente se había empapado y terminó por recogerse.

Después de la euforia, que duró unos minutos, nos felicitaron, nos dieron nuestra medalla, y nos dejaron solos. Pedro preguntó:

—Maickel, ¿qué quieres hacer: vamos a la casa y te cambias, porque estás mojado o…?

—No, señores: ¡Vamos a comer! ¡A comer!

Yo tenía hambre, mucha hambre. Quería devorarme el mundo. De verdad tenía hambre porque ir a comer, todo emparamado, era la decisión más ilógica de la vida.

A pesar de que mi decisión en aquel momento era absurda, yo tenía conciencia de mi cuerpo y de la necesidad de alimento que sentía. Así que a pesar de la lluvia y del frío, esa era la decisión adecuada.

Conseguimos dos taxis en los que nos fuimos juntos, con todo y silla de ruedas, a un restaurante que Jean Paul nos recomendó. Ahí tuvimos una escena que parecía sacada de una película. El restaurante tenía chimenea y… bueno, alguien que realiza actividades de alto desempeño deja la vergüenza y está dispuesto a hacer el ridículo cuantas veces sea necesario. Así que dije:

—Señores, quiero quitarme lo que pueda quitarme para ponerlo a secar en la chimenea.

Estábamos en un buen restaurante colombiano, bogotano, en una ciudad donde la gente es muy recatada, muy educada, y viene este señor absolutamente mamarracho, empapado, extraño, además, y se quita las medias y las pone a secar en la chimenea del restaurante. Eso, por un lado era una escena hilarante. Pero, por otro lado, la escena del desayuno-almuerzo —porque ya eran como las once de la mañana—, era conmovedora pues, mientras comíamos, todos llorábamos y llorábamos. Cada cinco minutos nos rotábamos y alguien distinto lloraba. Así celebramos y nos dijimos los unos a los otros que no podíamos creer lo que había pasado.

También nos agradecíamos mutuamente y nos comunicamos con Venezuela. Perla no cabía de la emoción. Creo que lo que vivimos en Bogotá no se borrará nunca de nuestras memorias. Ese fue el primer paso para otros pasos que daríamos más adelante.

Volvimos de Bogotá muy contentos. Habíamos superado una prueba de diez kilómetros a dos mil seiscientos metros de altura, recibimos nuestra primera certificación internacional, tuvimos nuestra primera experiencia fuera del país y nos confrontamos con una organización de primera línea, lo que nos permitió ver cómo reaccionaban ante mí y cómo nos comportábamos nosotros ante los miedos de los demás. Todo eso nos permitía afrontar el siguiente paso.

La construcción de un mensaje

«Las sociedades se construyen desde el individuo».

Cuando decidimos construir un mensaje, decidimos que tuviese repercusión, y la repercusión hoy en día tiene muchas aristas que son objeto de estudio de distintas disciplinas. Por eso buscamos a aquellas personas que pudieran trabajar en equipo y que se complementaran unas a otras.

Esa es una de las actividades que más nos gusta: formar equipos de alto desempeño. En ese sentido nos preguntamos qué estábamos buscando con este mensaje y hacia dónde, y por dónde, queríamos transmitirlo.

Si hay algo que considero importante en la transformación de la cultura, en la creación y promoción de la cultura, es el uso del lenguaje audiovisual.

Entonces teníamos un mensaje «armado» por Aerolínea Creativa y Uberto Brunicardi. Teníamos un atleta, yo, que haría del mensaje algo muy concreto. Teníamos al Fuco y a Óscar con toda la parte deportiva. Alberto Camardiel asesoraba en lo deportivo y lo audiovisual. Marlon se encargaba de lo estructural y lo organizacional. Pedro se especializó en todo lo relativo a la web y en algo en lo que resultó excelente: la comunicación y la relación con las organizaciones, algo vital para que nos permitieran participar. Todo ensamblado por Perla, que supervisaba cada detalle para hacer de todo aquello un paquete único que llegara al fin planteado: inspirar y empoderar a miles de personas hacia sus potencialidades humanas y sus sueños.

Teníamos que ser muy delicados en la relación entre todos los integrantes del equipo, porque todas las partes eran igual de importantes y demandantes. Si una se caía, se caía toda la idea.

Solo hacía falta una visión documental más allá de la fotografía, terreno en el que Romina, Iván y Leo estaban haciendo un trabajo extraordinario.

Ya habíamos superado la lluvia, la altura, la frustración. Ya habíamos logrado superar tantas cosas que ahora lo que quedaba era conformar el equipo que nos llevaría al triunfo. Faltaba una visión documental que permitiese llevar a la pantalla lo que hacíamos, que pudiese mostrarlo masivamente. Buscábamos mostrar la transformación de un ser humano que quiere lograr algo que no se puede y, a pesar de todo, lo logra o por lo menos lo da todo por intentarlo. Para documentar esa transformación estaba un ser maravilloso llamado Joyce Kahn; una muchacha con un talento increíble, cuya visión del mundo y del trabajo documental nos encantaba.

Hablamos con ella y le gustó mucho la idea de trabajar con nosotros. Eso sí: necesitábamos un montón de cosas: equipo, aparatos, cámaras… Todo eso era imprescindible. Cuando subí a la montaña en 2006 aprendimos (por no haberlo hecho adecuadamente) que era necesario documentarlo todo y poder mostrar en toda su magnitud la aventura y el esfuerzo que suponía.

Joyce se dedicó a armar un equipo; nos presentó a José Manuel Díaz, un productor audiovisual de gran tamaño y de gran corazón. Quien conoce a José Manuel no puede vivir sin abrazarlo porque es pura bondad, puro cariño y también puro talento.

Esa mezcla de Joyce y José Manuel era muy chévere. A la par, para otras cosas, yo estaba trabajando con María Alejandra Guerrero, la misma amiga que me cuidó y acobijó en momentos de gran dificultad en 2009. Mari era productora audiovisual, de hecho productora de cine. En un almuerzo conversamos con ella sobre la posibilidad de hacer algunas cosas creativas que pudieran alimentar esto que estábamos haciendo. María Alejandra no se quedó en lo que se le propuso, sino que fue más allá y me planteó ideas de posibles proyectos. Todas esas conversaciones configuraron el equipo encargado de producir un documental mucho más elaborado de lo que nos habíamos planteado; incluso, a ellos les interesó hacer un documental para cine.

A partir de ese momento, José Manuel nos empezó a acompañar en los entrenamientos, en las carreras de diez kilómetros, en los recorridos que hacíamos cada día. Por cierto: este proyecto ya llevaba casi dos años y, como es normal, los equipos cambian. Las personas asumen nuevas responsabilidades y se van variando y rotando las funciones. Así que, más de una vez, tuvimos que balancear esos cambios y suplir algunas ausencias, aunque todos siempre estuvieron allí. En algún momento Randy Carrero y Alberto tuvieron mucho trabajo y José Manuel colaboró en sus labores. Uberto también se llenó de responsabilidades en el camino. Lo mismo ocurrió con Marlon. El equipo fue mutando en función de la rutina cotidiana y de la disponibilidad de las personas, sin que eso significara ruptura ni abandono. Porque la verdad es que esto era el bebé de todos. Era el hijo que todos habíamos dado a luz con mucho esfuerzo y mucha pasión. Con tal que yo no me detuviera en el camino, esto seguiría con vida para todos.

Se acercaba la fecha del maratón de Nueva York de 2010. Yo no quería ver de cerca el maratón. Tomé la decisión de que la primera vez que lo viera en persona sería porque estuviera participando en él. Alberto lo iba a correr porque, de hecho, esa era la invitación: «Ven a correr conmigo». Entonces decidimos que íbamos a aprovechar la fecha del maratón para ir a visitar a la Fundación Achilles. Conocer a esa gente era fundamental, pero para ello debíamos dejarlos terminar su labor en el maratón de ese año. Cuando todo pasara, tendríamos oportunidad de hablar con ellos.

Decidimos ir a Nueva York el mismo día del maratón. Por tanto, cuando llegáramos a la ciudad, ya la carrera habría terminado; veríamos y apoyaríamos a Alberto y después, el lunes o el martes, nos reuniríamos con Achilles.

Perla coordinaría con Pedro en su oficina la planificación y se adelantaría con su hermana Sol para mirar todos los detalles de aquello que yo no deseaba ver hasta no participar. Para ese entonces, Galo no tenía la visa americana. Pedro me acompañó en ese viaje. Él se encargaría de las relaciones con Achilles International. Tal como lo planificamos, llegamos cuando el maratón había terminado. Nos alojamos en un hotel pequeño que queda en la Sexta

Avenida, muy cerca de Times Square y Central Park. El hotel estaba lleno de corredores que tenían su medalla colgada al cuello. En mí había una especie de nostalgia, porque ese día habríamos hecho aquello que tanto quisimos. También experimenté el ambiente emotivo que había en la ciudad una vez culminado el maratón.

Inmediatamente después de Bogotá, comunicamos la negativa del maratón de Nueva York de aceptarme y que correríamos en Miami en enero. Esa noticia indignó al gremio de los corredores venezolanos. Al respecto hubo dos reacciones. La primera se manifestó un día en que yo estaba de lo más tranquilo cuando, de pronto, me llama una señora:

—Hola, yo soy Ana María Arteaga, del grupo Corredores Con Todo. Nosotros queremos que tú sepas que nos indignó mucho lo que te hizo el maratón, y por tanto vamos a correr Nueva York en tu nombre.

Ese grupo corrió Nueva York con pancartas, con números, con cosas que se pegaban al cuerpo en honor a la presencia que debí tener y no tuve. Era una protesta pacífica. La verdad es que para mí fue algo muy bonito y abrumador. Pensé: «Estas cosas pasan para que descubras el amor en los demás». Y la verdad es que es increíble, porque donde hay dificultades hay tanto por descubrir, que ojalá tengamos los ojos muy abiertos para ver aquello que vale la pena ver.

La segunda reacción fue la de un muchacho llamado Maikol Monsalve, sobrino de Marlon. Él toda la vida había hecho deporte, pero tuvo un accidente en el que perdió una pierna. Maikol mide, no sé, un metro noventa y cinco de altura, y es un tipo gigantesco que debe pesar muchísimo en pura masa muscular. A pesar de que tiene el cuerpo de un guerrero, su cara está llena de bondad, de autenticidad. Es un ser humano grandioso. Maikol hizo el maratón de Nueva York en nombre del mensaje, con su prótesis, durante siete u ocho horas. Yo no tengo cómo agradecer un gesto tan grande como ese. Desde el comienzo de ese día, yo había recibido muestras de solidaridad y de amor.

Al amanecer, en el aeropuerto de Maiquetía, mientras realizábamos el chequeo, comencé a recibir las imágenes de la gente que corría en mi nombre y en el del propio Maikol. Quien me enviaba las fotos era Randy, que había ido a documentar la participación en el maratón de tan maravilloso y particular atleta.

No puedo describir la emoción que sentí al ver esas imágenes. Para mí era algo absolutamente conmovedor. Durante la espera en el aeropuerto (y durante todo el viaje) estuve pendiente de Maikol, que vivía y trabajaba en Kazajistán. Él había viajado de Kazajistán a correr el maratón y se devolvía esa misma noche. Era una locura llena de emociones.

Un gran amigo, Jesús Marín, que estaba allá, corriendo y cubriendo el maratón para Venevisión, también me envió fotos. Jesús, con su revista *Fortius*, había hecho una gran cobertura de lo que íbamos a hacer, y con su humildad desde siempre nos había arropado de apoyo. Jesús era un verdadero ángel. Aquel fue un día muy dual para mí: yo hubiera tenido que estar, pero no estuve. Sin embargo, estuve en el corazón y las manifestaciones de la gente, que quizá era más importante aún.

En Nueva York nos reunimos con Deborah Apeloig, que nos había servido de contacto con la organización que revocó nuestra participación en el maratón de ese año. Deborah es una gran amiga que siempre estuvo pendiente de nosotros: tanto es así que, cuando íbamos para allá, por lo general, nos quedábamos en su casa. También vimos a Alberto, que ese año fue el cuarto latinoamericano en llegar a la meta. Eso fue una noticia que trascendió a Venezuela, y nos emocionó. Lo vimos y nos abrazamos. Perla nos esperaba en Nueva York con su hermana Sol. María Alejandra también estaba en la ciudad. Entonces nos encontramos todos y con mucha alegría nos sentamos a planificar lo que en un año aspirábamos a lograr.

Al día siguiente conocimos la Fundación Achilles International. Conocimos a Mary Bryant, una mujer encantadora, con una energía explosiva, inagotable. Era muy amorosa a la par que práctica y operativa. Después tuvimos el honor de conocer a un titán, a un gigante, a un grande, al fundador de Achilles: Dick Traum. Cuando conocimos a Dick, nos contó que había sido la primera persona sin piernas en realizar el maratón de Nueva York. Nos mostró las fotos de aquellas épocas, y nos contó cómo posteriormente rebasó todas las barreras convencionales de un país como Estados Unidos para no solo hacer el maratón, sino para crear una organización cuyo objetivo es ayudar a que personas con otros tipos de disfuncionalidad física pudieran correr. Nos daba risa porque él nos decía que participó varias veces en el maratón hasta que se empezó a cansar de ser el último en llegar a la meta. Entonces, para no ser el último, empezó a invitar a otras personas como él y así poder ganarles. Él es así: un ser competitivo, un coloso, un gladiador. Su visión de «déjame organizar la logística para que yo no sea el último» le permitió comenzar su aventura, que tiene muchos años ya, y que permite que corredores con distintas disfuncionalidades corporales puedan sumarse a grandes carreras como el maratón de Nueva York, el más emblemático del mundo.

Con Mary y Dick acordamos que Pedro sería la persona que se relacionara con Achilles. Los tres se llevaron de maravilla. También acordamos que la primera prueba que haríamos juntos sería la media maratón de Miami, en enero. En esa carrera mediríamos mis capacidades físicas y, además, por primera vez trabajaríamos juntos en procura de una meta. De esa forma, ellos podrían hacer dos cosas: medir y ser nuestros voceros ante la organización del maratón de Nueva York. Ellos podrían certificar, garantizar y verificar que yo sí iba a poder hacerlo y que ellos se iban a hacer responsables de eso. Achilles sería nuestro aval, nuestro garante. Me pareció muy hermoso de su parte, porque ellos nos abrían la puerta del sueño. Definitivamente ellos fueron las llaves que abrieron esas puertas y eso hay que agradecerlo eternamente. Su labor cambia muchas vidas y ojalá lo sigan haciendo por siempre.

Regresamos a Venezuela y comenzamos a trabajar en función de Miami. Era noviembre y Miami sería en enero. Teníamos menos de dos meses para prepararnos. Los pasos estaban claros, así que el trabajo físico sería muy fuerte.

Estábamos preparándonos para nuestra primera media maratón internacional. Era inevitable recordar aquellos veintiún kilómetros en los que me dolieron las piernas y contrastar ese recuerdo con el hecho de que esa media maratón la haríamos en Estados Unidos y de la mano, por primera vez, de la Fundación Achilles.

Sabíamos que nuestro desempeño en esa carrera sería fundamental para que el maratón de Nueva York nos aceptara.

Aparte del entrenamiento, de las pruebas físicas y de los exámenes médicos, empezamos a conformar el equipo que nos ayudaría en todo lo relativo a la transmisión desde Miami. Hay que entender que esto ocurría entre noviembre y diciembre, y que a mediados de ese último mes del año la gente normalmente se va de vacaciones. Nosotros no. Nosotros teníamos un trabajo que hacer: entrenar y entrenar, en lo cual mi familia me ayudó mucho. Se suponía que mi familia y yo nos íbamos a ir de viaje, pero sería un viaje concentrado en cumplir una rutina muy claramente planificada. Nos vamos pero para cumplir el plan que organizaron Fuco y Óscar. «Estamos en nuestras vacaciones, pero te ayudamos porque sabemos que no puedes parar». Esa era la consigna y eso era amor, ¿no? Amor incondicional.

Posteriormente armamos el equipo que llevaría este mensaje a Miami. Sumamos a Arianna Arteaga y a un personaje que se integraba por primera vez al equipo: Gustavo Reggio. Gustavo era un gran amigo mío de años. Vivía en Miami y se dedicaba a la producción audiovisual. Así que se integró al trabajo de documentación.

Cuando llegó el día de irnos, nos fuimos a Miami: Perla, Alberto, Fuco, Arianna, Pedro, Romina… María Alejandra se sumó en el camino porque Joyce no pudo ir; tenía que entregar otro trabajo y no podía irse con nosotros en esta oportunidad.

Todo fue muy artesanal. Sin embargo, como teníamos donde quedarnos, las cosas fluyeron más rápido. Cada quien asumió la labor que le tocaba. Arianna se dedicó a la cobertura de medios; Perla a ser el alma de la organización; María Alejandra y Gustavito a producir el documental; Alberto a ser la chispa, el motor, el correcaminos que nos abría el sendero. A Pedro le tocó triple. Por un lado debía mantener el contacto con Achilles; por otro le tocaba asistirme y, en tercer lugar, se dedicó a los medios digitales. La verdad es que puso el alma en ello. Fuco y yo nos dedicaríamos a la preparación de la carrera.

Recuerdo ese último entrenamiento que hicimos en La Lagunita antes de la media maratón de Miami. Ahí probamos que podíamos con dieciocho kilómetros; es decir: con el setenta por ciento de la distancia, lo que para Fuco era suficiente.

En Miami surgió un tema importante: entre las diversas categorías de atletas, ¿cuál sería la mía? Cuando era niño, mis padres decidieron que no tuviese categoría. Cuando buscaron un colegio para mí, no lo hicieron pensando en que fuera especial o en que estuviera dedicado a personas especiales, que es como se llamaba en aquel entonces a las personas con algún tipo de disfuncionalidad. Ellos, casi como pioneros en aquella época, cuando buscaron un colegio para mí no escogieron uno que fuese para «gente especial». Ellos escogieron uno para gente normal, que tampoco sería el término adecuado, porque de inmediato la categoría contraria sería «anormal», pero así se veían las cosas. Mis padres nunca me hicieron sentir especial ni anormal ni usaron categorías para referirse a mí. Era claro para ellos que todos tenemos carencias, a veces físicas, económicas, mentales o emocionales, pero también tenemos posibilidades y ellos se concentraron en las posibilidades. Yo era Maickel, simplemente. Tenía unas características determinadas y crecía y jugaba y echaba para adelante.

Por tanto, he vivido mi vida deseando simplemente no tener categorías, queriendo vivir mi vida a plenitud, realizar mis sueños y ayudar a que otros realicen los suyos. Eso sí es ser anormal.

En Miami me tocó algo muy difícil: participar en un evento en el que se me exigía aceptar una categoría: discapacitado. ¿Por qué? Porque en las organizaciones de grandes eventos se manejan categorías. Porque en el esquema estructural del mundo, si tú no estás en una categoría, no entras. Recordaba mucho aquella historia del príncipe y el mendigo, en la que al final tú no sabes quién es el príncipe ni quién es el mendigo porque debajo de las vestiduras somos todos seres humanos. La metáfora de ese cuento me parece hermosa. El mendigo se tiene que vestir de príncipe para disfrutar de las bondades del príncipe, pero el príncipe se tiene que vestir de mendigo para ser libre. Yo era como el vagabundo, porque, ¿qué es un vagabundo? Un vagabundo es aquel que vaga sin necesidad de entrar en las categorías que el mundo le impone. Tuve que ir al mundo de los príncipes para que pudieran dejarme optar por participar del mundo. Eso se puede ver de tres maneras: por un lado, es una tristeza que haya que hacer ese esfuerzo para que te permitan ser parte del mundo. Por otro, que es una necesidad humana, porque los humanos, si no se estructuran, son anárquicos y no logran construir y construirse de manera productiva. Y la otra manera de verlo es que para romper los esquemas hay que entrar en los esquemas. No puedes romper los esquemas si no lo haces desde dentro.

Fuera como fuese, no teníamos tiempo para saber cuál era el ángulo correcto. Yo sentía muchas ganas de hacer lo que quería hacer y no me iba a detener por cuestiones de orgullo. Me costó mucho asumirlo, pero si para participar en el maratón de Nueva York tenía que vestirme de mendigo, me vestía; si me tenía que disfrazar de príncipe, me disfrazaba.

Para mí fue una lección muy grande descubrir la belleza del mundo de aquellos que aceptaron que la vida les dio un límite para superarlo. Esa visión empoderadora de parte de Achilles era una lección de amor propio, una visión que te decía: «Haremos lo que haga falta para que ustedes puedan hacer lo que quieren hacer, que es ser parte de una carrera, de la carrera que quieran correr, del deporte que quieran hacer».

Para mí fue muy difícil, porque no estaba acostumbrado. Toda la vida he estado entre personas que no tienen ninguna limitación evidente, y desde ahí me he conocido y reconocido, me he desenvuelto, me he construido… Ponerme frente a un espejo permanente y asumir una categoría fue un trabajo muy duro, pero muy hermoso. Conocí gente preciosa, mil veces más valiosa que yo. Reconocí su humanidad. Creo que hay que estar en todos los espacios posibles. Eso sí: siempre con la bandera que te toque llevar. Yo debía llevar la mía: la de derrumbar las categorías. Pero como digo, o me dijo alguna vez una maestra: «Solamente se puede romper el molde desde adentro».

Antes de ir a Miami tuve gripe, por lo que no pude entrenar algunos días y no me sentía tan en forma como yo hubiera querido.

Recuerdo que el Fuco, al entrenar, me tranquilizaba, me decía que íbamos a hacer todo el esfuerzo. Pero yo no me sentía cómodo, no me sentía en forma. Después descubriría que eso me iba a pasar en todas las carreras en las que participara. Y parece que a veces hasta es mejor que así te ocurra, porque no te confías.

Llegó el día de la media maratón. Cada uno a su labor. Recuerdo una convivencia espectacular con el Fuco, Arianna, Pedro, Mariale, Perla y Romina. Todos estábamos muy emocionados y asustados. Sabíamos que sería muy difícil porque ya no se trataba solo de correr. Estábamos en Estados Unidos y cualquier detallito inadecuado que hiciéramos podía hacer que me descalificaran. Teníamos todavía muy presente el fantasma de la revocación del número del maratón de Nueva York, y de la tristeza y el dolor del año pasado.

Tuvimos que adaptarnos a nuevas circunstancias. Como siempre que entreno o que participo en una competencia, me levanto muy temprano, me cepillo los dientes, tomo agua, salgo de la casa, me monto en el carro, llego al punto de partida y empiezo. Pero en Miami no era así. En Miami, la gente de Achilles nos dijo: «Todos a las dos y media de la mañana en tal sitio». ¿Qué ocurría? Que el noventa y ocho por ciento de las personas que corren con Achilles lo hacen en silla de ruedas. Con respecto a eso, hay dos detalles particulares. El primero: esas sillas de ruedas no son sillas de ruedas comunes: son unas fórmula uno. Es increíble la mecánica que requiere cada uno de esos vehículos. Entonces ellos necesitan ir con mucha anticipación para armar su vehículo. El segundo detalle: en el mundo se manejan por estándares, y los fuera de lo común como yo no somos tomados muy en cuenta, sino que tenemos que sumarnos a la masa. ¿Qué es lo que no toman en cuenta? Bueno, que aquellos que van en sillas de ruedas son los primeros que llegan, porque van volando. De hecho, ellos salen antes y llegan antes que todo el mundo. Una media maratón a una persona en silla de ruedas le toma, muy probablemente, una hora. Sin embargo, nadie toma en cuenta que a nosotros nos tomaría, por lo menos, seis o siete horas. Es una diferencia enorme. Pararse a las dos y media de la mañana, esperar tres horas y media para salir a un desafío de siete horas, son casi diez horas si se suman los tiempos. Sin embargo, la realidad es lo que tú decides hacer con ella, así que lo asumimos como parte de la coyuntura, una vez más.

Llegamos. Hacía mucho frío porque era enero. Ingenuamente, empecé a calentar desde las tres de la mañana porque hacía frío. Alberto, muy inteligentemente, se metió en un carro y de ahí no salió. Escuchaba música y dormitaba... Para mí todo aquello era una novedad. Yo quería estar pendiente de todo. Eso me desgastó mucho.

Después, de cinco y media a seis de la mañana, nos llevaron (¡caminando!) a la línea de salida. La gente no entiende que cada paso que yo dé es parte del recorrido. Así que ese día probablemente no hice veintiún kilómetros sino veintitrés.

En todo caso, llegamos a la línea sin silla de ruedas, como parte de Achilles. Fuco, Perla y Pedro me acompañaban. El equipo se concentraría en que la gente no me atropellara. Ensayamos durante un largo rato. Correría mucha gente y como íbamos a salir antes, sabíamos que después venía la manada y podía atropellarnos. Esa preocupación es una constante en todas nuestras carreras. Poco a poco tuvimos que refinar los métodos, pero en Miami todavía éramos muy novatos.

Algo muy bonito del maratón de Miami es que la salida es al amanecer. Subes por un puente desde donde ves los cruceros, el mar, el sol. Todas esas imágenes quedaron espectacularmente documentadas por Romina en sus fotos.

Empezamos con mucha emoción. Al pasar la gran manada, el equipo hizo su barrera. La gente nos aupaba, nos gritaba, nos reconocía. Era muy emocionante. Recuerdo que por los nervios que todos sentimos, se nos quedó la bandera de Venezuela. Nunca me olvidaré de una persona que llevaba una bandera. Cuando uno va a correr una media maratón, busca lograr un tiempo. Entonces uno va pa'lante y ni se le ocurre detenerse ni nada. Pero esta muchacha, que también participaba en la carrera, tuvo el hermoso gesto de detenerse y darme una bandera de Venezuela que llevaba amarrada a su short. Lo recuerdo con mucha emoción. Fue algo muy bello.

Por todos lados oía: «Vamos, Maickel, vamos, Maickel». No era Caracas. Era Miami. La gente de otros países no entendía mucho lo que estábamos haciendo, pero digamos que cuando el ser humano ve algo que reconoce como humanidad, le entra rápido en el corazón. Entonces la gente se conmovía, se emocionaba y también nos lanzaba palabras de aliento.

Recuerdo unos momentos de ingenuidad extraordinarios, como por ejemplo aquel en que Romina estaba haciendo su trabajo de fotografía de manera profesional, y como iba de espaldas y había tanta gente, no vio un cono de seguridad, se tropezó y se cayó. Yo estaba muy concentrado corriendo y a la vez era testigo de todas las imágenes que ocurrían a mi alrededor. El equipo se moría de la risa y yo, que era todo concentración, a la vez me reía por dentro. Sentía muchas emociones juntas. Me reía por dentro viendo a mis amigos, me sentía conmovido por las muestras de cariño de la gente y me sentía comprometido con el resultado de aquella prueba que era definitiva.

Mi hermana Maritza vive en Miami y estaba muy emocionada porque hasta entonces no había podido compartir conmigo nada de lo que yo hacía. Tenía muchas ganas de estar conmigo, pues hacía tiempo que no me veía.

Mis hermanos son muy particulares. Mi hermano mayor, Carlos, es mi ídolo; es un ser muy bondadoso. Mi hermana es un ser explosivo. Ella está hecha de esas partículas que tú no sabes bien por dónde van y nunca sabes con qué te va a salir. Maritza siempre fue mi amiga chiquita, fue como ese ser que yo cuidaba, que yo quería, con quien yo jugaba y peleaba. Ambos nos sacábamos de nuestras casillas y a la vez nos amábamos profundamente. De su parte siempre hubo la sensación de que ella era la pequeña de la familia y debía ser consentida, pero como yo soy como soy, pues le robé la atención que debía ser para ella. Por eso para mí Maritza será siempre una heroína. Ella me cedió mucho del espacio que le tocaba en nuestra familia. Igual mi hermano. Solo que es natural que los grandes cedan espacio. Pero mi hermana, ¡por Dios! Le tocaba todo el espacio del mundo y ella lo tuvo que ceder, además sin conciencia de ello.

Por eso de mi parte existe siempre ese deseo de reivindicarla, de decirle: «Oye, vale, yo te quité algo que era tuyo. De verdad, déjame darte todo el amor que pueda porque te lo mereces». Esas eran las emociones que iban conmigo en esa carrera. Les dije a mi hermana y a mi cuñado Benny, que tienen dos niños bellísimos:

—Ustedes me ponen a mis sobrinos en la meta, y yo veo cómo llego.

Esa era una de esas maneras de obligarme a llegar.

Cruzamos todo el puente que lleva a Miami Beach. Una hora después ya estábamos solos. La de Miami fue una de las carreras más frías que he experimentado en mi vida. Cuando digo «frío» no hablo específicamente de la temperatura. Hablo de ausencia de humanidad. Nos quedamos solos y fue tan difícil...

Recuerdo algo irrisorio. Cuando corres en lugares con bajas temperaturas, la gente comienza la carrera con suéteres y chaquetas, y en el camino se los va quitando; los sueltan, los lanzan a la calle, y eso es algo que se queda ahí. Como llevábamos una silla de ruedas, todo el equipo empezó a recoger la ropa y a ponerla en la silla, que quedó convertida en un carrito de compras. «Esto te queda a ti». «No. No. Esto te queda a ti...». Era un carnaval venezolano. Un equipo que siempre encontraba la forma de pasarla bien y contagiar alegría me mantenía con energía para seguir.

Mientras Fuco y yo íbamos serios, a nuestro alrededor pasaba de todo. Después de hora y media, después de dos horas, la gente empezaba naturalmente a distraerse con lo primero que encuentra. Sin embargo nuestro trabajo era mantener la concentración.

En el kilómetro cuatro, me volteé y le dije a Perla:

—Ya Alberto llegó a la meta.

Alberto y yo tenemos una conexión muy fuerte. Cuando corremos juntos, algo me indica exactamente cuándo llegó y si le fue bien. Cuando nos reunimos, después de las carreras, conversamos sobre la marca que hizo y siempre nos sorprendemos porque la hora de su llegada y de mi comentario con Perla siempre coinciden.

A las tres o cuatro horas, el trayecto se nos hizo muy duro. El sol empezaba a cocinarme. Me sentía mal. El calor era insólito.

Sabíamos, además, que, a partir de cierto momento debíamos empezar a subir aceras porque iban a abrir las calles, lo que haría mella en mi condición física porque nunca lo habíamos practicado. Con lo que no contábamos era que no solo se trataba de subir y bajar las aceras, era que cada acera tenía peraltes, inclinaciones, drenajes, estacionamientos. Eso sí menguó mis piernas e hizo que mi condición se afectara mucho.

Cuando llevábamos más de tres horas, el sol, el cansancio y los comentarios entre la gente cercana nos tenían debilitados física y mentalmente. Alrededor del kilómetro trece, Fuco y yo decidimos apretar el paso y dejar un poco atrás al equipo. Todos eran gente hermosa y comprensiva; acordamos abrir un poco de espacio y siguieron detrás de nosotros, pero un poco rezagados.

En eso pasamos al lado de una muchacha afroamericana muy grande, con sobrepeso, que rayaba en la obesidad. Ella estaba sentada en un banco, jadeando, con el número de la media maratón. No le presté mayor atención porque estaba concentrado. La vi y seguí adelante. Cuando la gente que iba detrás de mí pasó por su lado, la muchacha se levantó y le preguntó a Pedro:

—¿Hasta dónde va él?

—Él va a terminar la media maratón de Miami.

A ella se le iluminó el rostro y le dijo: «Si él termina, también lo voy a terminar».

Y la muchacha levantó su humanidad y con mucho esfuerzo empezó a avanzar junto a nosotros. Un poco más adelante pasamos por una parada de autobuses donde estaban tres personas: una señora y dos muchachas un poco mayores que la muchacha que nos seguía, pero con la misma contextura. Evidentemente eran familia. Yo pasé por su lado, las vi y seguí.

Después Pedro nos contó que cuando la muchacha que me acompañaba pasó al lado de las tres mujeres, una de ellas le preguntó:

—Oye, ¿pero tú adónde vas? Nosotras vamos a tomar el autobús. Si quieres, te vienes.

Ella dijo:

—No, no, no. Ustedes pueden agarrar el autobús, que yo voy a terminar con él.

En el kilómetro dieciséis empecé a sentir que mis piernas flaqueaban, que no podía más. Faltaba mucho todavía. De verdad cada paso se me empezó a hacer imposible. Me preocupé, porque nunca me había sentido así. Evidentemente, como conté antes, me lo guardé. Cada vez que me preguntaban cómo estaba decía: «Bien. ¡Vamos, vamos a darle! Sigamos. Adelante». Pero por dentro estaba muy afectado porque sentía que no iba a poder. Perla, súper detallista y que me conoce sin que yo le diga nada, le dijo a Federico:

—Mira, estemos pendientes de Maickel. Yo lo conozco.

Federico insistía… Y yo volvía a responderle que no me sentía mal, que me sentía perfectamente. Cada paso era una prueba vital. Yo de verdad creí que en ese kilómetro dieciséis no podría seguir adelante. Sin embargo, me repetía: «Vamos, un paso más… Un paso más… Un paso más». Si fueron seis horas y media, estoy hablando de que íbamos por… cuatro horas cuarenta y cinco, es decir, faltaba mucho tiempo todavía de «un paso más, un paso más, un paso más».

En el kilómetro diecisiete ocurrió otra eventualidad: llegamos a un puente levadizo. De la misma manera que sabía que no podía con mi alma, sabía que no podía parar. Tenía miedo porque me encontraba en una prueba vital, para que me dejaran participar en el maratón de Nueva York. Así que el miedo me ayudó a sobreponerme. Para colmo, aparece el puente levadizo. Empezamos a cruzarlo y cuando estábamos como a trescientos metros del puente, bajaron las barreras de seguridad. ¿Qué quería decir eso? Que iban a elevar el puente para que pasara un barco. Ahí perderíamos no menos de quince minutos. Quince minutos detenidos significaban que me enfriaba, y si me enfriaba, se acabaría todo.

Solo faltaban cuatro kilómetros después de semejante esfuerzo, y era la prueba fundamental. Mientras todo eso pasaba por nuestras cabezas, no nos dimos cuenta de que Gustavo, que estaba filmando todo, ya había salido corriendo despavorido, con su cámara en mano. Entró en el puente, se detuvo en medio del puente levadizo y le gritó al señor de la torre de control:

—¡No! ¡No pueden abrir el puente porque viene Maickel!

Claro, el señor no tenía la mínima idea de quién era yo.

—¡Todavía falta Maickel! ¡No pueden abrir el puente!

Y el señor le gritaba:

—¡Salte de ahí!

El barco venía y Gustavo se atravesó en el puente y siguió gritando en tono desafiante:

—¡Abre el puente, pues! ¡Dale!

Y el tipo no entendía, se molestaba, gritaba.

—¡Salte de ahí o llamo a la policía!

Nosotros nos preguntábamos, impactados, asombrados y posteriormente riéndonos, quién estaba filmando eso. Nadie, por supuesto. Gustavo no pudo filmar el hecho más espectacular de esta iniciativa porque él mismo era el protagonista.

De pronto avanzamos hacia el puente. Apuramos el paso para aprovechar la acción heroica de Gustavo. Cuando pasamos frente a la torre, el señor nos vio y comprendió lo que estaba pasando.

Cuando bajaron la barrera, pararon los carros, y Gustavo lo que estaba haciendo era retrasar el tránsito. Por eso nuestros temores aumentaron. En ese país te demandan por cualquier cosa. Sin embargo, la reacción de la gente fue de auparnos, de gritarle al señor de la torre: «¡No subas el puente!». Eso nos pareció increíble. Hasta en Estados Unidos, donde el sistema es tan rígido, la gente se conmovió y había decidido apoyarnos. Los conductores se bajaban de los carros a aplaudir y a gritar. Cuando terminamos de pasar el puente, el señor de la torre se quedó absolutamente loco porque Gustavo le gritaba: «Ahí viene Maickel, ahí viene Maickel…». Cuando el señor me vio, le hizo señas de cariño, y más bien de disculpas a Gustavo.

Pasar ese puente significaba que llegábamos al kilómetro dieciocho, lo que era muy bueno para mí. Solo faltaban tres kilómetros. Tres kilómetros son manejables, desde el punto de vista psicológico. Insisto en que cada paso a esa altura resultaba imposible para mí.

En el kilómetro diecinueve me ocurrieron dos cosas. Empecé a sentir calambres y dolores muy fuertes en las piernas. Todo el mundo estaba asustado, porque por poco me caigo. Fuco, con su serenidad permanente, sabia y zen, sacó de su bolso un frasco de pepinillos que se habían comprado por si acaso. Alguien le había dicho que el pepinillo encurtido quita los calambres. Evidentemente, para un científico como él, la teoría del pepinillo era algo que tenía asidero empírico pero no científico; haríamos una prueba a ver qué ocurría.

Así fue, me dio un pedacito de pepinillo y seguimos. Por supuesto: todo el mundo se acercó y agarró su trocito de pepinillo. ¿Ustedes qué creían? Nosotros somos una familia: si uno come pepinillos, los demás también comemos pepinillos.

No sé quién habrá descubierto esa reacción ni si alguien hizo estudios serios al respecto, pero, como por arte de magia, los calambres se fueron gracias al pepinillo. Seguimos adelante.

De pronto, la muchacha con sobrepeso pasó delante de mí. Ella se apoyaba de columna en columna porque no podía dar un paso, pero seguía, a pesar de que parecía que ya se iba a caer. Era impresionante verla hacer el esfuerzo que estaba haciendo por llegar; fue como una devolución de inspiración por inspiración. Era muy bello notar cómo, en el mismo recorrido, aquello que estábamos haciendo ya estaba cambiando una vida. Martín Luther King decía: «Si ayudo a una sola persona a tener esperanza, no habré vivido en vano».

Recorrimos una avenida grande. Ya se acercaba la meta. Íbamos cruzando del kilómetro diecinueve al veinte y ocurrió algo que para mí fue muy difícil: perdimos la ruta de la media maratón. En la calle todavía quedaba la ruta del maratón, y la llegada de la media maratón era por una calle que no era la misma que la del maratón. Perdimos nuestra ruta. Hubo cinco minutos de incertidumbre. Después de tanto esfuerzo, no sabíamos por dónde ir. Yo no podía parar. Estaba en plena competencia, el tiempo pasaba y la gente de Achilles nos esperaba en la meta a ver si llegábamos o no, si éramos o no realmente capaces. En ese momento hubo mucha presión.

Al final nos metimos por una calle y tuvimos que dar una vuelta, por lo que tardamos un poco más. La pérdida de la ruta crea una desilusión en el corredor, una frustración, un debilitamiento que, en este caso, tuvo sus compensaciones porque cuando recuperamos la ruta, nos dimos cuenta de que faltaba apenas un kilómetro. Mi hermana apareció con mis sobrinos. Jeremy, el más grande, llevaba un cartelito que decía: «Tío Maickel, go!». Además de eso, me gritaba: «¡Vamos, que vas a ganar la carrera!». Por supuesto, él no tenía ni idea de que yo era el último; estaba muy emocionado. Qué belleza sentí del hecho de que en su intuición primaria llegar, para él, era ganar.

Esos gritos y ese cartel me dieron la energía necesaria para seguir los siguientes metros. Cuando por fin vi la meta, ocurrió algo muy chistoso. María Alejandra se acercó al animador que se encontraba en la tarima y le dio una minibiografía mía. Cuando yo estaba llegando, agotado, concentrado, desbaratado aunque muy esperanzado, oí que el animador pronunciaba mi nombre y decía unas cuantas cosas de mí, hasta que leyó la parte del proyecto «Paso a paso hacia la meta» y comenzó a leerlo con su acento estadounidense sin saber español... «Maickel Melamed...», y yo con todo el esfuerzo del mundo daba los últimos pasos para cruzar la meta. «...Para la media maratón...». Yo iba concentrado cuando de repente oigo: «...Paso a paso se lo mete...». Además lo decía y lo repetía: «Paso a paso se lo mete... Paso a paso se lo mete». ¡No, no...! El equipo venía muerto de la risa, y yo, que tenía que guardar no tanto la compostura como la concentración para dar los últimos pasos, también me reía. El chiste continuó durante los días posteriores a la media maratón. Reía de la anécdota, reía de alegría, reía de agonía, reía porque estábamos a punto de terminar de dar un paso gigantesco que costó tanto esfuerzo individual y colectivo, tanto dolor físico y tiempo de vida.

Diez metros.
Últimos pasos.
Cuando cruzaba la meta, veo que me está esperando Mary Bryant, de Achilles International. Aunque había pasado mucho tiempo desde que su último atleta había llegado, ella, como lo prometió, estaba allí. Fue fantástico. Me dio un gran abrazo y me expresó su solidaridad. Su presencia significaba que Achilles reconocía lo que yo estaba haciendo, que la organización verificó lo que yo había hecho y que se lo iba a transmitir al maratón de Nueva York. Eso fue realmente emocionante.

Perla, Pedro, María Alejandra, Gustavo, Fuco, Arianna y mi hermana con mis dos piojitos estaban allí. Todos celebramos. Muchos amigos cercanos, también muchos corredores venezolanos, celebraron con nosotros.

Alberto se nos sumó y pudimos comprobar la hora de su llegada.

Algo que me emocionó fue que no me dieron cualquier medalla. Me dieron la que correspondía a los corredores élite que participaron y quedaron en el podio de primero, segundo y tercer lugares. Ese gesto me pareció muy hermoso.

Abracé a mi hermana y a mi sobrino que, cuando me vio la medalla, me dijo:

—Tío, tú ganaste. Ganaste la carrera.

—No, papi…

—Sí, mira: tienes la medalla. Ganaste la carrera, tienes la medalla, ¿cómo me vas a decir que no ganaste?—. Para él, había ganado porque tenía una medalla. Y la verdad fue que sí… ganamos todos, dejamos el alma y eso en sí ya es ganar. Como dijera Gandhi: «Un esfuerzo total es ya en sí una victoria completa».

Después, Fuco y yo nos abrazamos. Fue muy emocionante. Llegaron Alberto y Perla y terminamos llorando todos juntos. Romina tomaba las fotos. Ella, tan profesional, guardaba la distancia del documentalista. Habíamos logrado algo que deseábamos mucho. Tenían que revisarme físicamente para ver cómo estaba. Nos fuimos. Me llevaron a la carpa de los corredores élite, cosa que me honró mucho.

Más tarde fuimos a comer. Recuerdo que comimos fatal. No encontrábamos dónde comer pero nos alimentábamos de otras cosas. Fuimos al hotel, nos metimos en una piscina helada, y disfrutamos como equipo de ese logro tan bonito que habíamos alcanzado. Sobre todo, disfrutamos de la posibilidad que se abría delante de nosotros.

Al día siguiente emprendimos la partida a Venezuela con una esperanza distinta, con una manera distinta de ver el mundo. Ya estábamos encaminados, ya las condiciones necesarias mínimas estaban cumplidas, y lo que seguía era preparar el camino que nos llevase a esa nueva meta. Esa nueva meta, que era alcanzar la otra mitad.

Más cerca de la otra mitad

«Cuando uno puedo matar el orgullo
para que nazca la grandeza, está creciendo».

Cerramos un ciclo. Debíamos ajustar los entrenamientos y, por supuesto, todo lo concerniente a la preparación física, con los cuarenta y dos kilómetros en mente.

Cada prueba representa un nuevo comienzo. Habíamos probado que podíamos hacer una media maratón, y además una media maratón internacional, de clase Gold, certificada, bajo las condiciones de la Fundación Achilles, con un equipo de alto desempeño y, además, podíamos transmitirlo al público de manera apropiada.

Ahora debíamos ocuparnos simultáneamente de dos actividades: del trabajo físico, que continuaba y quizá se intensificaba porque sabíamos que una media maratón no es un maratón, que un maratón es un universo distinto en el que el esfuerzo se multiplica por tres o por cuatro.

También debíamos ocuparnos de los planes de entrenamiento. Hay que resaltar que todas las estrategias de Fuco y Óscar eran experimentales. ¿Qué quiere decir «experimentales»? Que todo el tiempo estábamos asumiendo el riesgo de hacer lo que nunca se había hecho. Cuando haces algo que no has hecho, tienes dos maneras de verlo: puedes tener un resultado extraordinario a la vez que un riesgo extraordinario.

Nosotros tratábamos de minimizar esos riesgos con la atención en los detalles; esa es la única y la mejor forma de hacerlo. Por ejemplo: en el terreno de la actividad física, yo trabajaba con un equipo de cuatro personas formado por Óscar, Fuco, mi doctora Emily Goetz y Ohmelia Pacheco, mi terapeuta corporal. Todos querían estar y apostaban por este sueño colectivo.

Ohmelia tiene un don en sus manos y además maneja todos estos temas de organización de energía corporal que permiten que su trabajo no se limite a lo físico, sino que se extienda a lo emocional y lo espiritual. Creo que esos tres aspectos son muy importantes en el deporte. Atenderlos bien permite hacer de la actividad deportiva algo sustentable en el tiempo. A mí me tocaba disciplinar mi vida, incluso haciendo muchos sacrificios profesionales o familiares por no dejar de atender aquello que sería la etapa final.

Más allá de ser grandes profesionales hay que resaltar, una vez más, la buena voluntad de todos los que formaban parte de este equipo. Todos estaban dispuestos a acudir cuando hiciera falta, a hacerse presentes para que siguieran ocurriendo cosas extraordinarias. En ese sentido, Ohmelia me veía dos veces a la semana; a veces tres o cuatro, dependiendo de los dolores. Porque siempre es preferible extralimitarse que subestimarse. Cuando te subestimas, no tienes cómo saber si puedes llegar. Si te extralimitas, sabes dónde está tu frontera y puedes llegar al punto de superarla y expandirla. Esa era la apuesta: expandir la frontera. Teníamos desde febrero hasta noviembre para trabajar el maratón, pero debíamos empezar otra vez desde cero. No podíamos agotar el cuerpo, entrenando para largas distancias por tanto tiempo, sin que hubiese exámenes físicos, pruebas y demás. Debíamos atender la nutrición, entrenar, descansar, ser muy disciplinados en todo lo que respecta a la actividad física.

Por otro lado, teníamos que armar el mensaje, lo que, a su vez, implicaba abarcar varias aristas que pudieran transformar la cultura social. Porque la cultura es como la homeopatía, que no ataca el síntoma, sino la raíz. Cuando cambias la raíz, haces permanente una transformación cultural. Esa era nuestra intención, aportar una pizca de arena en este infinito océano que constituye la cultura de una sociedad. Por eso comenzamos a trabajar sobre distintos aspectos, de los cuales el documental audiovisual era primordial, porque reflejaría lo que ocurría. Junto a María Alejandra empezamos a desarrollar con mayor profundidad todo lo que tenía que ver con esa área. José Manuel Díaz se sumó al equipo que documentaba las carreras. Lo mismo hizo Braulio Rodríguez, un cineasta, apasionado corredor y, además, experto en creatividad publicitaria. Ponía todas sus pasiones en el mismo proyecto. Mirar a Braulio era sentir que dentro había cientos de ideas dando vueltas y a uno le daba tremenda curiosidad cada vez que iba a presentar alguna.

Nuestra idea era conformar y hacer funcionar a la vez los equipos que se encargarían de la comunicación digital y de la realización del documental. En otras palabras, movernos en la inmediatez del presente y en la posibilidad de dejar un documento audiovisual para la posteridad.

En el equipo de comunicación que se había constituido, Pedro se encargaba de la transmisión del mensaje por las redes sociales; María Alejandra coordinaba al equipo documentalista y Aerolínea Creativa se dedicaba a afinar el mensaje. Todo eso se hacía de manera voluntaria y con las uñas. Íbamos a necesitar mucho apoyo. En ese sentido, resulta que cuando haces algo con tanta pasión, con amor y persistencia, Dios obra de maneras extrañas.

Paralelo a todo esto, trabajábamos con mucha constancia en la búsqueda de apoyo. Buscábamos organizaciones que tuviesen la calidad humana, las habilidades y las competencias para asumir este proyecto con la visión que merecía. Entonces apareció Johnny Vásquez, un amigo muy amado a quien conocía desde los tiempos de la universidad. Johnny es una persona espléndida, un caballero, un anfitrión generoso y cordial. Una de sus habilidades en la vida consiste en convocar a la gente, reunirla, incluirla y conectarla. Un día, Johnny me llamó y me dijo:

—Maickel, quiero presentarte a una persona. Se llama Douglas Ochoa. Está llegando al país como vicepresidente de comunicaciones de Telefónica Movistar, y me parece un ser humano digno de conocer. Está organizando la venida de Iker Casillas, y así de una conoces a los dos: a Iker Casillas y a Douglas.

Yo, como soldado obediente a la causa de mi amigo, le respondí:
—Claro, vale. Voy para allá.

Fuimos al estadio Brígido Iriarte. Había mucha gente, porque Iker Casillas, sin duda, es un atleta extraordinario y, además, un embajador de la posibilidad humana, lo que convoca a muchísima gente. Mientras esperaba la llegada de Iker, fui a conocer a Douglas. En ese momento Douglas tenía mucho trabajo porque estaba en pleno evento, y simplemente nos saludamos: «Hola, ¿cómo estás? Mucho gusto» y ya.

Dos años después, Johnny me llamó justamente en el momento en que estábamos buscando apoyo.

—Maickel, ¿te acuerdas de Douglas Ochoa?

—Claro.

—Bueno, no sé por qué, pero me llamó y me dice que ahora te quiere conocer bien. Se acordó de ti, no sabe por qué, y quiere que lo visites. ¿Puedes visitarlo?

—Por supuesto que sí, y así de una vez le cuento lo que estamos haciendo.

Johnny nos acompañó a la oficina de Douglas en Caracas. Llegamos al edificio de Telefónica Movistar, subimos y entramos en un mar de cubículos hasta llegar a una oficina amplia con un ventanal fantástico, que dejaba ver a mi amor platónico, el Ávila, la montaña que dibuja mi ciudad. Douglas nos recibió de manera cálida, humana; era como si nos conociéramos de la vida entera por el amor con que nos recibió. Nos contó que era de El Salvador. Inmediatamente nos dimos cuenta de que compartimos una sensibilidad, y seguimos charlando como compañeros de ideales y valores. En esa oficina estábamos Perla, Johnny, Douglas y yo sentados a una mesa, conversando como grandes y viejos amigos, de todos los temas habidos y por haber: de su familia, de su amor por Venezuela (donde tenía dos años), de cómo conoció a Johnny, de cómo nos conocimos nosotros... Y, entre tema y tema le dije:

—Bueno, Douglas, quisiera contarte lo que estamos haciendo ahora.

—Claro, pero si me lo van a contar a mí, déjenme llamar a «la jefa» —esto lo dijo con una sonrisa muy pícaramente cálida en el rostro y llevándose la bocina del teléfono a una de sus orejas.

Pronto sabríamos que al decir «jefa» no se refería al organigrama de la empresa ni a nada que tuviera que ver con jerarquías; se refería a una persona enérgica, vital, vivaz, capaz de mover montañas, a quien conocimos y amamos inmediatamente: Maite Iglesias.

Cuando todos nos sentamos a conversar, les contamos a Maite y a Douglas el proyecto en el que estábamos embarcados. Les dimos detalles y les dije que necesitábamos apoyo.

Maite nos escuchó con atención y a los dos minutos dijo:

—Douglas, yo apoyo a Maickel. Esto se tiene que hacer. Vamos a contárselo a Juan —Douglas, con rostro de satisfacción, como quien sabía hacer las cosas bien, asintió.

Todavía no sabía quién era Juan.

Maite armó una fiesta:

—Sí, esto hay que apoyarlo. Vamos a involucrar a los amigos, porque los amigos se tienen que sumar a esto.

Maite hablaba con tal entusiasmo que, por un momento pensé en decirle: «No, vale. Yo soy el que tiene que apoyarte».

Todos los que estábamos en esa oficina nos enamoramos a primera vista. Nos enamoramos todos de todos, porque ellos, sin muchas explicaciones, creyeron en la esencia de nuestro proyecto. Recuerdo que Douglas nos contó que había asistido hacía poco a un concierto de U2 en Nueva York.

Le dije:

—Bueno, Douglas, vamos a montar el concierto más grande de nuestra historia. Un concierto que lo que emita no sea música, sino un mensaje que le abra posibilidades de humanidad a muchos.

De esa reunión salimos embelesados y con ganas de desarrollar más ideas. Nos sentimos muy halagados porque fuimos a una reunión a conocer a una persona y terminamos saliendo con nuevos amigos y cómplices de ideales humanos. También salimos muy agradecidos con Johnny por la intuición y el tino de presentarnos a seres humanos tan maravillosos. Estábamos contentos y agradecidos con la vida.

Nunca hay que dar por sentado que uno se merece algo. Hay que valorar y agradecer y conmoverse ante la vida. Siempre. Momentos como los que vivimos en esa reunión nos comprometieron a trabajar más y a dar más.

La gente que tiene fe en los demás no lo tiene que pensar mucho. La gente que apuesta por ti no tiene que hacer muchas preguntas. La gente que cree en ti te reconoce, reconoce tu actitud.

Pero cuidado, si no encuentras a alguien que crea en ti, revisa tu actitud. No le podemos echar la culpa al mundo por no creer en tu idea. La pregunta que debemos hacernos es: «¿Qué puedo hacer para que mi idea sea apetitosa para el mundo?» Esa es la actitud que hay que asumir: empoderarse y conseguirse con la gente adecuada. Sobre todo cuando se trata de beneficiar a la gente, de influir positivamente en sus vidas, lo que es una tremenda responsabilidad.

Cuando Maite nos dijo: «Esto hay que presentárselo a Juan», se refería a Juan Abellán, presidente de Telefónica Movistar Venezuela en aquel momento.

Días después Maite nos llamó y nos dijo entusiasta:

—Vénganse a conocer a Juan y le cuentan todo como nos lo contaron a Douglas y a mí. Por otro lado, ya le comenté a un gran amigo, que creo tendrá buena química con ustedes. Se llama Raúl Baltar, es el presidente del Banco Exterior; a él le gusta correr y estará fascinado de escucharlos. Y además le comenté sobre ustedes a José María Álvarez-Pallete, uno de los grandes de Telefónica, y le encantó la idea.

Con la llamada de Maite recibimos las coordenadas de esas personas que serían los grandes impulsores de esta iniciativa. El equipo seguía creciendo.

Fijamos las citas y fuimos a conocer a Juan Abellán y a Raúl Baltar. A José María Álvarez-Pallete lo conoceríamos un día antes del maratón de Nueva York.

Primero fuimos a la oficina de Raúl Baltar, presidente del Banco Exterior. Conocer a Raúl fue reconocer a un hermano de la vida. Cuando Perla y yo entramos a su oficina, no sé quién estaba más emocionado. Era como si ya todo estuviera decidido, porque nos entendíamos claramente. Entendíamos muchas cosas: que necesitábamos, como sociedad, creer en la gente y darle la posibilidad de creer en sí mismos.

Entendíamos también que no hay nada como la conquista de un imposible para expandir las fronteras de la humanidad; que tanto en lo empresarial como en lo social, lo familiar y lo comunitario, lo que debe cultivarse es lo humano.

Entramos en la oficina, y cuando nos estábamos sentando, una sorpresa nos hizo levantar de pronto. Raúl tiene una foto en su pared en la que aparece cruzando la meta de un *ironman*.

—¡Qué! ¿Tú ya hiciste un *ironman*?

—¡Sí! —me respondió emocionado, y me mostró muchas otras fotos de su vida tanto corporativa como familiar.

Hablamos y coincidimos en muchas cosas. Coincidimos en el amor que tenemos por Venezuela, en la confianza que tenemos por el país y su gente. Él es español y había vivido en Perú. De manera que cuando hablaba de Latinoamérica, lo hacía mostrando un conocimiento muy profundo de los problemas y de las inmensas posibilidades que tiene nuestra región. Estábamos de acuerdo en que todos esos cambios y toda la construcción de un futuro mejor deben empezar por el individuo.

Así conversamos durante un largo rato y nos dimos cuenta de que teníamos muchas ideas y pasiones en común. Por ejemplo: ambos vemos el deporte como una herramienta para el desarrollo humano en todos los sentidos. Ambos somos unos apasionados de la creación de equipos de alto rendimiento.

Inmediatamente Raúl llamó a parte de su equipo de colaboradores. Ahí, en su oficina, aparecieron Gerardo Urdaneta y Wilmer Rivas, que escucharon nuestro proyecto y comenzaron a hacer preguntas en plan de cómo hacer para convertirlo en realidad. En ningún momento hubo el asomo de una negativa. Lo que había era siempre una disposición positiva a encontrar la manera de hacer de nuestra idea algo que ayudara a potenciar a la organización y al país.

Nos sentimos muy agradecidos por encontrarnos a Raúl y a su equipo en el camino. Raúl es poesía corporativa, es la mezcla entre un atleta, un artista y un líder financiero que en la fusión de tantos mundos encuentra pasión y agudeza en cada una de sus acciones para crear el mayor bienestar en todos los entornos posibles.

Días después fuimos a conocer a Juan Abellán. Apenas lo conoces, te confronta. Si le llegas a su altura de excelencia, te va muy bien con él. Es un caballero andante de los más altos niveles. A los minutos de encontrarnos en su oficina, me dijo:

—La modestia es cobardía. A mí no me vengas con modestia. Tú cuéntame tu proyecto y me lo cuentas con coraje, con valentía. Acá no vamos a intentar nada. O lo logramos o no va.

Yo, que fui a conocer al presidente de una institución tan grande como Telefónica en Venezuela, me sentí súper estimulado al encontrar un pionero, de manera que al instante entré en confianza. Así que le respondí de la misma manera:

—No vamos a intentar nada. Vamos a lograrlo. Vamos a conquistar un imposible pensando en toda Venezuela.

La verdad es que Juan, muy al estilo manchego —efusivo, guerrero, gladiador—, le dijo a su equipo que estaba muy entusiasmado y que si había un chaval que creía en sí mismo, él tenía que apoyarlo, porque la confianza en las personas es la base de su estructura de liderazgo. Para mí fue conmovedor e impresionante ver a alguien que basa su liderazgo en la confianza y en la exigencia. Humanidad y excelencia en la misma persona. Confío en ti y en tus posibilidades y, a la vez, te exijo. Apenas me conoció, me exigió. «Aquí no se intenta. Aquí se logra».

Como así es mi espíritu, coincidimos a la perfección. No íbamos a acometer un esfuerzo tan grande y tan inmenso solo «para intentarlo». Sin embargo, creo que intentarlo es lograrlo, porque cuando quieres llevar un mensaje humano, el ser humano que intenta ya logra todo en sí mismo. El que no intenta, no logra nada. Estamos convencidos de ello: no queríamos una medalla, queríamos llevar un mensaje de humanidad. No sabíamos qué iba a pasar, pero sí sabíamos que cualquier cosa que pasara serviría para nutrir el mensaje. No nos asustaban el dolor, ni el esfuerzo, ni la constancia, ni la disciplina, ni las horas que voluntariamente le teníamos que dedicar a ello y que ya le habíamos dedicado. Creíamos en una causa y, apasionadamente, le entregaríamos nuestro corazón, alma, cuerpo y mente. Por ello, acogimos la exigencia de Juan con gallardía, con el coraje que merecía el esfuerzo que ellos también iban a hacer. Al final todos éramos un equipo voluntario por una causa que creíamos traería bienestar.

Entonces el equipo estaba formado, y tanto el Banco Exterior como Movistar se habían sumado a la causa. Teníamos el apoyo tanto para la realización deportiva del evento como para su difusión, en términos tanto digitales como cinematográficos y documentales. Todo eso nos puso felices porque al final se traduciría en una herramienta para sembrar humanidad, para hacerles ver a las personas que todos tenemos la posibilidad de abrirnos camino a pesar de las dificultades que nos encontremos. Nosotros ya estábamos dando el máximo de nuestro tiempo y de nuestro esfuerzo de forma absoluta y obsesivamente voluntaria.

Por esos días en que estábamos contentos porque el equipo crecía y porque habíamos obtenido el apoyo de personas e instituciones muy importantes, ocurrió algo terrible, de esas cosas que te cambian la vida.

Perla y yo fuimos a un evento organizado por la gente de Nike. Se trataba del lanzamiento de una nueva línea de productos. Los protagonistas de la noche eran los jugadores de la Vinotinto. Allí me encontré con el gran Alberto Ciammaricone, siempre alegre, amoroso, festivo. Como cada vez que me veía, en esa oportunidad me dijo:

—Mira, vamos a seguir. Vamos a llevar este mensaje a lo más alto. Te voy a esperar en la meta con un vaso de ron y ese día te voy a rascar.

Esa era su manera normal de expresarse. Él era fiesta, era vida, era una alegría muy grande y honesta, sin disfraces ni hipocresías de ningún tipo, siempre de frente. Después pasó a contarme los seis proyectos que estaba montando, cada uno de trascendencia cultural. Decía que ese era su aporte al país. Alberto creía profundamente en su capacidad de aportarle algo a la sociedad mediante la cultura. Por eso, cada vez que podía, creaba algo en esa dirección.

Alberto ayudó mucho a la hora de contactar personas que nos ayudaran a difundir el mensaje. En algún momento comenzamos a pensar que si íbamos a llevar el mensaje a Estados Unidos, porque allá correríamos el maratón, debíamos aprender a manejar el mensaje también desde ese país. En un viaje que hice a Miami, me encontré con Alberto y él a su vez me presentó a una mujer maravillosa que se llama

Cynthia Castner. La idea de mi amigo era que Cynthia nos ayudara a mercadear, en el sentido cultural, el mensaje en Estados Unidos.

Cuando comenzamos a charlar, me di cuenta de que Cynthia había estudiado con mi hermana en el colegio. Así que fue una maravilla que, después de tantos años, nos reencontráramos gracias a Alberto y que pudiésemos trabajar juntos. Cynthia es una muchacha muy entusiasta, amante de la tecnología y de las comunicaciones, muy efusiva. Ya dije que Alberto era un personaje muy particular que no tenía el menor impedimento para decirte lo que pensaba. Era risueño, un gran echador de broma, gritón, divertido…

La mayor sorpresa que nos llevamos fue cuando asistimos a la presentación de su propuesta para reformular el mensaje. Aquel huracán que habíamos conocido se transformó en esa reunión en un *lord* inglés, en un alto ejecutivo, en el jefe que honraba a su equipo, que era una pandilla de gente joven tan alegre y tan festiva como él.

En esa presentación nos conectamos de manera inmediata con el mensaje que nos proponía: «Nada es tan grande como para no intentarlo».

Alberto y su equipo nos propusieron que tomáramos a «Nada es tan grande como para no intentarlo» como el lema de la campaña de este proyecto para el país y más allá. Sus argumentos fueron tan contundentes y su presentación tan seria que no pudimos proponer nada en contra. De verdad quedamos sorprendidos, satisfechos y felices.

Volviendo a aquella noche en que me conseguí con Alberto, me habló de los seis proyectos en los que estaba trabajando. Me habló con alegría y con la misma actitud con la que me hablaba siempre.

Hubo algo muy bonito con todos estos personajes: todos los encuentros que tuvimos nos llenaban de alegría; o sea: nos brindábamos alegría los unos a los otros, y éramos felices de estar juntos en esto. Esa actitud irradia y contagia. Es algo que yo agradezco profundamente. Esa noche nos despedimos de Alberto y de Uberto, el organizador de la fiesta. Nos abrazamos todos. Nos reímos y me fui a mi hogar a dormir.

Como lo dije antes, ocurrió algo terrible. A la mañana siguiente me llamó Uberto alarmado y directo, como es él. De manera muy cariñosa y muy triste me dijo:

—Maickel, te tengo que dar una mala noticia. Encontraron a Alberto en su casa... Falleció. Estaba en su casa, le dio un infarto y falleció.

—No entiendo, no comprendo, no sé qué me estás diciendo... —esa negación inmediata que ocurre ante las grandes tragedias.

—Sí, falleció.

Fue un golpe muy duro. Uberto me lo contaba mientras se le cortaba la voz. Para Uberto era un hermano de la vida. Para él y su esposa, Alberto era el futuro padrino de su hijo. Mientras me lo contaba llorando, comencé a llorar también, sin entender lo que estaba pasando.

—Yo lo vi ayer y estaba absolutamente vivo. Era vida... Es vida. Él contagia vida.

Y nada, tuvimos que aceptar que la vida se esfuma así de rápido. Me acordé de José Antonio. Me acordé de esos seres que uno ama y que sorprenden y que nunca los olvidas porque apostaron por ti. Me acordé que Alberto había apostado por mí cuando hablábamos de la paz; que había apostado por mí cuando acometimos la primera locura de Nueva York. Alberto se había conectado conmigo. Y me sentía identificado con esa alegría de la vida que él tenía y que quería y que usaba para transformar. Él veía en mí quizá la posibilidad de verter en la sociedad ese talento que él tenía y que tenía todo su equipo.

Alberto transformaba la rabia que sentía por el mundo en comicidad y en alegría y en juego. Era un gran juguetón y a la vez un rebelde; un gran constructor, creador, conector. Un personaje que había apostado por mí y por el mensaje. Nos dejó en su momento de mayor vitalidad y de mayor conformidad con él mismo. Siempre me hablaba de que lo visitara en su casa en Miami, frente al mar. Nunca olvidaré esa imagen de paz interna que me describió cuando estaba allá, frente al mar. Me decía que era feliz, que quería brindarle felicidad a la gente.

Me siento orgulloso de haber conocido a Alberto, de haberlo estimulado a mostrarse sin su máscara de estruendo y desfachatez. Me siento feliz de que por intermedio de nosotros haya mostrado a otros su humanidad. Su muerte fue un golpe muy fuerte para todos los que lo conocimos y quisimos. Alberto nos apoyó siempre en la difusión del mensaje de la paz, en la organización de los conciertos. Siempre creyó en lo que estábamos haciendo y puso su esencia allí. Quedó sembrado en mi alma. Entonces ya no era nada más cruzar la meta por el mensaje puro, sino también por Alberto. Inmediatamente se integraba a esa necesidad, ahora sí, de lograrlo por él y para él también. Porque él de alguna manera se transformaba en una cosa más grande. «Nada es tan grande como para no intentarlo». Y esa frase quedó sembrada en el proyecto, en la esencia y en su legado. Alberto nos dejó mucho trabajo que hacer… mucho trabajo que hacer.

Vamos, Maickel

«Como uno fluye con lo que va ocurriendo en el camino, no es de extrañar que ocurran los milagros».

En esos días de la partida de Alberto Ciammaricone me encontré con Uberto. Nos abrazamos. La verdad es que Uberto pasó a ser un hermano. Nos hemos encontrado muchas veces en la alegría y en el dolor, y eso hermana. Ahí conocí a Wanda Salamanqués, quien junto a Baudí Dávila formaría el equipo de comunicaciones. La muerte de Alberto nos removió a todos. En especial a su agencia, donde tenían muchas cosas emocionales y laborales que resolver.

Como estábamos trabajando con Braulio Rodríguez en la realización del documental, y él es experto en mercadeo y comunicaciones, decidimos que su visión fuese la guía rectora. Braulio decía que el concepto sobre el que se basaba nuestro mensaje debía venir de la gente, más que de nosotros. El proyecto «Paso a paso hacia la meta» venía de nosotros, y la visión de Braulio, que nos deslumbró a todos, era que teníamos que llegarle a la gente desde la propia gente.

En cada entrenamiento uno recibía el aliento de la gente. Cada vez había más personas que comprendían que estábamos haciendo algo por nuestro país. Los del mundo del *running* sabían que entrenábamos para correr en Nueva York.

En el mes de abril de 2011 celebré mis treinta y seis años con un regalo espectacular: la gente de Achilles me envió la confirmación de la inscripción en el maratón. Eso nos alegró y nos puso en alerta. Esa inscripción era un paso hacia delante que nos trajo alegría y también desconfianza. Recordaba lo que me había pasado la vez anterior y tuve que sentarme a pensar y a convencerme de que en esta oportunidad no ocurriría lo mismo. Porque la sensación que tuve fue de incertidumbre. Estaba colocando todo mi esfuerzo en algo que no sabía si se daría. Eso le pasa a los grandes soñadores. Mucha gente necesita la certeza para activarse, pero los grandes soñadores son aquellos que sueñan bajo la incertidumbre. Los grandes soñadores permanecen en la incertidumbre hasta que su sueño se hace realidad. Porque los sueños son invisibles hasta que se dan. Y eso es algo que hay que aceptar y reconocer en la vida: los sueños son invisibles hasta que se ven, hasta que se dan, hasta que se vuelven realidad.

La gente se volvió a animar y a activar. La gente nos veía y nos gritaba: «¡Vamos, Maickel!». El grito era espontáneo y provenía, además, del inconsciente colectivo, porque todo el mundo gritaba lo mismo: «¡Vamos, Maickel!». Algunos gritaban cosas diversas: «Para adelante», «Sigamos»… Nos decían muchas cosas, pero todos, digamos, la mayoría, coincidían en el «¡Vamos, Maickel!», «¡Vamos, Maickel, que tú puedes!», «¡Vamos a Nueva York!». Y Braulio, que también corría, hizo un buen trabajo de investigación de campo. Él varias veces se cruzó con nosotros y escuchó que la gente nos gritaba «¡Vamos, Maickel!», y nos propuso:

—Con la experiencia de «Paso a paso se lo mete» en Miami, y dado que la frase original es muy larga y que normalmente la gente se entusiasma y se contagia con frases cortas, ¿por qué no hacemos de esto algo que se llame «Vamos, Maickel», que es más natural y viene de la gente?

Sonaba muy lógico. Además, quien se sumara estaba apoyando a un ser humano que quería algo por el país. Entonces era realmente algo que entusiasmaba y era proyectivo. Al decir «Vamos, Maickel» indirectamente se estarían diciendo «vamos» a sus propios sueños e imposibles.

Gracias a Braulio comenzamos a trabajar en un concepto distinto, en el que «Paso a paso hacia la meta» se trasformaba en «Vamos, Maickel». De manera que lo que se presentó tanto a Movistar como al Banco Exterior fue eso: «Vamos, Maickel». Era un grito, era la posibilidad de que la gente gritara, y en el grito me estaban diciendo: «Vamos, Maickel» y, a la vez, se estaban diciendo «vamos» a sí mismos.

Todo el mundo se entusiasmó con la idea. Hay algo muy importante acá: los grandes soñadores también son desapegados de los nombres, de las categorías, de las fechas, de los tiempos. Es decir, lo importante no es el nombre; lo importante tiene que ver con el sueño, tiene que ver con la esencia, con la energía, con la transformación. Habíamos cambiado toda la vida muchos nombres a aquellas cosas que estábamos haciendo, y una de las características que yo siempre he criticado es eso, que lo importante no era el nombre, era la esencia, y si había alguien que pudiera mejorar esas cosas, no nos íbamos a apegar a nada, sino a mejorar.

Siempre podemos mejorar. Esa es una característica de los grandes soñadores: ser desapegados de los nombres, de las categorías, de las fechas, porque al final siempre los grandes sueños, mágicamente, van a encontrar su propio fluir, y mucho más si es un sueño para la gente que venga desde la gente.

«Vamos, Maickel» se convirtió en el nombre de nuestra campaña. Aunque me costaba mucho escuchar mi nombre —siempre me ha costado—, a mí me gustó porque llevaba un mensaje activo, que a su vez era un ejercicio de visualización. «Vamos, Maickel» contenía la imagen de alguien que soñaba y se esforzaba hasta el dolor, hasta lograrlo. Poco a poco nos dedicamos a alinear todas las comunicaciones en esa dirección. Además, sumamos a una persona en redes sociales, porque el trabajo de Pedro, que cada vez más consistía en llevar las relaciones con diversas organizaciones, requería especializarse, y él empezaba a trabajar en otras cosas de su profesión que le limitaban el tiempo de voluntariado; estaba creciendo profesionalmente, y el tiempo no le abundaba como antes. Entonces sumamos a Jorge Mirada al área de comunicación digital.

Siempre soñé con que la gente pudiera acompañarnos en tiempo real. Esa era la tendencia. Sin embargo, no fue hasta 2011 cuando surgió una tecnología que permitía que las personas se conectaran y pudieran ver en tiempo real lo que hacíamos. Pedro comenzó a encargarse de las transmisiones en vivo y Jorge de la parte digital. Frida, que ya era parte del equipo desde Bogotá, nos invitó e insistió en que conociéramos a su prima Nelly Guinand.

Así, un día recibí una invitación para ir, en calidad de entrevistado, a un nuevo programa de CNN conducido por un tal Ismael Cala desde Miami. Pedro, que otra vez nos ayudaba, coordinó con Perla y nos fuimos. La idea era ir al programa de Cala y, además, contactar a Nelly. Nelly Guinand es una extraordinaria *coach* y experta en el área de organizaciones no gubernamentales, cosa que se alineaba perfectamente con el proyecto. Además, Nelly es una mamá en todo el sentido de la palabra… Una mamá venezolana. Es una guerrera de la vida, una mujer extraordinaria, una digna representante de la esencia criolla. Siendo muy, pero muy venezolana, es blanca, pelirroja, sus ojos son azules… una mezcla muy peculiar y linda como es mi Venezuela. Ella vivió en Barquisimeto muchos años, lo que le da un toque guaro muy especial.

A la reunión que teníamos pautada, Nelly no llegó sola; llegó con dos de sus hijos, unos seres increíbles: Juan Pablo y Rodrigo, cada uno talentoso en todo lo que hace. La cantidad y la calidad de energía eran casi incontrolables. Venezuela es un país líder en energía. Pero no se trata solo de petróleo; más bien creo que es la gente, la energía de su gente. Y Juan Pablo, en asuntos de relaciones públicas, era increíble, era un sol de persona y su calidad humana, insuperable. Rodrigo era más analítico y técnico en sus apreciaciones, muy agudas y precisas. Cada comentario tenía una base de fondo práctico y realizable. Eran unos jóvenes tesoros humanos. Apenas nos conocimos, me hablaron sobre sus profesiones con ganas de darnos toda la pasión y el conocimiento que tenían. Fue un encuentro maravilloso.

Nelly nos brindó la posibilidad de conocer gente maravillosa, además de aterrizar ideas acerca de cómo organizar un equipo en Estados Unidos que apoyara este mensaje, que se sumara a la causa. A Perla y a mí nos presentó un hombre increíble llamado Josué Rivas. Josué es un relacionista público puertorriqueño radicado en Miami y dedicado a la representación de artistas. Al final, Josué sería el responsable de las comunicaciones en Nueva York. Mi primer contacto con él fue muy lindo porque yo le contaba lo que estábamos haciendo y él se emocionaba y se conmovía mucho, y en un momento me dijo:

—Me voy, pero déjame digerir emocionalmente lo que me cuentan y después les presento una propuesta.

Josué terminó siendo, por intermedio de Nelly, de Juan Pablo y de Rodrigo, ese personaje que llevaría las comunicaciones en Estados Unidos.

El equipo encargado de transmitir este mensaje en Estados Unidos quedó conformado por Gustavo, Nelly, Cynthia, Rodrigo, Juan Pablo y Josué.

Todo se trata de sumar voluntades humanas y apasionadas. Era difícil coordinar todo nuestro esfuerzo y llevarlo con armonía, con amor y, a la vez, con eficiencia. Pero como todos eran seres maravillosos, todo fluía. Todos estábamos convencidos de que ese mensaje era beneficioso para todo aquel que lo escuchara, viera y viviera.

Conocimos a Ismael Cala en ese programa tan emblemático. Llegamos a él gracias a un gran amigo, Eli Bravo, que estaba escribiendo el prólogo de mi libro *Si lo sueñas, haz que pase*. Yo lo había conocido por una entrevista que me hizo para hablar de «Paz con Todo». Luego nos hemos reunido muchas veces. Incluso, en ese viaje, me entrevistó para Inspirulina, su nuevo y extraordinario portal dedicado a la inspiración humana. Para mí es un honor que él quisiera retratar esta mística, este deseo y este amor por lo humano que estábamos tratando de construir. Más siendo un ídolo de mi adolescencia, excelente comunicador y ser humano impresionante.

La entrevista con Ismael Cala fue una experiencia maravillosa que ayudó a que la gente nos conociera y se entusiasmara por lo que estábamos haciendo. Nelly, por ejemplo, supo un poco más de mí gracias a esa entrevista, lo que le permitió entender que su esencia sí estaba alineada con la nuestra y que podía sumarse con amor.

Ismael es sin duda el periodista más profesional que había conocido en mi vida. Tenía conmovedores detalles tan sencillos como que no te hablara entre comerciales para no gastar parte importante de la conversación, o su cercanía y tino a la hora de descubrir elementos fundamentales en tu historia para compartirlos con la gente. Es un artista, un poeta, un impresionista del arte de la entrevista, además de un ser totalmente trasparente.

Por entonces había empezado una etapa muy particular. Corrían los meses de junio, julio y agosto. Todo era construir, consolidar, organizar. Cada uno cumplía su labor de forma increíble. Perla buscaba la mejor forma de mantener el equilibrio entre lo deportivo y lo cultural, pues comprendía que la idea era enviar un mensaje con el esfuerzo que hacíamos. Evidentemente el entrenamiento continuaba. Nos seguíamos dando cuenta de cómo avanzábamos. Había entrenamientos tan fuertes como ponerle doce kilos a mi cuerpo en subidas, algo para mí insólito. Estábamos logrando cosas que eran imposibles. Nunca había soñado hacer cosas así.

Estábamos muy contentos con los resultados. Pero el trabajo era arduo y constante. Los dolores aparecían. Teníamos un gran temor: no poder acometer las distancias exigidas por el entrenamiento, para no arriesgarnos a una lesión justo antes del maratón.

En agosto empezó la filmación del documental, algo que complicaba un poco más las cosas porque donde íbamos nos acompañaba un equipo de producción audiovisual con cámaras, cables, luces… Yo no tenía problemas con que me acompañaran, pero, a veces, los aparatos complicaban un poco el entrenamiento. Al equipo audiovisual se sumaron camarógrafos, sonidistas, asistentes técnicos, asistentes de producción. Conocimos a grandes artistas de la cinematografía venezolana: John Díaz, con su mirada fotográfica; Frank Rojas, maestro del sonido. Fue un período de mucha intensidad.

A pesar de toda la actividad que tenía en esos días, me encontraba muy sensible por la muerte de Alberto. Todos los días lo recordaba y decía: «Alberto, esto va por ti». No conforme con eso, un día, al terminar de entrenar con Galo, me llamó mi tío Eliseo, que es como mi segundo papá. Mi tío sabe que una de las pocas personas que pueden hacer que mi papá se mueva soy yo. Parece que mi tío le insistía a mi papá que fuera al médico y él no iba, hasta que por fin fue.

—Maickel, a tu papá le encontraron algo, pero ahora no quiere ir a hacerse los exámenes.

Mi tío estaba asustado. Él y mi papá tienen una sociedad de cuarenta años de trabajo. Son de esos seres que se aman profundamente, pero no lo reflejan, son incapaces de decirlo y, mucho menos de decírselo el uno al otro. Mi tío me habló de lo que le encontraron a mi papá y yo con el fantasma de la reciente muerte de Alberto.

Mi papá es lo más importante, lo más bello, lo más querido y lo más amado para mí. Lamenté mucho que le estuviera pasando eso y que nos encontráramos en un momento de incertidumbre. Me alarmé mucho. Pensé que no salíamos de una para entrar en otra.

Sin embargo, toda la vida mi papá me enseñó que hay que afrontar las cosas como vengan, ir hacia ellas, entromparlas (como se dice en criollo) y no quedarse paralizados. La mayoría de la gente no busca los obstáculos, los problemas y las grandes barreras que surgen en la vida porque les da miedo perder. En cambio, mi papá me enseñó que es al revés: si ves un obstáculo, tienes que ir en su búsqueda y embestirlo.

Llamé a mi papá.

—Padre, ¿qué pasa?

Evidentemente, él también tenía miedo de contarme lo que le había dicho el médico. De otro modo mi tío no me hubiera llamado. El miedo de mi papá era doble: por un lado parecía decir: «No te lo voy a contar porque yo mismo tengo miedo de lo que me está pasando». Por otro, era un miedo al pánico de los demás. También había algo de autosuficiencia, como de: «Déjenme tranquilo que yo sé cómo hacer mis cosas». Aunque mi papá es más fuerte que yo, debo decir que soy persistente, así que, al insistirle, logré derribar su barrera.

—Papá, cuéntame, por favor.

—Me encontraron un tumor en un pulmón. Me hicieron una biopsia a ver si es maligno

Eddie Kaswan ha sido el médico internista de toda mi familia durante mucho tiempo. Por eso le tengo mucho aprecio. Así que le dije a mi papá:

—Como tú no me sabes decir bien qué tienes, voy a llamar al médico.

Llamé a Eddie y me dijo:

—Sí, Maickel, tu papá tiene un tumor. Le hicimos una biopsia y debemos esperar el resultado del patólogo para saber qué acciones debemos tomar, aparte de la cirugía.

Todo mi mundo se cayó. Mi papá, el ser que brinda seguridad y cobijo, estaba enfermo. Él es una persona que comenzó desde cero. Esa es una de sus grandes enseñanzas. Porque mi papá no tenía nada. Él y mi tío construyeron lo poco que tienen con sus manos. También su matrimonio comenzó de cero. Mi mamá, que es una mujer increíble, padece un trastorno de irritación cerebral, lo que le creó un trastorno bipolar paranoide. Ella ha sido un personaje extraordinario porque, viviendo en sus mundos y viviendo lo que vive, nos ha dado todo el amor y la orientación que ha podido.

Mi madre es una persona que se ha entregado en la medida de su entera posibilidad, porque la verdad es que su trastorno cerebral le ha creado barreras neuroquímicas, pero ella siempre se ha dado por entero.

En el ámbito profesional, mi papá también comenzó de la nada, no una vez, sino varias. Se le quemó y se le inundó su empresa y la reconstruyó las veces que hizo falta. Mi papá me ha enseñado que el verdadero éxito consiste en saber comenzar de cero; en entender que, en esa materia, el cero no existe porque siempre llevas contigo la experiencia previa que te ayuda a recuperarte más rápido. Y eso mismo pretendía aplicarlo con su salud.

Tomó el reto con gallardía. Eso sí: la gallardía de mi padre no implicaba que su familia se librara del temor de todo lo que implicaba la palabra cáncer, una palabra que nada más decirla eriza la piel. Creo que hay que tomar conciencia de la palabra «cáncer» y decirla sin temor, igual que se dice la palabra «falla» o «fracaso». Todas son palabras que llevan a lo mismo: a una especie de muerte. Mientras más sepas embestir a la muerte, más puedes volver a empezar de cero. Eso era lo que mi papá me había enseñado.

Después de conocer el diagnóstico y de saber que a mi papá lo iban a operar, me surgió otro gran temor: el tratamiento posoperatorio. Siempre había escuchado que la radio y la quimioterapia son procesos duros y dolorosos. Si bien hay que agradecerle a Dios que hayan sido creados, porque han salvado a muchos, no dejan de ser un karma y una forma de envenenar el cuerpo una y mil veces.

Me dolía que mi papá tuviera que pasar por eso. Me pregunté muchas veces por qué, si se trata del hombre más bueno de la vida, de alguien que se ha dedicado a su familia, a hacerle bien a la gente... Pensé en todo lo que mi papá ha hecho por mí a lo largo de los años, todo lo que ha trabajado. No comprendía.

De alguna manera volví a aquellas épocas en que tampoco entendía lo que me había pasado. Aprendí en el camino que me puede pasar cualquier cosa. Aprendí cómo asumirlo, pero que algo grave le pasara a un ser querido, quizá al ser al que yo más amo, era algo nuevo y abrumador.

Y en el medio de todo esto, el desgaste físico, la coordinación de tantas personas, de un mensaje. Llegué a sentir que era mucho para mí. Cómo balancear el amor a la familia con el amor a la trascendencia. Creo que ese es uno de los grandes dilemas humanos. Sin embargo, creo que mi familia es mágica. Ellos están claros en que los amo, y ellos siempre me han permitido demostrarles el amor que siento por ellos con mi trascendencia. Ellos saben que, con mi trascendencia, ellos también trascienden. Soy un proyecto familiar. Soy su emprendimiento.

Todo se presentaba muy difícil porque mis hermanos no estaban y yo quedé, de alguna manera, encargado de ser el líder de mi familia. Mi papá, el verdadero líder del equipo, estaba mal.

Conversaba con Dios y le preguntaba: «¿Qué me estás tratando de decir? Quiero escucharte. Habla más duro, por favor. Quiero escucharte». Mi papá tampoco lo hacía fácil. Él siempre ha sido autosuficiente, lo que hace que le sea muy difícil pedir ayuda. Le habían encontrado algo en los pulmones y luego algo en la próstata. Se tenía que hacer una operación después de la otra y él ahí, sin decir nada.

En aquel momento el escenario estaba nublado. Lo primero que hice fue llamar a mis hermanos y darles toda la información que disponía. Luego les dije: «Bueno, les toca otra vez ser unos héroes porque yo solo no voy a poder con esto».

Ese es uno de los grandes temas del liderazgo: saber decir: «Yo solo no puedo». Todo el equipo, absolutamente todo, asumió una posición de apoyo: Perla, Pedro, Alberto Camardiel, Braulio, María Alejandra, Galo, los documentalistas, mis entrenadores. Todos. Era como si la frontera de mi familia se hubiera diluido. Asumí eso: «Aquí no voy a excluir a nadie. Todos son mi familia y los voy a necesitar a todos porque si no, no voy a poder». Creo que esa es una parte fundamental del liderazgo. Y no porque yo fuera líder, sino porque en mi familia necesité asumir un liderazgo. En este proyecto había montones de líderes, y cada uno sabía lo que tenía que hacer. Eso era lo más bonito. Y había mucho amor y con ese amor se asumió esto.

Les pedí a mis hermanos que se vinieran porque yo solo no podría cuidar a mi papá y ellos, a pesar de las responsabilidades que, a su vez, tienen como padres, accedieron a venir sin dudarlo un instante.

Cuando me encontraba en ese proceso, pensé que la vida me había acercado a personas y a disciplinas que yo podía poner a disposición de mi papá para ayudarlo a transitar ese camino. Era como devolverle un poquito de lo mucho que él me ha dado a lo largo de mi vida. Así, puse a mi papá en contacto con Ohmelia, con Antonio Colarusso y el Chi Kung, con mi homeópata, con Emily. Todo lo puse a la disposición para que mi papá tuviera herramientas para lo que venía.

Dos días después supe la mala nueva.

Estaba en pleno entrenamiento cuando recibí la llamada del doctor Eddie Kaswan.

—Sí, es maligno. La buena noticia es que no es de los peores y, además, tu papá vino a tiempo.

A pesar de que el médico trató de animarme, emocionalmente me desmoroné. Me asusté mucho. Esa noche me fui a mi casa con una enorme necesidad de verlo. Cuando llegué, lo encontré sentado y sereno, viendo televisión. Eso me asustó más. Pensé que él mismo se negaba a aceptar su enfermedad. No obstante, ahí mismo me volvió a dar una gran lección:

—Papá, hablé con Eddie —le dije, angustiado y conmovido—. Me contó lo del resultado de la biopsia. ¿Qué vas a hacer?

Mi papá me miró como si no me estuviera entendiendo. La verdad es que no entendía lo que le estaba diciendo ni cómo se lo estaba diciendo. Se me quedó viendo unos segundos en silencio. Después me respondió sereno, pero molesto conmigo:

—Bueno, Maickel, ¿qué me estás diciendo? Esto se va a abordar como se aborda todo. ¿Cómo que qué voy a hacer? Si me tengo que operar, me opero y ya. Si me tengo que hacer la quimio, me hago la quimio y ya. Si tú tienes que entrenar, ¿qué haces? Entrenas y ya, ¿no? Si te duele algo, alguien te ayuda y ya. Lo que tenga que hacer, lo haré porque yo quiero vivir.

Esa serenidad modesta me volvió a sentar. Básicamente lo que hice fue sentarme y ubicarme en el espacio y en el tiempo y ponerme a actuar, porque mi papá es un tipo que actúa. Él no se preocupa. Él hace. «Lo que tenga que hacer, lo haré y ya. Yo quiero vivir y voy a vivir. Y lo que haya que hacer, lo vamos a hacer». Ante ese gigante, ¿qué puedes hacer sino decir: «Listo. Se acabó el drama»?.

Después de que recibí esa lección en la que mi papá me mostraba quién era el líder de verdad, le dije con un poco más de tranquilidad:

—Listo. Te vas a operar, pero vas a hacer Chi Kung, que es algo que yo hago. Vas a ir donde Ohmelia, que es algo que yo hago. Vas a ir donde un homeópata, que es algo que yo hago. Tú vas a ir a todo lo que yo te diga porque es algo que ayudará a tu bienestar porque tú quieres vivir y ya.

Se me quedó viendo y me dijo:

—Claro. ¿Cuándo?

La enfermedad hizo que la relación padre-hijo cambiara un poco. Nos volvimos cómplices en función de la vida, de su vida, que era mi vida también.

La grandeza del cáncer lo achicó. Que yo tuviera herramientas, me engrandeció, y nos puso al mismo nivel. Eso requirió mucha humildad de parte de mi papá, porque debió entender que necesitaba cosas para vivir, además de una meta muy clara, que era vivir, y tenerlo tan claro que no importaba lo que tuviera que hacer. Él quería vivir; tenía nietos que quería ver crecer, hijos que quería ver triunfar; tenía una esposa que tenía ganas de amar por muchos años. Y lo que tuviera que hacer, lo haría. Ese era su coraje. Su coraje era meterse en la competencia con aquel fenómeno que se llama muerte y decirle: «Yo quiero vivir».

Todo esto estaba siendo documentado. Yo había hecho un compromiso conmigo mismo, con mi familia y con los documentalistas de que el mensaje tenía que ser completo. La vida es luz y oscuridad. Si dejas de ver una de las dos caras, no vives completo. Si queríamos transmitir un mensaje, teníamos que mostrar todas las aristas posibles.

Transcurrieron agosto, septiembre y octubre. Entrenaba. Realizaba tanto mi trabajo profesional como mi trabajo social. Todo junto con el tratamiento de mi papá.

Mi papá fue donde Ohmelia varias veces. También hizo un curso de Chi Kung con Antonio Colarusso. La experiencia más grande de esos días fue sentarme al lado de mi papá a trabajar y aprender. Pocos días antes de la operación, llegaron mis hermanos. Maritza es toda energía y Carlos es todo tranquilidad. Por eso nos complementamos tan bien.

De alguna manera ellos me permitieron, como los héroes que son, ausentarme para dedicarme a lo que tenía que hacer, porque yo estaba trabajando para la trascendencia familiar.

Mi hermana se vino con su hijo menor, Nathan, quien vivió toda la operación del abuelo con su ingenuidad. Como no habla español, era muy cómico verlo comunicándose con todo el mundo. Era una alegría en la casa y además es como su mamá: una chispa de energía, una partícula inestable que va y viene. Bromeaba diciéndole al abuelo que la cama eléctrica de la clínica era como un aparato salido de un parque de diversiones, y una vez, con su humor característico, entró a mi cuarto y me vio en una de esas siestas obligatorias que yo debía hacer cada día por lo agotado que quedaba después de los entrenamientos, y como vio que estaba dormido y nadie debía molestarme, fue hasta la puerta, le pasó el seguro y salió del cuarto trancando la puerta. Resultado: Maickel se quedó acostado, sin poder pararse, esperando a que Galo hiciera el papel del Hombre Araña en un tercer piso y se saliera por una ventana del apartamento y entrara por la de mi cuarto. Menos mal que los documentalistas estaban en la casa y pudieron registrar todo ese alboroto.

Un día me fui a visitar a mi papá que estaba recién operado. Fui a verlo antes de entrenar. Cuando me vio, lo único que me dijo fue:

—¿Qué haces acá? Vete a entrenar, por favor. Deja de preocuparte por mí. Preocúpate por lo que tienes que hacer.

A pesar de todo, mi papá tenía razón.

Mi trabajo no estaba ahí; estaba fuera. Le habían quitado un tercio de pulmón y, aún así, sus palabras fueron un recordatorio para no olvidar cuál era mi papel en esta historia.

La energía que contenían las palabras de mi padre se asemeja al ambiente en que crecí, un ambiente estimulante, de confianza, de apuesta colectiva.

En esos días participé en dos ciclos de conferencias. En uno conocí a Tamara Kassab, una corredora que se ha convertido en una gran amiga y colaboradora. El otro ciclo de conferencias fue muy importante porque pertenecía a TED Talks.

Tamara se sumó al equipo en esos últimos días del entrenamiento. También, por recomendación de Braulio, conocimos a Gabriela Valladares, una duende de la vida que se encargó del diseño del logo, del material digital y de las promociones. Gabriela creó un logo a partir de una imagen en la que aparezco en un puente; también produjo varios *gifs* animados. En el equipo teníamos mucho trabajo, pero las cosas fluían porque cada quien sabía lo que tenía que hacer y tenía un propósito claro que cumplir.

Un día, mientras almorzaba con Perla después de una reunión de trabajo, nos conseguimos a Patricia —Pacha— Vegas en el restaurante. Perla no la conocía, así que se la presenté. Hablamos de las carreras, de los entrenamientos, de cuestiones deportivas. Como deben recordar, conocí a Pacha en la media maratón de Bogotá. Nos vimos otras veces de pasada, pero nunca nos habíamos conectado como nos conectamos ese día en el restaurante. Todo surgió cuando Pacha nos dijo en tono optimista:

—Ustedes no saben lo que están haciendo. Ustedes no se han dado cuenta de que están creando algo muy importante para este país, su gente y más allá.

Ante semejante pronóstico, conversamos durante horas. Perla y yo nos enamoramos de ella y su energía. Hasta ese día yo no la conocía tanto, pero a partir de ese almuerzo, Pacha se sumó a la causa y se conectó con nosotros de una manera muy especial. Ella, como buena atleta, nos ofreció acompañarnos en los últimos kilómetros de cada entrenamiento, que serían muy duros. Ella llegaba con una fuerza indescriptible a alegrarnos la vida, a darnos esos últimos datos que, desde el punto de vista atlético y nutricionista, nos fueron muy útiles en los últimos entrenamientos largos.

Entonces Pacha, profesional, deportista, mujer y ser humano de alto rendimiento, se convirtió en una parte más del equipo y, junto con Tamara y Nelly, se haría cargo de las conexiones con la gente encargada de la difusión del mensaje en Nueva York.

El 21 de septiembre se celebró el Día Internacional de la Paz. Decidí no participar en las actividades conmemorativas porque coincidían con los últimos entrenamientos largos en Caracas. El día más doloroso para mí fue el del concierto. Lo oí desde lejos diciéndome: «Tengo que apartarme de mi familia, del proyecto de construcción de paz. Tengo que apartarme de todo para que esto funcione». Pero allí estaba gente maravillosa también dándose con todo y construyendo cosas maravillosas: Yolabel Díaz, José Gregorio Guerra, Patricia Clarembaux y Bélgica Álvarez, jóvenes venezolanos con los cuales era un honor apostar por el país.

Llegó octubre y ya todo estaba listo: los aliados, los patrocinadores, el equipo. Cada quien cumplía su función a cabalidad. Mi papá se recuperaba con rapidez. Yo estaba feliz porque sentía que todas las otras cosas que había hecho —Chi Kung, homeopatía, masajes corporales, etcétera—, lo habían ayudado mucho.

Mi familia se tranquilizó y se organizó para viajar. Quedaba un mes. En los últimos entrenamientos en Caracas me acompañó mucha gente, todos con mucho entusiasmo.

Todo iba bien, pero yo sabía que debía asumir una tarea más. Los trabajos físico, mental y emocional los estábamos haciendo. Sin embargo, debía hacer un trabajo espiritual muy grande. Porque lo más importante en todo lo que es trascendente es lo que no se ve. Y la mayor parte de lo que no se ve es espíritu, es esencia, es energía.

Un día le dije a Perla:

—Necesito hacerme una constelación familiar, porque siento que necesito expandir mi alma para acoger en mi corazón los sueños de todos. Necesito que mi alma esté sana y en su mayor capacidad.

Si yo tenía un problema con la enfermedad de mi papá o con algo referente a las conversaciones que tuvimos antes de su operación, tenía que sanarlo porque no quería que, por no trabajar mi espíritu, mi mensaje no llegara a donde tenía que llegar, que era a Dios.

La constelación familiar es una herramienta del trabajo personal en la que creo y que quería usar en profundidad. En ese sentido, Carola Castillo, experta en constelaciones familiares, me ayudó mucho. Tony Colarusso y otros maestros no solo me la recomendaron, sino que me ayudaron a contactarla. Así que cuando la llamé por primera vez, le dije:

—Caro, tú no me conoces, pero necesito que me ayudes.

—Maickel, yo solo estaré una semana en Venezuela. Y la verdad es que yo ya no hago esto, pero por ti lo voy a hacer. Contigo lo voy a hacer porque creo que lo que estás haciendo será importante para el país.

Y la verdad es que fue muy bonito, porque Carola es un ser de luz, un ser maravilloso, y junto a Antonio y otras personas, a quienes amo de verdad, tendieron puentes entre la luz y la oscuridad.

Hicimos una consulta muy bella y muy intensa. Ella me hizo la constelación. Fue una jornada muy dura, pero sabemos que el dolor es productor de lo más bello. Nacemos del dolor. El parto es el dolor más profundo que hay; es el dolor más profundo que existe. Y sabemos que el dolor es el que te permite expandirte, y que el dolor bien recibido es el más pasajero. El dolor es parte de la vida de todos, y más de la vida de alto rendimiento, de la vida de alguien que quiere llegar a su máximo nivel, dejar huellas, morir mil veces para nacer cada día pero expandido, siendo más y mejor.

Le agradecí mucho a Carola por ese gesto de amor que tuvo, y que no terminó allí. Porque ella se conectó con nosotros durante todo el viaje.

Ese trabajo removió muchas cosas en mí. Al día siguiente tuve un proceso febril muy fuerte. Estuve en cama. No podía ni moverme.

Empezó un proceso gripal que me tendría tumbado durante los últimos días de septiembre y los primeros días de octubre.

La fecha del viaje se acercaba. Nos iríamos a Nueva York diez días antes del maratón. La intensidad del trabajo en esos días fue impresionante.

Antes de irnos, Perla organizó una reunión en su casa, a la que invitó a todos. Era un acto de integración grupal, de encuentro con el propósito. Para ella era honrar y celebrar.

Antes del viaje a la montaña, recuerdo que mi papá le dio la bendición a Alfredo, para que me acompañara a la montaña. Y para esa cena pensamos en darle una sorpresa que inspirara a todos, y pensamos que mi papá podía ser esa diferencia. La idea de la cena era unirnos en un rato de cordialidad después de tanto trabajo. También queríamos honrar a mi papá. Mi papá merecía el honor de cualquier cosa que yo fuese a hacer.

Como mensajero, recuerdo que le dije:

—Padre, tenemos una cena en casa de Perla con todo el grupo. Por favor, ve porque tú serás la sorpresa de la noche.

—No, yo no voy a dar ningunas palabras —así respondió mi papá, con su clásico «me gusta, pero no te lo voy a decir».

Entonces fue muy conmovedor porque hicimos que participara todo el grupo. Incluso a Gaby Padrón, una joven increíblemente cariñosa, alegre y vital que tiempo atrás había reemplazado a Uberto en Nike, y Carola, que fue la última persona que se sumó y de qué manera. Estaban todos, excepto, por supuesto, Nelly, Gustavito, Cynthia, Josué, Juan Pablo y Rodrigo, que estaban en Miami. Pero todos los que estaban en Caracas estaban comprometidos con el logro de la meta; diría que hasta Alberto Cianmariconne, desde el cielo.

Fueron dos años y medio de mucho trabajo. En ese apartamento estaban desde los primeros que comenzaron hasta los últimos. Era como un álbum familiar, como un árbol genealógico de esta familia que se fue armando. Desde los primeros hasta los últimos. Yo sentía una necesidad imperiosa de brindarles agradecimiento y alegría a todos. Yo era simplemente un medio para que todos se juntaran e hiciéramos algo apasionante. Así me sentía. Por eso la idea de este encuentro me pareció genial.

Perla, María Alejandra y Bélgica habían decorado la casa con fotos que habían tomado Iván, Leo y Romina. La fiesta tenía, además, un carácter de despedida. Primero nos iríamos a Nueva York, Fuco, Perla, Galo y yo. Luego iría otra parte del equipo, mientras una tercera parte se quedaba en Caracas. Cuando todos estábamos sentados, llegó mi papá. Todo el mundo se conmovió al verlo.

De pronto, se hizo silencio y mi papá pronunció unas palabras con las que nos bendijo a todos. Entre las que recuerdo, dijo lo siguiente:

—Todos ustedes van a hacer algo extraordinario. Quién sabe cuántas veces Maickel les dijo cosas y ustedes tuvieron que decirle que no. Un día yo aprendí que a Maickel no se le dice que no. Cada vez que yo le decía que no, él iba y lo hacía. Entonces al final yo perdía igual porque igualito lo hacía. Entonces aprendí que a Maickel hay que acompañarlo. Se le dice que sí, porque de esa manera facilitamos todo y lo hacemos más rápido, y lo hacemos mejor y lo hacemos para más gente. No sé si es así; de hecho no creo que sea así; más aún, no quiero que sea así, porque esto siempre ha de ser una autopista de doble vía y nadie tiene la verdad en sus manos —que él lo dijera fue como una confesión pública con mucho amor de algo que él sentía y nunca me lo había dicho antes.

Me conmoví mucho, porque mi papá, que es el ser que yo más admiro, me estaba dando el honor a mí, y le estaba dando la bendición a todos. Nos dijo: «Ustedes van a hacer algo muy importante, van a hacer algo muy bonito», y los felicitó a todos, y les dio su cariño y sus bendiciones. Mi papá no es un tipo de palabras, la verdad, pero esa noche nos sorprendió a todos. Lloramos, porque sentimos que Dios hizo presencia por intermedio de mi papá.

Fue una noche mágica, de celebración. Perla, como siempre, fue una gran anfitriona. Todo el mundo se sintió acogido. Hubo sensaciones encontradas porque estábamos felices, expectantes y melancólicos por la despedida del grupo.

Parte 5

Un sueño grande: los 42k

Hora de partir

«La ingenuidad te lleva a creer en ti, a obviar los pesimismos de otros, a vivir en el romance eterno y enamorarte de las posiblidades y no de las carencias».

Start spreading the news.
I am leaving today.
I want to be a part of it.
New York, New York...

(Comiencen a difundir la noticia.
Hoy me voy.
Quiero ser parte ella.
Nueva York, Nueva York)

CANCIÓN DE JOHN KANDER Y FRED EBB

Fuco, Galo, Perla y yo emprendimos el viaje, que se me pareció al de unos guerreros rumbo a la incertidumbre de un nuevo mundo.

Estaba muy emocionado y nervioso y me dio gripe. Ese proceso gripal hizo que durante esa semana estuviera muy débil y no pudiera entrenar. Para colmo, en Nueva York hacía frío. La primera labor que debía cumplir era recuperarme.

Cuando llegué a Nueva York, sentí, a la vez, al monstruo y a la caricia del amor. Era como una realidad muy fuerte. Por fin estábamos ahí. Por fin.

Romina se sumó a nosotros desde el primer día. Yo estaba recluido en el primer apartamento al que llegamos. No podía salir. Era una obligación. Me tenía que quedar acostado, sopa caliente y homeopatía pa'lante, para recuperarme lo más rápido posible. Todo eso alteraba el plan de Federico. Tenía que pasar tres o cuatro días en casa. Para no volverme loco, entrenaba en el apartamento, que medía menos de diez metros.

—Fuco, necesito entrenar.

Recuerdo que nos reíamos mucho porque Fuco y yo parecíamos unos locos. Yo corriendo de un lado al otro, él colgado de las puertas y de las paredes. Perla se reía a carcajadas, no podía creer que nosotros anduviéramos así... pero bueno, teníamos esa responsabilidad. Perla y Romina hacían diligencias; también estaban angustiadas porque sabían lo angustiados que estábamos nosotros. Federico, Perla y Galo asumieron una responsabilidad inmensa; me cuidaron de manera impresionante. De parte de los tres yo sentí un amor, un cuidado y una responsabilidad muy grandes. Tres días después, ya me sentía mejor. Al cuarto día, Federico me dijo:

—Ya. Vamos a entrenar.

Yo iba a entrenar e iba a ver cómo me sentía. Salí a entrenar con abrigo, guantes, todo... y la verdad es que me sentí muy bien. Me sentí fuerte. Fui por primera vez a recorrer la ciudad. Debo decir que ahí me conmoví.

Fue la primera vez que nos fuimos corriendo —o corriendo a mi ritmo— hasta el Central Park. Paramos en un café, seguimos y empezamos a entrenar. En ese entrenamiento descubrí algo que no había entendido hasta entonces, y era que el maratón, a lo mejor, nos había dado una tremenda lección de humildad. De verdad, esperamos tres años para estar ahí. O sea, tuvimos el suficiente deseo y amor por la meta para esperar lo que tuviésemos que esperar. Y él, a lo mejor, nos probó, a ver cuánta humildad teníamos, para realmente merecernos estar ahí.

Sentía la magnitud de la ciudad, del maratón, de todo lo que estaba pasando en esa ciudad. El maratón nos había dicho que no por algo muy sencillo: porque no nos lo merecíamos hasta ese entonces; nos lo teníamos que ganar. Todo se gana en la vida. Para mí fue una lección bella y poderosa. Me sentía tan bien y tan fuerte ese día, que fue muy bonito. Estaba muy alegre.

Estando ahí nos dimos cuenta de que ese año se había desarrollado la tecnología suficiente para la transmisión en vivo por la web, cosa que sería fundamental para conectar a la gente con el mensaje. Quizá haber participado antes en el maratón hubiera implicado no conectarnos en vivo y no ser tan trascendentes como ahora. Todo eso era una lección de humildad; una lección del maratón, de la vida, de todo lo que implicó que esperáramos tres años. Eso nos daba dignidad, pero a la vez teníamos que entender que nos lo habíamos ganado a pulso. El maratón siempre es más grande que tú.

Esa semana era la semana previa. El viernes llegaba el equipo documental, el sábado entrenaríamos y el domingo haríamos los últimos diez kilómetros, en espera del domingo siguiente, el del maratón. El viernes tuvimos una pauta de planificación y fuimos al consulado de Venezuela en Nueva York a honrar a nuestro país, a avisarles a las autoridades que estábamos en la ciudad y que correríamos el maratón en nombre de Venezuela. Fue un encuentro muy cordial.

El pronóstico del tiempo era muy importante. Todos los días estábamos pendientes de él. El sábado nos despertamos, abrimos las cortinas y vimos que estaba cayendo una nevada monumental. La nieve nos sorprendió. Debíamos inventar algo para seguir con los entrenamientos. Yo realmente no quería suspender nada. Recuerdo que fuimos a almorzar viendo la nevada que caía. Ese día dimos vueltas por Nueva York. Queríamos aclimatarnos, conocer la ruta y pensar qué podíamos hacer. Las calles mojadas y resbalosas eran sinónimo de peligro para nosotros. Pero, ¿cómo cuidarnos a la vez que no dejáramos excusas para no entrenar? De pronto decidimos ir a la tienda Nike, a recoger una parte del equipamiento que necesitábamos para el maratón. Era un lugar inmenso con espacio suficiente. Cuando llegamos, me fijé en el edificio, que es, como todo en Nueva York, una estructura enorme. De manera que hablamos con quien debíamos hablar y terminamos entrenando en el segundo piso del local. Tú entrabas a comprarte unos zapatos en la tienda Nike y, si mirabas hacia arriba, podías ver a un loco recorriendo una y otra vez la planta del segundo piso que convertimos en pista de entrenamiento. Yo tardaba más de dos minutos en darle la vuelta completa a la planta. Di sesenta y ocho vueltas en dos horas y pico. No había nada que nos detuviera. Ni la nieve ni la gripe ni nada servirían de excusa para dejar de hacer lo que teníamos que hacer.

Al terminar ese entrenamiento nos encontramos con Braulio y el equipo documental, y ahí empezó la travesía documental. Al día siguiente haríamos el último entrenamiento largo. Lo haríamos en la ruta de los últimos diez kilómetros del maratón. Queríamos pasar por ahí, para que cuando yo corriera los últimos diez kilómetros, supiera por dónde iba.

Había hielo por todos lados, el famoso *icy* que hace que todo el mundo se resbale y se caiga. El asunto era entonces entrenar los diez kilómetros sin caerse. Perla se puso a mi derecha y Fuco a mi izquierda, cada uno por un brazo, en el entendimiento que ese día Maickel no podía estar solo porque, ante el hielo y la posibilidad de resbalarse y caerse, era débil.

Mi temor más grande era que el día del maratón nevara. Una cosa es recorrer así diez kilómetros y otra, muy distinta, cuarenta y dos. Ese entrenamiento culminó con éxito. Lo que aprendimos de esa experiencia nos sirvió el día del maratón, cuando nos topábamos con las mesas de hidratación llenas de vasos de Gatorade de tamaño gigante.

Como hubo sorpresas que nos espantaron hubo otras insólitas que nos honraron y confirmaron que solo con intentarlo ya estábamos haciendo algo bueno que impactaba de forma positiva a la gente. Al tercer día de salir a la calle, mientras hacíamos junto a Richard un reconocimiento de la ruta del maratón, ocurrió algo maravilloso pero inesperado. Nos llamaron de la oficina de la Primera Dama de República Dominicana para comentarnos que la señora Margarita Cedeño de Fernández estaría en Nueva York y ofrecería un homenaje a los corredores dominicanos. Ella había sabido de mí por el programa de Ismael Cala en CNN y tenía excelentes referencias nuestras, y por tanto nos quería invitar a ser parte del evento. Era un gran honor que un país hermano te haga parte de su delegación sin haber corrido nunca. Fue un gesto hermoso que se acompasó cuando conocimos quién era el espectacular personaje. Fue amor a primera vista, amor por sus valores e ideales, amor por su cariño por mí, aun sin conocerme, así como por el amor fraterno hacia su país hermano Venezuela. Fue sobrecogedor y conmovedor recibir una medalla emblema llamada «Bien por ti». Fue un baño de trascendencia continental que nos dio fuerza, esperanza y una responsabilidad aún mayor. Perla y yo quedamos encantados.

Cuando llegó el resto del equipo, tuvimos que mudarnos a un apartamento más grande. Era una celebración poder encontrarnos como equipo, como gran familia. Llegaron Frida, Nelly, Gustavito, Óscar, Pedro… Se unieron a voluntarios que se habían sumado desde la Gran Manzana, como Dana Ríes, una gran amiga de Perla, una mujer grandiosa que residía en Nueva York y que, junto a sus pequeños, aportaron mucho al equipo gracias a su conocimiento de la ciudad. En Nueva York todo el tiempo anduvimos acompañados por Richard, un personaje maravilloso que conducía una van donde cabíamos algunos y trasladábamos el equipamiento. Poco a poco Richard se fue compenetrando con nosotros y participando más y más en nuestras aventuras.

El jueves antes del maratón tuvimos un encuentro muy importante en la Fundación Achilles International. No habíamos ido porque estábamos esperando que llegara Pedro. Esa reunión me impresionó mucho porque el mensaje de la gente de Achilles fue que ellos estaban trabajando muy duro por nosotros, que ellos se habían peleado con los organizadores mil veces para que me permitieran comenzar el maratón con anterioridad a la salida general y para que pudiera tener la compañía de varios de los miembros del equipo. Sin embargo, la gente del maratón solo permitió la presencia (oficial) de dos. Para los ojos del maratón, Perla y Fuco eran los embajadores de Achilles International y solo ellos podrían correr conmigo desde la línea de salida. Nadie más. Ni Óscar ni el equipo documental ni nadie más podría acompañarme en la línea de salida. Ellos que se sumaran, a modo de espontáneos, en otros puntos de la ciudad.

Mary Bryant fue muy clara:

—Maickel tendrá la mira en la frente desde que salga hasta que llegue. Cualquier detalle o inconveniente que no se amolde a las directrices del maratón causará su expulsión inmediata.

A pesar de lo dura que fue la reunión, la gente de Achilles fue muy amorosa conmigo y con quienes me acompañaron. Ahí tuvimos un almuerzo con Dick Traum, ese ser increíble que presidía Achilles International.

De esa reunión, Perla, Fuco, Oscar, Pedro y yo salimos con sentimientos encontrados. Por un lado estábamos satisfechos y sobre todo agradecidos por la cercanía con la gente de la fundación e indignados porque, de alguna manera, la gente del maratón nos señalaba y de alguna forma nos sentíamos nuevamente discriminados. Igual no podíamos hacer mucho, salvo seguir las normas de la carrera y tratar de hacer las cosas de la mejor manera posible.

En Nueva York el equipo siguió haciendo su trabajo. En cada reunión reinó la seriedad, pero también la alegría, la amistad y el conocimiento de que estábamos compartiendo una experiencia extraordinaria que nos superaba a cada uno de nosotros.

Y así seguimos hasta que el viernes 4 de noviembre de 2011 culminamos el último entrenamiento.

La línea de salida

«La verdadera diginidad humana está en pararse
en la línea de salida».

Era a la vez emocionante y aterrador sentirse como la infantería.

Que fuéramos el frente de batalla me produjo muchas sensaciones simultáneas: deseo, alegría, temor, valentía...

Era un sitio privilegiado para sentirse conectado con la vida. Entre el ruido, oía mucha música, mucho rock and roll, canciones conocidas de los años ochenta. Recuerdo que desde donde estábamos no podíamos ver de dónde salía la bulla ni ver a la gente ni quién decía algo o gritaba. No tuve tiempo de ponerme a pensar demasiado. Por fin, dieron la señal de partida. Mi vida entera se concentró en el camino que tenía por delante. La hora de la verdad había llegado.

Cuando dieron la partida del maratón de Nueva York, la sensación que tuve fue muy rara. Todas las personas que estaban ahí, que andaban en sillas de ruedas o que tenían alguna distinción física, se alejaron inmediatamente. Yo empecé a avanzar a mi ritmo, que era más lento que el de todas esas personas que me habían dejado solo muy rápidamente. Perla, Fuco y yo nos miramos. Estábamos felices, pero conscientes del reto que teníamos por delante. Que los participantes en sillas de ruedas nos hubieran dejado solos en tan corto tiempo fue como una advertencia, como un recordatorio de la soledad que implicaba el desafío que estábamos emprendiendo. En ese punto disfrutamos el momento; admiramos la belleza del puente Verrazano-Narrows, del que ya hablé al principio. El puente era el símbolo del comienzo de algo muy grande, el símbolo de la decisión que tomamos de que, si comenzamos aquello, debíamos terminarlo como fuera. Era la asunción definitiva de una gran responsabilidad. Muchos me habían ayudado en esta historia, pero en aquel momento el peso de todo aquello era mío. Las palabras sobraban, venían los hechos.

A todo aquello se sumaba el temor de que me estuviesen observando. Sabía que, por cualquier desliz, me podían sacar de la ruta. Todo apuntaba a mí y yo tenía que responder. Recuerdo que como parte del mensaje, ese año, entre muchos otros encuentros voluntarios, me presenté ante mil doscientos jóvenes a los que les dije que participaría en ese maratón. Tenía que cumplir mi promesa, no solo con ellos, sino con todo el equipo y con tanta gente a la que no conocía pero a la que sabíamos que podíamos influir con nuestra acción. Esa responsabilidad la asumí con todo el amor que me fue posible. Era decirle que sí a un mundo que gritaba que no en cada paso. Era la apuesta por el mundo, con mucha rabia y amor al mismo tiempo.

El puente era mítico. Un templo de acero. Habíamos visto esa imagen en infinitas oportunidades; nos hablaban de su inclinación, que habíamos ensayado cientos de veces. El Fuco y Perla siempre estaban a mi lado. Durante unos minutos, el puente quedó para nosotros solos porque la gente que estaba detrás no salía todavía y la gente que estaba delante ya se había adelantado mucho. Era una sensación muy extraña. Tanto fue así que durante unos instantes, mientras yo estaba concentrado, Fuco y Perla se permitieron disfrutar del puente. Para ellos fue respirar un poco y prepararse para la avalancha. Para mí fue muy bonito, fue como mi encuentro íntimo con Dios, a quien le pedía fuerzas y le agradecía por permitirme ser útil.

La subida se acababa. Estábamos llegando a lo más alto del puente. Por fin, divisaba la ciudad a la que íbamos. El monstruo estaba a punto de tragarnos. Ahí mantuvimos el ritmo tranquilo y conservador al inicio, porque no sabíamos cómo iba a ser el desgaste de mis piernas. Cada paso estaba medido. Fuco cuidaba cada kilómetro, cada parcial, y yo tenía que estar muy enfocado.

En ese momento lanzaron la partida de los corredores élites. Nosotros íbamos por el carril izquierdo y ellos por el derecho. Así que vimos su salida prácticamente en primera fila. Eso sí: así como los vimos salir, los vimos perderse. Fue increíble ver cómo volaban.

Bajamos del puente. Se acabó la calma. Nos adentramos en la ciudad. En cualquier momento vendría una situación difícil con el gentío. Teníamos mucho temor de cómo asumirlo. En los entrenamientos ya una vez me habían tumbado. Un corredor me llevó por delante y caí de boca. Si eso pasaba otra vez, mi cuerpo se debilitaría y quién sabe cómo afectaría el resto de mi participación. Si caía, no tenía la capacidad de poner mis manos o brazos para evitar algún golpe; por lo tanto, cualquier caída implicaba un golpe sólido y directo a fuerza de peso muerto, sumado a la impotencia y el susto de la imposibilidad de protegerme.

Vimos a las primeras personas. Dimos una vuelta en u que nos llevó a la avenida más larga de todo el maratón, creo que era la Cuarta Avenida de Brooklyn y ya venía la gente, ya habían soltado a la manada. Se sentían los miles de pasos que se acercaban. Justamente nos agarraron las primeras personas dando la curva que nos llevaba hacia esa avenida. Era como un enjambre, como sentirte en el medio de una manada de toros, en la Fiesta de San Fermín. En el equipo habíamos especulado mucho sobre cómo evitar que me tumbaran, y, durante todo un mes entero, Fuco, Perla y Óscar pensaron qué hacer. Las soluciones parecían salidas de la NASA: usar tubos de foami o goma espuma. Hablaron de todo tipo de materiales, pero ninguno daba con el ideal. Al final la solución fue la más simple, como suele suceder; lo que está allí y no has visto hasta que sucede: un suéter. Lo conectaron entre Perla y Fuco de mochila a mochila, como una barrera que atajaba a cualquier persona que pudiera tumbarme por no verme o por ir a un ritmo más rápido. Así fue: hubo un inmenso primer empujón que hizo que las alarmas se encendieran, pero el sistema funcionó; Perla y Fuco lograron atajarme. La solución de las cosas más importantes salía del propio camino, con lo que se tenía a mano. A veces buscamos las soluciones más complicadas y nos angustiamos por lo que no tenemos, cuando normalmente la solución está frente a nuestros ojos.

Por lo general, la vivencia te da la solución. Hay que tener fe y tranquilidad. Y, por supuesto: la atención debe estar puesta en el momento, no en lo que no fue o en lo que no es. Fuco y Perla amarraron el suéter. Llegó la manada de búfalos. Había gente por doquier. Nos gritaban. Nos aupaban. Querían ayudarnos.

En el kilómetro cinco había gente por todos lados. Era impresionante. Yo ya había experimentado lo que se siente en una carrera, pero esto era otra cosa. Era un río inmenso cuyo caudal cada vez crecía más. Nadie te conocía, pero todos enfrentaban la misma batalla, la misma angustia, la misma alegría de ser parte de la historia. Compartíamos una prueba, éramos como hermanos de batalla, esos que no se olvidan nunca, aunque no los conozcas o no vuelvas a ver jamás.

En ese campo la emoción crecía y el susto también. Perla y Fuco estaban muy concentrados en sus labores, que en ese momento consistían en evitar cualquier «atentado». Entre los kilómetros cinco y seis hubo un primer conato: una persona me llevó por delante y mis amigos me atajaron en el aire, antes de caer. Nuestro equipo estaba funcionando exactamente como tenía que funcionar ante ese mar de gente que nos sorprendía.

Las palabras y la vida son cosas distintas. Los pensamientos, las creencias, los planos. No es lo mismo decir cuarenta mil personas que vivir un instante entre cuarenta mil personas. No es lo mismo hablar del maratón más emblemático del mundo a sentir esa vibración en el asfalto de Nueva York, la palpitación de millones de pisadas por segundo. Era alucinante ver a la gente alrededor. Era muy bonito ver cómo los padres llevaban a los niños para que chocaran las manos con los corredores. Así me imagino yo las épicas griegas, romanas y medievales, con ejércitos infinitos, mares de gente. En este campo de batalla había un batallón que conocíamos que era el formado por los venezolanos. Yo sentía una alegría infinita porque algunos venezolanos supieran que estábamos allí y se cruzaran con nosotros, nos saludaran orgullosos y viceversa. Fue muy hermoso.

Entre los kilómetros cinco y seis empezamos a ver las mesas de hidratación, que impensablemente se harían protagonistas de esta historia. Cada punto de hidratación consistía en una montaña inmensa de vasos. En ellas veíamos lo exagerado del norteamericano en cuanto a comida y bebida; el exceso de consumo representado en un envase inmenso de Gatorade, tres veces el tamaño al cual estábamos acostumbrados. Nosotros veníamos de un país en el que, en cada carrera, nos daban un vaso mínimo, del tamaño para servir un café. Pero la sorpresa no tenía que ver solo con el exceso como parte de la cultura; tenía que ver también con el peligro que para mí representaban cuarenta mil vasos tirados en el piso. Cuarenta mil vasos mezclados, además, con el líquido regado y que se congelaba gracias al frío del ambiente. Alrededor de las mesas de hidratación se formaban auténticas pistas de patinaje sobre hielo, lo que hacía que tuviéramos que redoblar las precauciones al pasar a su lado.

Gracias a Dios, ya habíamos practicado ese escenario, semanas atrás, cuando sorprendentemente nos había nevado en octubre sobre Nueva York por primera vez en treinta años. Nada es casualidad. Alcanzar la primera mesa de hidratación ya nos indicaba que otra vez debíamos adaptar la estrategia que teníamos a cualquier circunstancia que pudiera aparecer. La meta era llegar, terminar como fuera. A cada paso, me recordaba que ese «como fuera» debía ser muy humilde, porque en el momento en que yo me planteara llegar guiado por el ego, muy probablemente el evento me comería. Si no tenía cuidado, mi propio ego me consumiría y lo haría, además, en esa ciudad construida para imponerse al que se atreva a retarla.

Pedí que, en el tránsito de las mesas de hidratación, Fuco y Perla me sostuviesen por cada brazo, por si acaso. Hubo un momento en que nos colocaron una mesa de hidratación por cada lado. Ya no era derecha o izquierda, sino en el medio, con cuarenta mil personas pasándonos por encima. Era como tener todos los flancos abiertos.

Cruzamos la primera mesa de hidratación utilizando nuestra estrategia y, en adelante, ante todas las mesas que encontrásemos por lo menos mientras estuviéramos entre el gentío, hicimos lo mismo. No teníamos idea de cuánto iba a durar aquella situación: una hora, dos. Al final fueron cinco horas de un gentío que cruzaba.

En el kilómetro diez nos alcanzó Óscar, que como no tenía su credencial de Achilles, salió corriendo con su número desde el corral. Era como el mensajero del otro lado de la vía. Nos traía todos los cuentos del mundo. Sentíamos una alegría muy grande porque ya no estábamos solos y era una sensación que yo no iba a entender hasta semanas después de haber terminado el maratón. Era como si supiéramos que alguna parte de ese átomo que íbamos a configurar estuviera ensamblándose en ese instante. Ya nos sentíamos tranquilos, seguros. Perla a mi lado derecho, Fuco a mi lado izquierdo y Óscar en la parte de atrás. Eso era tan natural, que en el momento en que comenzaron a rotarse de posición, ellos mismos se pusieron de acuerdo en permanecer de esa manera.

Arrancamos con mucha precisión y disciplina. Perla, Fuco y yo nos mirábamos con una alegría tremenda. No creíamos en dónde estábamos, a la vez que sabíamos a lo que íbamos.

La Cuarta Avenida de Brooklyn se me hizo eterna. Yo ya llevaba casi tres horas y cuarenta minutos de recorrido. Ahí comenzó a acabarse el maratón. Al final de esa avenida, la marea de gente que nos había acompañado durante cuatro horas comenzó a reducirse. Nunca estuvimos preparados para tener a tantas personas alrededor (al menos psicológica y emocionalmente). Hasta ese día no sabíamos lo que era entrar en un río de gente durante cuatro horas. Fue una experiencia increíble. Como hubo salidas a distintas horas, se produjeron varias oleadas. Cuando acababa una comenzaba la otra. El espectáculo era hermoso. Había familias en las calles, con los niños que chocaban las manos de los corredores. Por todos lados veías el colorido que producían no solo los cuarenta mil participantes, sino la multitud que se congregaba a ver la carrera. Era increíble saber que cada quien tenía una razón distinta para estar ahí, para participar según sus posibilidades.

Todo aquello hacía que pensara en mí mismo, en lo que estaba haciendo ahí. En aquel momento yo no era un maratonista. Apenas estaba tratando de alcanzar el título. Era algo interesantísimo, porque uno no es maratonista hasta que termina, por lo menos, un maratón. El entrenamiento no te hace maratonista. Creo que así es la vida. Puedes entrenar para hacer algo, pero hasta que no lo haces de verdad, no lo eres. La acción te va definiendo. Desear es una acción. El deseo y el sueño te definen. Desear y soñar son verbos que marcan acciones, desde las más visibles hasta las más intangibles. Sin embargo, todo ha de confluir en hechos. Al final, a eso vinimos a este mundo: a materializar los sueños, a que se hagan materia viva, tangible, visible.

Sabía que nada más el hecho de soñar era una opción y, por lo tanto, ya hacía algo, aunque nadie lo viera. Yo estaba ahí, en Nueva York, ejecutando la última parte de esa acción. Pero, en este mundo, esa última parte es la que te da el título, que a la vez te permite dar un ejemplo concreto a otros para su propia vida. Mientras tanto, eres una promesa, una apuesta.

Desde pequeños, antes de contarnos una historia, nos dicen cuál es el nombre de esa historia. Eso nos hace creer que primero tenemos que ponerle el título para después disfrutarla o vivirla. Pero es al revés: tenemos que vivirla para luego ponerle el título, y si el título no se le pone, y si simplemente alguien dice «fin», está bien, porque la vivencia es mucho más trascendental que el título que tengas. En el maratón no buscábamos medallas ni títulos. Buscábamos la continuación de una historia. Al final se trata de un propósito más grande que yo, un dictamen superior. Algunos lo llaman Dios, otros lo llaman naturaleza, energía o casualidad. Pero al final siguen siendo lo mismo: algo más grande y poderoso que tú, algo que te define sin que puedas explicarlo.

Cuando yo estaba entre toda esa gente, entendí que al final así es la vida: si nadas en el río adecuado, la corriente te llevará por donde es. El problema comienza cuando la corriente no es tan fuerte como para llevarte. Ahí es donde no tienes nada a qué aferrarte, salvo aquello que tienes contigo, dentro de ti y que tendrás que usar para poder surcar el río tú solo.

Entre los kilómetros diez y quince, la corriente de la gente que corría y la de la gente que animaba empezaron a disminuir. Todo empezaba a normalizarse. Eso me ha pasado muchas veces en la vida. La vida a mi alrededor se normaliza, mientras yo sigo haciendo algo que viene a decir que aquello que parece normal no lo es, que puede haber algo más, que todavía hay una historia que contar que nadie ve hasta que ocurre.

Entonces empezamos a pasar por sitios pintorescos. Había música, había gente apostada al frente de sus casas que nos vitoreaba con los típicos pipotes de basura neoyorquinos de Plaza Sésamo que uno vio cuando chico. Había restaurantes con mesas colocadas en el borde de la calle para comer y ver pasar a los corredores.

Recorríamos Brooklyn, salíamos de la parte secular y entrábamos en un barrio judío-ortodoxo, donde nos mezclamos con esa esencia tan particular. Yo estaba muy atento del tiempo. Llevábamos buen ritmo. Sabía que había un punto que era muy importante porque marcaba la mitad del camino: el puente Queensboro.

Antes del puente, en Queens, se encontraba la marca de los veintiún kilómetros. Ahí comenzaba la segunda mitad del camino, que iba a ser quizá la más difícil. En esa segunda mitad estaríamos muy solos, una circunstancia que se convertía en un filtro. Ya no éramos parte de un evento inmenso, sino que era cada vez más un entorno desconocido, solitario, inentendible, que se parecía a mi vida, lo cual está bien, porque justamente es a partir de tu vida como puedes acompañar o influir positivamente sobre la vida de otros. No hay manera distinta de hacerlo.

Recuerdo que Fuco y Perla se preocupaban por mi nutrición. En ese momento debía nutrirme e hidratarme. La dificultad que enfrentábamos era que no sabíamos qué debía comer. No estábamos seguros de que lo teníamos a mano funcionara, sobre todo frutos secos para acumular grasas buenas en vísperas de una noche muy fría. Entonces empezaron a aparecer ángeles voluntarios por todos lados, a quienes yo no veía porque estaba concentrado en mi trabajo. Perla se movía a través de todos para tantear todo lo que fuera práctico y productivo en un maratón.

Al salir de Brooklyn tenía la sensación de estar montado en una banda caminadora. A pesar de que el paisaje es amplio y variado, me parecía que no avanzaba. Sabía que el cambio de suburbio me animaría.

Entre los kilómetros dieciocho y diecinueve íbamos muy bien con los tiempos, y empezar a salir de Brooklyn me animaba. Recuerdo, eso sí, que me sentía muy cansado. Pienso en esos momentos y me conmuevo mucho. La noche anterior al maratón, Perla y yo conversamos. Le dije que sentía que haríamos algo muy bonito pero muy fuerte para mí, y que en esa tormenta interna que viviría ella sería una fuente muy grande de paz. Y lo fue. El desafío era infinito: ser fuente de paz mientras ocurrían cientos de cosas y sorpresas que se debían atender alrededor. Estábamos muy conectados. Recuerdo que además recibía mensajes y llamadas de todo el mundo. Perla me decía: «Fulano de Tal está escribiendo». Personajes tan importantes como, por ejemplo, mis maestros, estaban conectados conmigo desde Colombia y Venezuela. Recuerdo muy amorosamente a Carola Castillo y Tony Colarusso, a Omhelia Pacheco. Sus mensajes llenos de amor fueron muy importantes para mí. Hicieron que me sintiera acompañado y querido.

Más allá del amor, sentía que aquellos mensajes confirmaban que lo que estábamos haciendo era importante.

En uno de los cruces, recuerdo unos edificios a mano izquierda donde desde arriba, desde los balcones, la gente estaba viendo lo que pasaba. Yo sabía que al llegar a esa bajada y cruzar a mano izquierda, estaríamos frente al puente Pulaski, que te llevaba a Queens, y pasaríamos por el ansiado kilómetro veintiuno.

Recuerdo con toda nitidez esa parte del trayecto. Hoy me siento apenado por regañar a los fotógrafos porque se cruzaban en la vía. Apenas los veía los mandaba para atrás. Cuánto amor y cuánta paciencia mostraron Romina, Gustavo y todo el equipo documental.

Me puse regañón no solo porque estaba muy concentrado, sino porque sentía que estaba cuidando algo muy frágil y muy puro que, además, no era mío. Por un lado estaba corriendo, enfocado en la ruta, y, por otro, estaba consciente de todo lo que ocurría a mi alrededor. Sentía mucha rabia, la rabia que merece el combate, rabia positiva que transformaba en fuerza para todos. Recuerdo que al bajar del puente Pulaski, a mano izquierda, llegamos a Queens. Para mí fue un alivio increíble. Sabía que al llegar al final de esa calle, habría recorrido veintiún kilómetros. Estaba muy cansado ya, y no era ni la mitad del camino.

En ese tramo nos encontramos con una reportera que nos venía siguiendo desde hacía días. Quería que le diera una entrevista en plena carrera. Pero como yo estaba tan concentrado en el mensaje, le dije apenas unas palabras. La periodista y los fotógrafos nos acompañaron un tiempito. Uno nunca sabe, si fue por esa distracción o si fue porque algo se movió allí, o si simplemente fue la física, pero cerca del kilómetro veintiuno tuve un accidente. Pisé un vaso que quedó tirado en lo que fue un punto de hidratación y me resbalé. Mi mayor temor tenía que ver con la rodilla izquierda y, en efecto, la rodilla se salió del lugar, se luxó y, por supuesto, sentí un dolor inmenso.

Gracias a Dios, Perla logró atajarme en el aire y Óscar se colocó a mi izquierda y complementó la rápida acción. Me levanté de inmediato y seguí, pero con muchísimo dolor. Y ese dolor, esa luxación, hizo que mi pierna izquierda se debilitara de una manera insólita.

A partir de ese momento mi ritmo, que iba perfecto, empezó a bajar. Óscar recordó ciertos ejercicios que habíamos hecho para casos muy particulares como estos. Era como revivir el entrenamiento. Era como vivir momentos de *Rocky*, en los que el boxeador se da cuenta cómo los diversos entrenamientos le ayudan durante el combate. O como cuando en *Karate Kid* el pupilo se da cuenta que pulir el auto y pintar la cerca tenían todo el sentido del mundo. Tal era mi caso.

Mi entrenamiento sirvió para fortalecer los movimientos que, causalmente, necesitaba en aquellos instantes. Eso reafirmaba el valor del trabajo tanto de Fuco, mi entrenador, como de Óscar, mi fisiólogo y fisioterapeuta. Me sentí muy orgulloso y muy privilegiado de trabajar con esos seres.

Cuando me caí, nos alarmamos todos porque entendimos lo que ya sabíamos: no solo que no estábamos jugando, sino que cualquier detalle podría acabar con nuestra historia. Eso hizo que el grupo se reordenara. Cada uno entendió, comenzando por mí, la necesidad de la concentración. A partir de ese momento no hubo más distracciones.

Como anécdota que retrata la atmósfera que todos experimentamos, un poquito lejos, pero a mi alrededor, había otro grupo de personas que me acompañaban. Se mantenían lejanos, como los niñitos cuando se esconden debajo de una mesa sin mantel. Carlos, Alberto y Mari De Veer llevaban rato acompañándonos y ayudándonos en lo que podían. Ambos empezaron a caminar delante de nosotros, muy delante nosotros, dedicándose a guiar la ruta y limpiar el camino para que yo no me volviera a topar con vasos u obstáculos que fueran un peligro. Los vasos tirados en el suelo se convirtieron en nuestros peores enemigos.

La familia De Veer entera, que en ese instante se sumó de forma silenciosa y convencida, sería posteriormente un faro y una referencia, no solo para construir sueños, sino para darle rostro a los valores familiares. Su entrega amorosa ha sido y es invaluable.

En el kilómetro veintidós tuvimos una confusión. Ya habían abierto algunas calles. Ya la señalización no era muy evidente. Con mi dolor en la pierna y con el cansancio que ya llevábamos, cualquier confusión, cualquier detalle, despertaba el fantasma que tenemos todos por dentro: el fantasma de la víctima. Es ese fantasma que todo el tiempo está allí para decirte que no, que no puedes, que la culpa es del mundo, que te detengas, que lo mejor es sentarte a llorar porque no vas a conseguir tu sueño y hay un mundo para echarle la culpa. Y ante eso, puedes sucumbir fácilmente o decir que no, que sigues adelante. Es una batalla, sin duda. Una batalla permanente, continua. Esa voz es tan inteligente, tan hábil, tan perspicaz, que encuentra cualquier resquicio para introducirse, cualquier especie de quiebre del plan para decir: «¿Viste? Ahí está. Ya te fregaron tu plan. Ya se acabó. Ya eso que tú querías no se va a lograr».

Entre los kilómetros veintidós y veintitrés pensaba que estaba en la mitad del camino y que muy pronto llegaría a un momento importante de la carrera. A partir del kilómetro veintiséis empezaría lo desconocido. Veintiséis kilómetros era el límite de mis entrenamientos. Así que desde ese punto comenzaba la apuesta.

Yo seguía mi recorrido, pero en un momento determinado sentí una especie de confusión. Sabía que estaba cerca del puente de Queensboro, pero no tenía clara la ruta que debía seguir para entrarle.

Ahí la voz comenzó otra vez a gritarme: «Ya se perdieron. No te supieron decir bien las cosas». Y la rabia, la rabia profunda, que justamente es esa emoción que fuimos a sanar e invitar a que todo el mundo sane. Era necesario transformar la rabia en fuerza.

Recuerdo que repetía: «Busquen la entrada, busquen la entrada, busquen la entrada»… Porque era muy importante. «Verifíquenlo, verifíquenlo, verifíquenlo». Y gracias a Dios, después de un desvío que hizo que el camino fuera más largo de lo normal, encontramos el resquicio que nos llevó a la ruta correcta. Cruzamos, y llegamos a una rampa que nos llevó al Queensboro Bridge, el puente que nos permitiría salir de Queens y entrar en Manhattan.

El Queensboro era otro puente de esta historia. Acá hay que entender que los puentes eran eso, puentes, pero también puentes hacia otra dimensión. Era como transportarte en el tiempo y en el espacio. Eran portales dimensionales que te llevaban a mil cosas: desde mundos oscuros y dificultosos a otros más elevados y llenos de energía.

Al cruzar el Queensboro, no sé por qué sentí que debía ser más duro conmigo mismo. Quizá haya sido la estrechez del camino. En algún momento les pedí a quienes me acompañaban que se fueran para atrás, a excepción de Perla, que necesitaba que siguiera a mi lado, acompañándome con su paz y complicidad profunda. Delante de mí se colocó Federico; Óscar atrás. El resto nos seguía. Ese puente nos llevaba desde el kilómetro veintidós hasta el veintiséis. Eran casi cuatro kilómetros con una subida y una bajada incluidas. Como estaba oscureciendo, sentí que el puente me llevaba de la luz a la oscuridad. Además, la temperatura comenzó a bajar. El viento gélido me enfriaba el cuerpo de una manera brutal. Allí apareció una gran amiga, Patricia Vegas, en compañía de la familia Chumaceiro, que tenía un niño con alguna distinción física. Ellos tenían mucho tiempo intentando contactarme y fue en ese puente donde nos vimos. Que ellos llegaran ahí hablaba de que la gente se estaba enterando de dónde veníamos y en qué estábamos. Pero claro, mi amiga me quería saludar y abrazar, pero estábamos muy concentrados; por eso, de forma muy linda, se colocaron atrás y nos acompañaron un buen rato. Después me enteré que detrás de mí había un gentío en silencio.

Para mí era una mezcla de emociones. Quería que las personas estuvieran conmigo al lado, pero no podía distraerme por cumplirle a todos. Esa experiencia fue muy bonita porque lo único que la familia Chumaceiro quería era que el niño nos acompañase. Gracias a Dios, el niño estuvo ahí con nosotros, algo que nunca podré olvidar. En ese instante sentí que esa familia estaba muy probablemente viviendo lo que mi familia vivió conmigo durante mucho tiempo.

Fue un honor, un enorme honor.

Recuerdo la imagen del tope del puente. Ya divisaba Manhattan. ¡Cuántas cosas me pasaban por la cabeza! Pasaban cosas tan absurdas y tan locas como que me empezaba a preguntar: «¿Cuánto falta?», y entonces yo mismo respondía: «Sé que por lo menos faltan…». Y calculaba que desde el kilómetro veintiséis faltaban por lo menos siete o diez horas. Era muy fuerte: ¡siete horas! Trataba de ayudarme transformando las horas en películas: «Faltan tres películas y media de Harry Potter», por ejemplo. Quizá me acordé de eso por la magia que tratábamos de crear; quién sabe.

Me dolía todo. Por eso digo que para mí los puentes se transformaron en portales dimensionales que me llevaban a tomar decisiones. Creo que en el Queensboro entendí definitivamente a qué me estaba enfrentando. Me estaba enfrentando a una decisión determinante que me llevaría a conocer el dolor más profundo de mi vida. A partir de allí conocería, por voluntad propia, un infierno.

Un maestro llamado Manuel Barroso me dijo que, para salir del infierno, primero hay que entrar en él. Y eso hice: decidí entrar en el dolor más profundo que se pudiese sentir. Sabía que iba a continuar hasta el final. No me importaba cuánto tardara. No me importaba nada. Continuaría hasta el final. El dolor de la pierna era como un recordatorio que a cada rato me decía: «Esto te está doliendo y te va a doler mucho más». Y era eso. Era tomar esa decisión en la cima del puente Queensboro, con los vientos más fríos que pudieras imaginar, acompañado por la calidez de quienes estaban conmigo. Que yo estuviera allí era insólito, pero que todas esas personas siguieran conmigo era más insólito todavía.

De pronto, cuando estábamos pensando en todas estas cosas, llegó mi amiga Patricia Vegas, que se había adelantado y dejado al niño atrás, con su alegría habitual. Nos traía un mensaje:

—Al final del puente están esperando a Maickel.

Yo estaba en lo mío. Que hubiera gente esperándome era un compromiso muy grande. Era hermoso que hubiese gente dispuesta a acompañarme, pero yo no podía atenderla. Pensar en eso incrementaba mi dolor. Por eso le dije a Perla:

—Por favor, yo no quiero ver a nadie.

Al final del puente, había no sé cuántas personas. Nunca me esperé tanta gente. Nosotros habíamos decidido que las postas de acompañamiento estarían en los últimos cinco kilómetros, justamente para evitar la distracción y que la gente padeciera junto a mí. Yo debía cuidar mi energía y también la de quienes me acompañaban. Mi ritmo había descendido mucho y no sabíamos cuánto íbamos a tardar a partir de allí. Lo que te dicen los maratonistas es que, cuando dejas atrás el Queensboro, comienzas a escuchar un ruido, y cuando cruzas a la izquierda, llegas a la Primera Avenida de Manhattan, que es una enorme subida repleta de público. Por si fuera poco, en ese punto te encuentras también con lo que los maratonistas llaman «la pared» o «el muro» del kilómetro treinta.

Yo pensaba que, en mi caso, sin duda, me toparía tanto con la pared como con la subida. La algarabía de la multitud probablemente no la escucharía porque a esa hora la gente estaba en su casa, cenando, disponiéndose a dormir o quién sabe qué. Seguramente me esperaría el ruido de los camiones recogiendo la basura y los restos del maratón.

Ya había oscurecido y bajaba por el puente. Pronto me encontraría con el grupo de personas que nos anunció Patricia. Yo no podría decir cuánta gente había pero era un grupo hermoso. Solo sospechaba que ahí estaría gente como mi hermana o algunos otros miembros de mi familia. A menos de un mes del maratón, a mi papá lo operaron de un pulmón. De manera que la presencia de mi papá en este evento era muy incierta. Yo sabía que mi papá estaba en Nueva York. Cuando nos vimos, le dije que si quería apoyarme lo hiciera solo en la llegada, que no anduviera por ahí porque yo no quería preocuparme por él.

Salí del puente muy rápido. Como venía en bajada, llevaba el impulso suficiente como para agarrar la subida de la avenida sin perder el paso. Crucé a la derecha y de pronto me encontré con un montón de personas. Por supuesto, no me detuve. Me alegró que estuvieran ahí, aunque no detallé quiénes eran. Solo sentí presencias. Estaba muy concentrado. Pero siempre estaba pendiente de mi papá. En los primeros kilómetros yo le preguntaba mucho a Perla por él. Le preguntaba una y otra vez si había hablado con mi hermana y si le había insistido en que hablara con mi papá para que no saliera de la casa; le habían hablado, pero sabía que mi padre era persistente y cuando quiere algo va por ello.

Al salir del kilómetro veintiséis comenzaba una aventura inédita. Por un lado, y como ya dije, en mis entrenamientos solo había llegado hasta esa distancia. Por otro, a esa hora ya las calles estaban abiertas, e íbamos a tener que empezar a subir y bajar aceras, lo que era muy difícil para mí, sobre todo con el dolor que tenía en la pierna. En las aceras de Nueva York hay peraltes y hay alcantarillas y hay detalles de los que uno ni se entera hasta que les prestas atención. Fuco me pidió encarecidamente que comiera algo. Había una sopa china que, aparte de alimentarme, me haría entrar en calor. Eso era importante porque ya yo estaba sufriendo de hipotermia.

A partir de allí, subimos y bajamos aceras, y el dolor era muy grande. Cada vez que me detenía y volvía a arrancar, el dolor era increíble. Yo no entendía el dolor. No lo entendía, ni lo entiendo todavía. Me sentía como el torturado que está guardando un mensaje que no debe soltar hasta que no se encuentre con quien se tiene que encontrar en el lugar acordado. Nos tuvimos que parar dos o tres veces para comer algo, cucharaditas de sopa, y subir y bajar más aceras.

La Primera Avenida de Manhattan se extendía entre los kilómetros veintiséis y treinta y cuatro o treinta y cinco. Era una avenida muy larga y toda en subida. A mí me encantaba, porque siempre me han encantado las subidas. Esa dificultad ya la tenía visualizada desde hacía mucho. Me encantaba estar allí, en ese lugar, ese lugar conocido entre los corredores con el que soñé tantas veces. Era como enfrentar al monstruo para el que llevaba años preparándome.

El dolor era un privilegio. Pero llegó un momento en el que fue demasiado y tuve que tomar una decisión. Sin pensarlo, sin preparar a nadie, en una de esas calles, decidí que necesitaba bajar de la acera, necesitaba volver a la calle, y que no me importaba si teníamos que andar en fila india y así ocupar el menor espacio posible. Yo no podía seguir subiendo y bajando aceras, porque el dolor de la rodilla era demasiado grande. La rodilla me dolía demasiado. Se me salían las lágrimas del dolor. Cuando tomas decisiones valientes, todo alrededor cambia. Es como que impregnaras de tu esencia todo lo que te rodea. Cuando decidí bajar a la calle, todos se alarmaron. Ya eran, más o menos, las 7:30 u 8 pm. Cuando el dolor se me hizo insoportable y lo asumí, fue como si el mundo se rearmara y cada una de sus partes tuviera que buscar cuál era su nuevo puesto.

Fue en ese instante cuando Federico asumió una actitud y una postura ante la vida que nunca le había visto. Para mí fue un honor ver frente a mí a ese jefe de expedición deportiva que yo estaba buscando desde el inicio de esta tarea. La mirada serena, pero muy firme, de ese líder, me decía exactamente el paso que debía dar, cómo debía respirar, qué debía hacer... Federico me exigía. Cuando te exigen, cuando estás dando el máximo y te exigen, de alguna manera te dicen que puedes más, y eso es muy satisfactorio, si viene, sobre todo, de alguien en quien confías. Para mí fue muy conmovedor ver a Federico en esa posición. Fue, además, un privilegio. Ya en esa acción en él mismo se notaba el poder transformador de lo que estábamos haciendo.

En medio de todo, nuestros temores aumentaban. Íbamos por la calle, en una avenida que ya había sido abierta al tráfico automotor. Detrás de nosotros venía una van. Sentíamos temor de atravesarnos a los carros, de circular por donde no debíamos. Teníamos miedo de que alguien del maratón nos viera, nos sacara de la ruta y nos descalificara.

A esa hora Nueva York retomaba su ritmo. La fiesta del maratón ya había pasado. En todo ese proceso de recuperación de la cotidianidad nos llamaba mucho la atención la actitud de las autoridades. Las autoridades eran las que nos podían sacar o no de la vía. Su apoyo era modesto, pero ya, a las ocho de la noche, las calles estaban abiertas y pensamos que en cualquier momento se nos acercaría alguien a decirnos que ya no podíamos andar por ahí, corriendo con tanta libertad. Hubo una esquina donde nos encontramos con una enorme cantidad de policías. Estamos hablando de cien policías, o más, en esa esquina, tomando café, terminando su jornada, quizá. Cuando los vimos, dijimos: «Nada. Hasta aquí llegamos». Nuestra tensión, nuestra adrenalina… Fue como si se detuviera el tiempo… Para nosotros fue una locura, una insólita locura, ver cómo un mar azul de policías se volteaba a aplaudirnos. Ellos no podían creer lo que estaba ocurriendo… Ni nosotros… Allí entendimos que habíamos transformado a Nueva York en Caracas; que se había transmutado la ciudad. A partir de ese momento vimos taxistas que me gritaban: «Vamos, Maickel», gente que nos decía que el maratón no se había acabado porque faltaba un corredor. «No había llegado el último». Ahí entendimos que la ciudad nos daba su permiso, que se había abierto y nos permitía terminar la jornada. Nueva York nos había regalado su sonrisa más amable.

Desde ese instante la concentración fue absoluta. Solo me acompañaban el silencio y el dolor.

Mi confianza en mí mismo tenía que ver con volver a creer en cada paso que daba. Si me detenía, el dolor para volver a comenzar sería indescriptible. Entre los kilómetros veintiocho y veintinueve entendí que llegaría a la meta, pero que eso implicaba vivir la mayor de las torturas. Yo sufriría, pero apostaba a que ese sufrimiento fuera útil para que otros vivieran sus propios sufrimientos.

Estábamos en la Primera Avenida de Manhattan, que es una inmensa avenida en subida con no sé cuántos canales. Era de noche. Mi concentración era profunda. Sin embargo, lo que ocurre conmigo es que, mientras más me concentro, más disociado puedo estar. Mientras más me enfoco en algo, más amplia puede ser mi visión periférica. En ese momento estaba muy enfocado en Fuco, que iba delante de mí, y que me repetía: «Respira. Vamos bien. Sigue». Él entendió que yo lo necesitaba.

Alguien compró unas lucecitas rojas que titilaban y que les avisaban a los peatones y a los conductores que tuvieran cuidado con nosotros. Todo estaba pensado y planificado muy responsablemente.

A mi alrededor tenía todos los estímulos posibles: visuales, auditivos... Era como si estuviera mucho más abierto a todo cuanto ocurría cerca de mí. Sentía como que todo me llegaba más rápido, que todo me permeaba con más facilidad.

Entonces, en la visión periférica, a mi lado izquierdo, vi a personas que, sin duda, nos seguían desde el puente Queensboro. Eran personajes tan particulares como la señora Tita Mendoza, toda una institución del quehacer social de mi país. Me sentí muy honrado. Me pareció insólito que estuviera allí, al igual que gente de mi familia, primos, tíos... Cada vez que las personas se nos acercaban, yo pedía que subieran por la acera. Por un lado, como buenos latinos, ya teníamos una fiesta o una protesta en la calle, lo que atentaba contra las autoridades y por tanto aumentaba la probabilidad de que nos eliminaran. Y por otro lado, no me gustaba que la gente me viera sufriendo y que, a su vez, sufriera por mí. Yo no quería que vivieran nada parecido a lo que yo estaba viviendo.

En el kilómetro treinta llegamos a la famosa «pared» de la que hablan los maratonistas. Y descubrí que no existe. La busqué. Juro que la busqué y no la encontré por ninguna parte.

Yo ya había tomado la decisión de que llegaría hasta el final; entonces, la pared no existía. Existía una decisión insufrible, una determinación inacabable, pero la pared no existía por ningún lado. Yo llegaría adonde me había propuesto paso a paso, y esto me llevaba, a veces, a cuestionarme si lo lograría o no. Sin embargo, la decisión era llegar.

Cada tanto tiempo, Fuco me recordaba que debía hidratarme. En algún momento recuerdo que paré unos segundos a tomar un poquito de té caliente. Y luego seguí. «Seguir» era volver a empezar; era producirme a mí mismo más dolor.

Cuando llegué al kilómetro treinta y dos, calculé que faltaban diez kilómetros; es decir: tres o cuatro horas más. Necesitaba acostumbrarme a esa idea no para lamentarme, sino para entender que el tiempo no importaba, que tenía una meta y que, en mi contra, jugaban el frío y el dolor extremos que apagaban mis fuerzas.

En el kilómetro treinta y tres continuábamos en la Primera Avenida. La gente veía la hora. ¿Por qué veía la hora? Porque sabíamos que había dos apuestas. Una que consistía en que debíamos llegar antes de las siete de la noche al puente del Bronx, si queríamos cruzarlo. Si no lo hacíamos, si no llegábamos antes de esa hora, debíamos cambiar de ruta, lo cual suponía una tremenda dificultad porque, al menos yo, solo tenía esa ruta en mi mapa mental.

Por supuesto, ya eran mucho más de las siete de la noche y todo el mundo se preguntaba por dónde continuaríamos. Eso me producía una tremenda angustia. Hay algo en lo que me he esforzado durante toda mi vida, y es en que nadie me regale nada, porque en el momento en que alguien te regala algo, muy probablemente te está subestimando. Por eso yo prefiero ganarme las cosas hasta el último centímetro. Al final, ese era el ejemplo que queríamos dar. Todo el tiempo pensaba en los cientos de niños, en sus padres, en los jóvenes que recibirían este mensaje. En el instante en que alguien nos regalara algo, no faltaría quien dijera: «No, bueno, no lo completó; se lo regalaron». Por lo tanto eso era para mí un punto de honor, una angustia existencial y fundamental.

Así que cuando la gente se preguntaba por dónde avanzaríamos, yo me encontraba haciéndome la misma pregunta, y, además, le añadía esas preocupaciones: «Que no nos regalen ni un centímetro». Nos encontrábamos en la incertidumbre, en esa condición permanente de esta aventura llamada vida. Al menos así es mi vida: siempre incierta. La certeza es solo para los inmortales. Formamos parte de lo terrenal, de lo mortal, de lo finito, de lo incierto. Solo si reconocemos nuestra finitud, podemos empezar a construir algo perdurable, a rozar la certeza.

Básicamente la incertidumbre se maneja con concentración y foco. Si le bajaba el volumen (es decir: si le prestaba más atención al sentido, al propósito, a lo que estaba haciendo ahí, a todo el esfuerzo, al camino recorrido y ganado), lo más probable es que la ansiedad por no encontrar el camino se volviera manejable. Y así fue.

En ese momento me concentré en cada detallito. Miré a Fuco, como siempre pendiente de mí, orientándome y estimulándome con sus indicaciones. Vi a Perla, que en ese momento estaba llena de una calma que yo agradecí infinitamente. Ella se transformó para que yo pudiera transformarme y lograr lo imposible. Eso fue un gesto increíble y de mucho amor. En realidad, todos nos transformamos: Perla, Federico, Óscar, yo.

Concentrarme en el amor que me rodeaba me permitió entender que la incertidumbre era una trampa para que le subiera volumen al miedo y le bajara volumen al propio amor. Pero no, no caímos. Por más que el miedo y la angustia se nos acercaran, había algo que los superaba: el propósito por el cual estábamos allí.

En el kilómetro treinta y cinco alguien se me acercó y me dijo que, a esa hora, no podíamos cruzar el puente. Durante unas milésimas de segundo viví la rabia de no haber alcanzado la velocidad necesaria para llegar a tiempo a ese punto.

Antes de continuar, debo aclarar algo. No es que yo no sienta rabia. Yo creo que dentro de mí persiste la rabia del mundo entero, la rabia más profunda, la del Big Bang.

Hay un momento en *Los miserables* —el musical de Andrew Lloyd Webber— que siempre hace que me palpite el corazón. Se trata de una canción en la que el hombre molesto y rabioso habla sobre la injusticia, de cómo la vida le ha robado lo que a otros les ha dado con holgura. Esa rabia siempre está conmigo. Esa molestia siempre está ahí. Conocerla, vivirla, me permite decidir si la uso para destruir y destruirme, o si la uso para construir y construirme.

Tengo más de treinta años de experiencia con esa rabia. He aprendido a aceptarla, a conocerla y, por tanto, puedo vivirla durante milésimas de segundo, y aprovechar de ella lo productivo que tiene; es decir: la fuerza que implica y que te da. Yo uso esa fuerza, la aprovecho, para construirme y ayudar a otros a que se construyan. La rabia está ahí; es el combustible necesario para sortear ciertos obstáculos.

Mientras recordaba el musical, me decía: «Bueno, aquí estamos otra vez. No es justo, pero así son las cosas». Al rato me preguntaba por la justicia y me contestaba que nadie la estaba buscando en ese maratón. Nadie que busque la justicia logrará su propia justicia. Al final, lo verdaderamente justo es aceptar la vida como es y superarla con el amor más puro y profundo. Lo justo en ese momento era entender que me habían dado un plazo, que yo no había llegado y que era mi responsabilidad. También era justo que me perdonara. Debía recordar que lo que estábamos haciendo era imposible y que la perfección es enemiga de lo sublime, de lo oportuno, de lo real, de lo humano. En la imperfección nos reconocemos vulnerables. Es ahí donde los seres humanos nos podemos conectar los unos con los otros. En medio de esa angustia, acepté mis circunstancias y continué con mi labor. Entendí que la vida me medía otra vez y que yo debía elegir cuán grande o pequeño debía ser.

Me encontraba en esa lucha interna, en medio del frío y de la oscuridad de Nueva York, pero iluminado por el calor humano de toda esa gente que no sé por qué me acompañaba. Eso me lo preguntaré una y mil veces.

No sé qué hace merecer que tanta gente me acompañe. Lo agradezco en el alma, pero no lo entiendo. Dentro de mí estaba más oscuro que en la calle. Buscaba la luz que me permitiese encontrar el camino de la aceptación de la realidad para que ella me abrazara y continuara conmigo. Y en eso se acabó la Primera Avenida. A pesar de que la calle estaba muy apagada porque ya era tarde, había muchos estímulos. En Nueva York todo es muy cuadrado. El ordenamiento urbano, los edificios, las cuadras… Recuerdo la anécdota de Picasso, que sobrevolaba Manhattan para inspirarse y crear sus cuadros cubistas. Cada cuadra comienza y termina. En ese comenzar y terminar vas sumando números y así sabes dónde estás.

Yo debía llegar hasta el puente del Bronx, cruzar a mano izquierda y pasar de la Primera Avenida a la Quinta Avenida. Pero como el camino por el puente estaba cerrado, me perdí. Durante unos instantes me desorienté. Entonces crucé a la izquierda, como todo el mundo que sí tenía la información correcta, y corrí hacia la Quinta Avenida. En mi mapa mental yo simplemente tenía que dar una vuelta para entrar al Central Park. Según mis cálculos, me encontraba mucho más cerca de la entrada del parque de lo que en verdad estaba.

El mapa que yo me había hecho acortó el camino y, cuando creí que podía llegar a la Quinta Avenida, me di cuenta de que me había equivocado, de que a partir de ese punto debía recorrer el largo trecho que no había recorrido porque el puente del Bronx estaba cerrado. Tenía que dar una vuelta enorme para, por fin, llegar al parque y dar otra vuelta enorme más. Darme cuenta de todo aquello me desmoralizó. Me sentí sin fuerzas no solo porque creí que estaba cerca de la meta, sino porque aquello alargaría el dolor. Sin embargo, seguí mi camino. Atravesé la avenida que conecta a la Primera con la Quinta. No había manera de circular por la calle. Así que subí y bajé aceras llenas de transeúntes que, a veces, caminaban a contravía. Aquello era como una gran metáfora: subir y bajar, andar a contracorriente, superar el dolor segundo a segundo.

Entre tanto, de cuadra a cuadra, aumentaba el número de personas a mi alrededor. A pesar de las dificultades, yo seguía concentrado y con el deseo intacto. Recuerdo que el cruce entre la Primera y la Quinta Avenida fue muy ruidoso. Quedé aturdido. Al llegar a la Quinta, me dijeron que tenía que subir. Cuando creía que iba a la izquierda, me dijeron que en verdad iba a la derecha. Mientras mi cuerpo cruzaba a la derecha, mi alma se quedaba allí. No entendía qué estaba pasando y perdía fuerzas. Cuando el cuerpo va para un lado y el alma va para otro, pierdes tus fuerzas naturales.

Tuve que decirme a mí mismo que debía moderarme, que me faltaba un buen trecho y que, en verdad, tenía que subir lo que no había subido. Debía transformar aquella rabia en fuerzas para poder alcanzar lo que me había propuesto. Lo peor era que luchaba no solo contra la confusión, sino contra aquel insólito dolor que no había experimentado nunca, aquel dolor tan profundo y tan incomprensible, tan poco comunicable porque no era un dolor físico nada más. Era una sensación que superaba los huesos y los músculos, la piel y todo mi cuerpo.

Cuando llegamos al final de la Quinta Avenida teníamos que dar la vuelta, devolvernos y llegar al punto donde comenzaban —entre comillas— los últimos diez kilómetros del maratón. Yo conocía ese terreno porque había entrenado ahí una semana atrás, pero en ese momento me encontraba muy deteriorado y estaba muy oscuro. No tenía dudas. Sabía que llegaría a la meta. El dolor aumentaba con cada paso, lo que hacía que me concentrara en el camino, en el frío (que a esa hora era aplastante) y en el propio dolor. Para mitigar el peso de todas esas dificultades, me conectaba constantemente con mi propósito y seguía adelante a pesar de que ya casi no me quedaban fuerzas. Mi respiración era completa y enfocada.

El frío era insoportable. Crucé calles y esquinas. Rodeé plazas. Recorrí pequeños parques. En ciertos puntos de la Quinta Avenida se concentraban grupos de personas que nos esperaban y animaban.

Creo que para construir lo increíble hay que agarrarse de lo increíble. La magia necesita magia para continuar. En una de esas concentraciones me esperaba un personaje que se convirtió en la protagonista de esta parte de la historia. Era una niñita de muy corta edad que, a esa hora (eran más de las diez), me esperaba toda embojotadita con un cartel escrito por ella misma que traía las respuestas a todas las preguntas que yo me venía haciendo. Yo me preguntaba: «¿Quieres seguir en esto, Maickel?». Por supuesto que me contestaba que sí, que continuaría y llegaría adonde tenía que llegar, pero lo que esta pequeña niña había colocado en su cartel para mí, era no solo el símbolo del impulso que necesitaba, sino el símbolo de una esperanza mucho más grande, una chispa que podría extenderse al mundo entero. Era una niña que representaba a todos los niños, a todas las personas dispuestas a no rendirse, a levantarse por encima de sus circunstancias. El cartel decía: «No pares. ¿Sí? Eres un valiente». Ante esas palabras conmovedoras, tú te desnudas. Leer ese cartel fue como conversar con el propósito, fue como refrescar el porqué de aquello que estaba haciendo. Era ver, además, el propósito puro, en toda su simpleza y belleza, en toda la verdad que contenía. Ante ese «No pares. ¿Sí?», todo en mi ser respondió: «¡Claro! ¿Cómo voy a parar contigo aquí?».

Desde ese momento el hombre rabioso dejó de estar bravo consigo mismo; ya no sentía rabia por las circunstancias de su vida, sino por la posibilidad (así fuera minúscula y momentánea) de dejar de creer. El hombre sentía rabia por la posibilidad de dejarse llevar por un mundo que lo estimulaba a dejar de creer, de un mundo que hace que los niños dejen de soñar porque supuestamente «hay que crecer y crecer; en ese mundo, hay aceptar la realidad como es, no para mejorarla sino para conformarse». Sentía rabia por un mundo que debilita a los niños al decirles que hay que crecer para acumular de manera que los acepten en una sociedad que discrimina a las personas según lo que quieren y lo que hacen o dejan de hacer, negándoles así sus potencialidades emocionales y físicas, sus talentos, sus pasiones. Un mundo que discrimina a las personas por ser o por querer ser diferentes, que las apacigua, las apaga para igualarlas, creando así pobreza espiritual y negando el permiso al potencial infinito de lo humano. Al ser todos iguales, lo único que hacemos es desperdiciar nuestro potencial distintivo.

Esa conversación hizo que recordara mi propósito y que reconociera que era más grande que yo; que debía ser humilde, que debía ponerme a su altura y dejar de llorar porque, en la Tierra, hay dolores más profundos que debíamos atender.

En eso, llegué al cruce con la plaza. Miré a la derecha y se me abrió el panorama. Ahí estaba la Quinta Avenida de Nueva York, que era quizá el preludio a la llegada. Esa visión me dio optimismo. Ese cruce fue mágico por muchas razones. Empecé a reconocer a la gente: gente querida por un lado y gente que me había seguido durante el recorrido.

En esa cuadra, un señor estaba metiendo sus pertenencias en su automóvil. Cuando nos vio, abrió otra vez la maleta y sacó algo que resultó ser un saxofón. Yo no sabría definir la expresión de ese hombre. No sé si era de asombro o de reconocimiento. Lo cierto es que se llevó el instrumento dorado a los labios y comenzó a soplar la melodía de *Rocky*. Ninguno de los que estábamos allí lo podíamos creer. Ninguno. Todos nos quedamos callados escuchando. Era la banda sonora de nuestra película. Era vivir la película que estábamos construyendo mediante esa música que evocaba la épica de un personaje al que no le importaban los golpes que le diera la vida porque él continuaba hasta triunfar. Aquella música subrayó lo que yo llevaba por dentro. En el imaginario universal, Rocky es el *angry man*, el hombre bravo al que las injusticias de la vida le pegan, pero él le pega más duro. Rocky Balboa se podía caer mil veces y se levantaba mil veces más. Esa era nuestra película a la altura de la Quinta Avenida.

En ese punto yo conocía el terreno. Sin embargo, la oscuridad no me ayudaba a lidiar con la topografía. No es lo mismo ir por la calle con pocos kilómetros encima que con treinta y cinco o más.

Y hay algo que yo no había divisado: la calle era en sí misma la peor película de terror que podíamos vivir; tenía subidas o falsos planos muy acentuados. Nunca me podría imaginar que lo que más me dolía, lo que más me hacía daño, no eran las subidas, sino las bajadas. Mientras mis compañeros me decían «tranquilo, descansa», yo decía «¡Dios, esta bajada me está matando!». Era vivir un suplicio… En algún lugar de la *Divina comedia* debe haber un castigo que consista en tener que recorrer bajadas. No sé por qué me suena a que ese sufrimiento pertenece al Purgatorio. Debe ser porque en la espera hay suplicio, el suplicio de saber que una redención llegará algún día indeterminado. Quien está en el infierno, ya está en lo peor, así que no tiene esperanza de nada.

El recorrido de aquella avenida era el Purgatorio. Sabía que si la atravesaba llegaría a mi destino pero, para lograrlo, debía subir y bajar tramos que cada vez me parecían peores. Me preguntaba: «Dios, ¿cuántos más?».

Aparte de las irregularidades del terreno, en esa avenida comenzaron a aparecer, con las postas de acompañamiento, los lugares preparados para la gente y con la gente. Ahí comenzamos a ver muchos rostros (algunos conocidos), pero todos alegres, sonrientes, expectantes. Vi muchas banderas de Venezuela, cosa que me recordaba tanto mi propósito como mi origen, que es mucho más importante.

Estar orgulloso y consciente de tu origen es lo que de verdad te permite llegar a tu verdadero destino. Ver banderas y colores venezolanos allí fue muy hermoso. Sin embargo, me sentía en otra dimensión. Estaba muy concentrado, como en otro planeta, conviviendo con la luz y la oscuridad al mismo tiempo. Tenía toda mi atención en cada paso que daba. Estaba enfocado en la posibilidad lejana todavía de terminar.

A mi alrededor había mucha gente. Era muy bonito entender el escándalo que se estaba armando a esa hora, en esa calle, cuando no correspondía. Era como transformar el entorno. Probablemente, en algún momento de aquella jornada, la propia ciudad se dijese: «Esta gente me está perturbando, me está cambiando el ritmo. ¿Con qué derecho?». Pero la ciudad cada vez se lo permitía más. Los policías parados en la esquina y el saxofonista hablaban mucho de eso. También el que algunos taxistas pasaran con sus carros y me gritaran: «¡Go, *Maickel*, *go*!», cuando ellos eran parte de una ciudad desconocida.

Pacha se nos sumó en aquel instante. Después de haber sido un apoyo singular en los últimos entrenamientos y preparativos en general. Después de ser puente con los demás corredores venezolanos y de correr su maratón, se sumaba a la cruzada acompañando cada paso.

Y así transcurrió ese recorrido por la calle de los museos, por esa Quinta Avenida, rodeando Central Park y esperando la abertura que me permitiera cruzar a mano derecha para emprender el camino por el bosque encantado y llegar a la meta.

A esa Quinta Avenida (es importante decirlo) llegó mucha gente querida: Jesús Marín, por ejemplo, un gran amigo y una de esas personas que siempre apostó por nosotros. Un aliado desde el inicio, Jesús terminaba por ser testigo de oro de este intento de final feliz. Para mí fue un honor que estuviera ahí. Por otro lado, casi adoptamos a personajes como Gustavito, que nos había acompañado a lo largo del día grabando todo el recorrido y manteniéndonos conectados con todos nuestros afectos en Venezuela. Gustavo fue el encargado de transmitir en vivo (y con un iPhone) todo lo que ocurrió durante el trayecto.

En ese lugar también estaba Pedro Martín, que había estado desde el inicio de este proyecto encargándose de la comunicación por las redes sociales. En algún momento, Pedro se sumó a nuestro recorrido y se dedicó a manejar la cámara del *live stream*, mientras Gustavito filmaba el evento.

En el cruce de la Primera con la Quinta Avenida se sumó Arianna Arteaga con su energía y frescura. También llegó Alberto Camardiel que no se colocaba su medalla de haber terminado su maratón hasta que todos hubiésemos llegado. Verlo allí y recogerlo, casi como un autobús que va recogiendo gente, fue muy importante para mí.

Una vez, un amigo mío vio una foto en la que aparezco junto a los demás miembros del equipo en el pico Bolívar. Mi amigo vio la imagen durante un rato y me dijo: «Esta foto me recuerda a la película *Armagedón*. Los protagonistas van desafiantes, con rabia, con orgullo, hacia el cohete, a salvar el planeta». A los que estábamos en esa foto él nos tildó de desafiantes, de rebeldes que van conscientes y con rabia a salvar el planeta. Por supuesto, nosotros no teníamos secretos. No había pretensión de nada más que lo que los hechos transmitían. Pero lo que sí llevábamos era la rabia suficiente para ayudar, no a cambiar a los demás, sino a acompañarlos a inspirarse en ellos mismos. Creo que en el mundo hay mucha gente que pide a gritos que la ayuden a hacer palpitar su corazón.

Un corazón que no palpita no es corazón. Ese es nuestro trabajo: ayudar a que el corazón de la gente vuelva a palpitar, a que el mundo vuelva a palpitar. Que dejemos los automatismos, que dejemos lo evidente, porque lo evidente es automático y lo automático no es humano. Lo automático no palpita. Lo que no es humano, no palpita. Lo que no es natural, no palpita. Por tanto, queremos ir a la vuelta de lo natural. A la esencia infinita de lo natural.

Con ese equipo y ese espíritu, acompañados por ese gentío, entramos en Central Park.

Estaba consciente de que no iba a entrar al Central Park directo hacia la meta. Como tantas veces en mi vida, el camino me ponía otra prueba para ver si de verdad estaba dispuesto, si de verdad quería lo suficiente, si de verdad mis palabras eran algo más que deseos al viento. De nuevo, el camino me ponía un reto para demostrar, con acciones y con hechos, ese inmenso deseo que tenía por llegar a la meta.

Debíamos volver a subir todas las cuadras que habíamos bajado porque nos estaba esperando un juez para certificar la ruta que nos llevaría a completar legalmente los cuarenta y dos kilómetros ciento noventa y cinco metros del Maratón de Nueva York.

En ese momento cruzamos a la derecha y dejamos al gentío que estaba en la entrada del parque y que nos acompañó hasta ese lugar. En la subida nadie iba a subir con nosotros. Era un trato.

La gente se quedó en Central Park. De un gran escándalo, pasamos a un silencio infinito, un silencio que trajo, además, la conciencia del frío que estaba haciendo. Allí pedí con urgencia algo para cubrirme porque no lo soportaba. Quienes me conocen saben que para que yo pida algo debe estar pasando algo grave, porque yo trato de no molestar. Pero en ese momento tuve la conciencia de que no podía más conmigo. El maratón me hablaba, el maratón me gritaba que no era tan grande como él; que hiciera lo que hiciera, tuviera lo que tuviese, el maratón siempre sería más grande que yo. Entonces pedí que, por favor, me dieran otro abrigo. No sé qué había ocurrido, pero mi chaqueta no estaba ahí. Ante esa ausencia, Federico se quitó su chaqueta y me la dio. Era más grande y pesada que la mía. Eso hizo que necesitara un mayor esfuerzo para dar cada paso; por tanto, me desgastaba cada vez más.

Por un lado cubría una necesidad, pero surgía otra y me desgastaba. No había manera de avanzar así. Y le dimos y le dimos hasta que apareció un personaje muy particular, un querido amigo llamado Daniel Sultán. Yo había sido guía en un seminario de liderazgo juvenil que organizaba Perla y en el que Daniel era participante. Así que nos conocíamos desde hacía bastante tiempo. Para mí fue una enorme sorpresa encontrarme a Danchi en Nueva York, casado además con una de mis exalumnas más queridas; era también un inmenso orgullo saber que colaborarían con nuestro equipo. La vida es extraña y maravillosa.

La noche anterior nos habían prestado el teléfono con el cual se trasmitiría la señal en vivo. Esa noche Danchi se ofreció para buscar al juez. Ambos llegaron en una patrulla y pusieron un cono anaranjado en el piso. Cuando llegué y los vi, quedé sorprendido. El cono marcaba el punto exacto donde yo me tenía que devolver. Ese cono era otro símbolo de esperanza, era la señal de que volvíamos al camino. A partir de ese momento, volvíamos a sumar kilómetros y a hacer una especie de cuenta regresiva. Me sentí aliviado y contento. Ese cono fue una pequeña y gran alegría.

Perla y Fuco habían mandado a pedir un té caliente o una sopa. Físicamente me estaba paralizando y debía continuar con mi hidratación. Me había mareado varias veces y había trastabillado, dando pasos hacia atrás. Entre el pelotón que me acompañaba (incluyéndome, por supuesto) se había extendido una sensación de suspenso, de incertidumbre que crecía a cada instante. Cada paso abría la interrogante sobre si podría dar o no el siguiente, y así avanzamos con una mezcla de miedo y esperanza. En medio de ese estado de ánimo, el equipo se organizó de una manera perfecta. Parecíamos un átomo. Yo era el núcleo y a mi alrededor se encontraban Perla, Federico y Óscar, como protones, electrones y neutrones girando y ayudándome a permanecer concentrado en mi respiración, en mis pasos y en mantenerme hidratado.

Óscar se puso delante de mí y empezó a caminar hacia atrás viendo mis piernas y mis pies. Ahí me di cuenta del desgaste de mis amigos. Si él se veía así, ¿cómo me vería yo?

Fuera como fuese, cansado o no, cada miembro del equipo cumplía su trabajo. Éramos un equipo integrado que, a pesar del cansancio, seguía funcionando.

Nuevamente pasamos por la entrada de Central Park. Allí nos esperaba el gentío que habíamos dejado y un montón de personas más. Era increíble.

Yo había dado instrucciones de que no quería a nadie delante de nosotros porque quería que mi visual fuese limpia para intentar no distraer el paso. También quería silencio. Sentía mucha vergüenza de ser tan riguroso con todos, pero sabía que, como siempre, sería cuestión de detalles llegar o no llegar.

La gente fue tan amorosa, tan compañera, tan consciente de su papel que yo nunca supe cuánta gente hubo detrás de mí. Nunca lo supe. Gente como Romina tuvo la oportunidad de tomar las mejores fotos de la vida, con toda la gente detrás de mí, pero respetó mi petición de que nadie estuviera delante de nosotros. Eso es algo que yo le agradeceré toda la vida.

Seres como mi prima Alejandra estaban allí. En otras oportunidades he contado lo importante que ha sido Alejandra en mi vida. Creo que les conté que Alejandra fue quien me enseñó a caminar. En esta oportunidad, Alejandra había decidido correr su maratón como parte de ese impulso que siempre me había dado. Ella decía que, así como ella me había ayudado a caminar, yo le estaba enseñando a correr. Por eso, ese día corrió y logró su meta, y cerró así un ciclo hermoso de complicidades. Ese era su plan, completar su maratón y acompañarnos a terminar el nuestro. A esa hora Alejandra llegó con mucha emoción y mucho amor. Mi prima Carolina, que la acompañaba, quizá estaba más consciente de lo que ocurría. Por eso la dejó a mi lado y se quedó un poco rezagada sin advertir en qué grado de solemnidad estaba la cosa. Alejandra, con la energía infinita que la caracteriza, con sus ganas de compartir y preguntar cómo estaba y cómo veníamos, con el permiso que le daba ser mi prima, se colocó al lado izquierdo y empezó a conversar con Perla de lo más emocionada. Perla, muy bonita, por supuesto, le respondía. Yo estaba tratando de mantener mi concentración. Pero llegó un momento en el que no pude más y lo único que salió del fondo de mi alma fueron dos palabras con la voz más potente que pude en ese momento:

—¡Necesito silencio!

Ante ese tono y ese énfasis, se hizo el silencio y mi prima, que estaba muy emocionada, se calló y se fue hacia atrás. Dije: «Después yo sé lo que me viene, pero ahorita necesito silencio».

Sabía que mi prima me amaba tanto que me entendería sin ofenderse, aunque todavía se hacen bromas al respecto en la familia, y yo, por supuesto, salgo muy mal parado. Pero eso es lo verdaderamente importante del amor: cuando amas, reconoces en el otro sus posibilidades, sus debilidades y te vas adaptando. Estábamos en algo parecido a un templo. Eso era lo que la gente no sabía: que estábamos en un templo y todos estábamos en una profunda oración, estábamos en una profunda meditación, estábamos en una profunda conexión con Dios. El Dios humano y el Dios divino se conectaban con nosotros por intermedio de ese esfuerzo más allá de lo posible, de esa conexión colectiva que, aunque yo no lo sabía, estaba ocurriendo allí y estaba ocurriendo en otros lados. Y mi prima se sumó amorosamente a esa oración.

Entre los kilómetros treinta y nueve y cuarenta me ocurrió algo. Estábamos cerca de la meta. Dos kilómetros es poco y mucho a la vez. ¿Por qué? Porque a esa altura yo no comprendía la magnitud creativa, física y emocional de lo que estaba haciendo. Solo lo «comprendía» desde el punto de vista espiritual. Todo lo terrenal me llamaba a parar, a detenerme. Incluso, como me había hidratado tanto, me comenzaron unas supremas ganas de ir al baño a orinar. Yo sabía que estábamos a pocos kilómetros, pero, a mi paso, debía estar, al menos, a una hora de la meta. Una hora en la que debía aguantar unas ganas urgentes de ir al baño en medio de un frío supremo, con necesidad de hidratarme y con dolores inmensos. Tenía que administrar mis fuerzas para contraer la musculatura de la vejiga, porque sabía que si me detenía en ese momento podía ocurrir lo peor: que me enfriase y que nunca más pudiera seguir. Y no seguir a partir de allí era, para mí, no atender a ese supremo propósito que nos habíamos fijado. Eso hizo que el dolor fuera mayor, que el esfuerzo fuera mayor y que todo fuera mayor. Recuerdo el kilómetro cuarenta como un suplicio.

Por otro lado, Alberto me decía que me veía bien. Perla me contaba sobre las llamadas y los mensajes que nos llegaban. Unos para darme ánimos y otros hasta para ¡entrevistarme! Yo solo quería silencio, necesitaba silencio para honrar lo que allí ocurría.

Entre las llamadas que recibimos, hubo tres que fueron muy importantes: una de nuestra amiga Maite Iglesias, que había sido un ángel, uno de esos personajes que gracias a Dios han rodeado mi vida. Esos personajes como mi prima, esos personajes como tantos otros que tienen una fuerza inconfundible, indetenible, impasible, y que además te dan lo que sea con tal de lograr lo que hay que lograr porque entienden la magnitud de lo que se quiere y para qué se quiere, que es lo más importante.

Entonces Maite nos dijo que nos estaban buscando desde el Ministerio del Deporte de Venezuela y, por supuesto, atender a una institución venezolana era atender a nuestro país. Por tanto, para nosotros era un honor representar a Venezuela oficialmente.

La otra llamada importante fue la de Lorenzo Mendoza. Gracias a mi nana yo aprendí a conocer a la gente por lo que es. Porque cuando tú te conectas con la gente con sencillez, empiezas a conocer a la persona, no a lo que la sociedad hace de la persona. Lorenzo Mendoza es un hombre exitoso y amoroso que es portador de valores de excelencia y de tradición venezolana. Para nosotros fue muy hermoso recibir esas dos llamadas que representaban, además, a un país entero en su diversidad. Creo que eso fue poético; eso me hizo entender que mi Venezuela, la Venezuela de mi nana, de mi pueblo más sencillo, que me vio crecer, que me hizo crecer, que me hizo ser quien soy, me estaba acompañando.

Esas llamadas me hicieron entender que la magia de esa tierra es la magia que trato de llevarle al mundo desde mi pequeño espacio. Tenía la sensación de que cada país era también una persona. Si cada persona, cada ser humano, tiene algo que aportar, cada país también tiene algo que aportarle al mundo. Venezuela me daba permiso para representarla y para representar su esencia y compartirla con otros.

Eso para mí fue muy conmovedor y me hizo sentir en casa, en mi gran casa. Y si alguna vez la casa fuese el mundo, que también lo es, entonces vendríamos de mi cuarto Venezuela. Al final es representar al planeta en tu casa, a tu país en tu cuarto, a tu familia en tu cama y a la totalidad en tu ventana, si es que tienes ventana.

Es la magia que construimos al conectarnos con lo imposible. Porque, al final, ¿quién no quiere tener una vida imposible? ¿Quién no quiere construir un sueño imposible? ¿Quién no quiere una familia, un país, un negocio, un rescate, un amor imposibles? ¿Quién no quiere vivir un imposible en la vida? Eso es lo que estamos haciendo. El imposible es al final tu verdadera posibilidad que está siendo probada al límite. ¿Quién no querría, el día que se vaya de este mundo, saber que lo dio todo?

Pero para decirles cómo hacerlo, primero tenemos que hacerlo con nosotros mismos y demostrar que ese imposible es posible vivirlo. Y que el camino para ello es retornar a la magia humana. Y para retornar a la magia humana hemos de olvidarnos de ser aceptados y reconocidos los unos a los otros en nuestras fuerzas. Más bien debemos reconocernos en nuestras debilidades. Ese es el camino desde lo pequeño a lo imposible, a lo invisible, a la magia. Porque la magia es a lo invisible como lo posible es a lo imposible. Como la realidad es imposible, la sociedad va adaptando la realidad a lo visible, a lo tangible, a lo evidente para controlarla. Porque, ¿qué sería de una realidad invisible? Por supuesto, no la podemos controlar.

Entonces, gracias a Dios, la humanidad se va moviendo cada vez más hacia los niveles infinitesimales que se conectan con lo infinito. Es decir, a velocidades mucho más rápidas, a detalles mucho más chiquitos, a conexiones en tiempo real, y por tanto más imposibles de controlar. Por ejemplo, hoy la tecnología nos hace entender las conexiones inalámbricas. Pero, si hay conexiones inalámbricas entre aparatos, ¿por qué no puede haber conexiones inalámbricas entre personas? Y si hay conexiones inalámbricas entre personas, ¿por qué no me puedes transmitir tu energía y yo no te puedo transmitir la mía? Y si tú me transmites la tuya y yo te transmito la mía, ¿por qué no nos convertimos en un sistema de reciclaje en el que tú reciclas mi energía y yo reciclo la tuya y, por tanto, cuando me devuelves la mía, me la devuelves fresca y cuando te devuelvo la tuya, te la devuelvo fresca, y por tanto no se acaba y se crea abundancia y riqueza y nos olvidamos de la pobreza y de la escasez y así construimos un mundo distinto?

Ese es el mundo de lo imposible. Ese es el mundo de la ciencia ficción, de la aventura, de lo incontrolable, de lo factible. Ese es el mundo del niño, del sueño, de lo creativo, de la posibilidad. Ese es el mundo que queremos construir, que estamos construyendo. Y si tenemos que sufrir y vivir el más terrible infierno para salir de él arrastrando el fuego creador, lo haremos y diremos: «Por eso duele, porque necesitamos quemarnos para poder reconstruirnos desde las cenizas». Porque las cenizas son infinitesimales y por lo tanto son infinitas. ¿Cuántas cenizas puede haber en una persona? ¿Quién se pone a contar las cenizas? Es como contar las estrellas o los granos de arena del mar. Entonces, los humanos nos hemos convertido en grandes censores de lo que no podemos controlar y grandes censores de lo que podemos lograr por ser incontrolable. Cuando tú cuentas lo que podemos contar, sabes que eso es finito y por tanto, escaso.

Si te concentras en lo que puedes lograr, descubrirás que nunca lo sabrás hasta que lo pruebas una y otra vez; por tanto, el tiempo no es escaso: es tu aliado. Si te concentras en lo que puedes lograr, no se tratará de cuentas, no vas a poder contar nunca. Entonces recuerdas a Muhammad Alí cuando decía: «No cuentes los días. Haz que los días cuenten». Haz que cada segundo cuente. Entonces no cuentes la vida por años, cuenta la vida por segundos. Cuenta la vida por lo chiquito, no por lo grande. Por eso la tecnología es tan bonita. De grandes escritos pasamos a bits, a ciento cuarenta caracteres. Eso nos habla de la tendencia nuestra a lo infinitesimal, a lo pequeño, a lo que tenemos aquí y ahora.

Todo esto se te puede ocurrir en segundos de reflexión en el kilómetro cuarenta. Yo estaba en el bosque oscuro, concentrado al máximo. Perla continuamente me preguntaba mirándome al rostro y, caminando de espalda:

—¿Cómo estás? ¿Te duele?

Entre balbuceos le contestaba:

—Este dolor no es mío. Este dolor es demasiado grande.

Y la verdad es que me dolía todo, pero me dolía por fuera del cuerpo. Si me preguntaban qué me dolía, no podía responder nada específico. Era todo. Era un dolor más allá de mí mismo. Era un dolor incomprensible, como si se me desprendiera la carne del cuerpo.

No uso la palabra «insostenible». Dentro de mi gran disociación, me daba cuenta del gran dilema en que estaba: ¿cómo era capaz de sostener este dolor? ¿Qué me hacía soportarlo?

En ese momento no podía detenerme. Si lo hacía, no podría continuar. Así que seguí adelante, pero mis pasos eran cada vez más lentos. Me estaba congelando. Los síntomas de la hipotermia se hicieron cada vez más evidentes. Alberto me repetía: «Te veo fresco. Te veo bien». Sin embargo, se notaba que el frío y todo lo demás estaban haciendo demasiada mella en mi cuerpo.

Era tal el esfuerzo que tenía que hacer, que cerraba los ojos para concentrarme y entender cuál era el músculo que tenía que mover. Alberto y Federico me repetían una y otra vez:

—Abre los ojos, abre los ojos…

Entre los riesgos que corren los deportistas extremos está el quedarse dormidos en medio de la acción. Eso les pasa a los montañistas, a los ultra maratonistas… Te quedas dormido y corres el riesgo de caerte y de darte un golpe fatal, porque además caes en peso muerto. Federico y Alberto trataban de evitar que algo así pudiera ocurrir. Pero yo estaba muy consciente.

Yo iba despierto en las mil dimensiones que estaba viviendo. Quizá la dimensión física no diera más, pero yo sabía lo que estaba haciendo.

En el kilómetro cuarenta y uno empecé a dividir mentalmente el camino, a recordar puntos de referencia que me dijeran cuánto faltaba. Así podía administrar mejor la poca energía que me quedaba. Faltaban unos trescientos metros para salir del bosque encantado (Central Park). Empecé a ver las luces de la calle y a repetirme: «Si salgo de este parque, logro terminar».

A esa hora la hipotermia era muy fuerte. Yo había pedido un té caliente con urgencia. Quienes me acompañaban se sorprendieron porque sabían que, en condiciones normales, yo no pediría un té.

Todo el mundo sabe que, además de que me concentro y no me quejo, no pido nada. Por eso, cuando pedí el té, la gente se alarmó. Yo quería un té o una sopa, algo caliente para meterle al organismo en ese kilómetro cuarenta y uno. No quería más nada porque, además, seguía con las ganas de ir al baño.

Federico me urgió:

—Mira, llegó el té hirviendo. Toma algo, toma unos sorbitos para calentarte, porque te estás congelando.

Además de combatir el congelamiento, él estaba verificando la hidratación. Deshidratarse es lo peor que le puede pasar a un atleta, y ya yo tenía tiempo sin tomar líquido.

—Tienes que tomar algo.

—Dale. Ok.

Ese «dale. Ok» significaba que iba a tomar algo, pero que no me iba a detener porque si me detenía no podría continuar y, a esas alturas, eso no podía ocurrir porque hubiese sido absurdo y trágico. Me dieron rápido dos sorbitos de té y seguí.

Trastabillé varias veces en ese entonces y Perla me sostuvo por el pecho para evitar caídas. Cada uno de esos apretones duraba menos de un segundo y no tenían mayor trascendencia pero en el kilómetro cuarenta y uno sentía un apretón muy fuerte, como si me fuera a dar un infarto o dejara de respirar incluso durante un instante. Nadie se dio cuenta de eso. Solo yo… Por supuesto, no le dije nada a Perla ni a nadie. ¿Cómo les voy a decir: «Mira, dejé de respirar», cuando estaba a punto de llegar a la meta?

Sin embargo, cuando me estaba tomando el té, durante unas milésimas de segundo sentí esa desagradable sensación y lo dije.

—Tengo un dolor muy fuerte en el pecho.

Federico se asustó, pero de inmediato me dijo:

—Es natural.

El dolor en el pecho es muy común en los ultra maratonistas, sobre todo al terminar, porque la musculatura pulmonar ha estado expuesta a esfuerzos sobrehumanos. Entonces lo que me dolía eran los músculos del pecho. Yo no sabía que un dolor como ese pudiera existir. ¿Cómo no me iban a doler, si estaban sobrecargados?

Para distraerme y estimularme, Alberto me recordó que faltaba poco y me habló de las veces que me habían dicho que no, que eso que yo quería hacer no se podía. Me habló de la negatividad y del abandono de quienes apostaron porque yo no lograría nada. Alberto, como típico atleta de alto rendimiento, usaba la rabia para darse fuerzas. Por eso me dijo:

—Estos metros que faltan dedícaselos a quienes dijeron que no, a quienes apostaron en contra.

Recuerdo que de ahí saqué la fuerza que necesitaba. Pero en sentido contrario. Esas palabras estimularon la proyección de una película en mi cabeza, una película que contenía todas las negativas que nos habían dado.

Tuve un maestro que afirmaba que cuando decías «noche», él inmediatamente pensaba en «día». Cuando le decías «negro», él inmediatamente pensaba en «blanco». Porque justamente así vivimos, así es la naturaleza: polar.

Alberto me hablaba de esas cosas mientras yo pensaba y les veía las caras a Perla, a Óscar, a Federico y en ellas todos reflejados. Era increíble estar rodeado de tanto amor.

Porque si bien es cierto que mucha gente me ha dicho que no y jamás ha apostado por mí, también es cierto que estoy rodeado de muchas personas que me quieren y que saben que su apuesta por mí es también mi apuesta por ellos. Cada palabra de aliento, cada paso que daban conmigo era la demostración más clara del más profundo y desinteresado amor que yo haya conocido jamás. Porque pariente consanguíneo no había nadie. Uno quizá pudiera entender el amor entre los miembros de una familia o, tal vez, entre quienes participan en una batalla, como hermanos que pueden morir. Pero este acompañamiento de tantos años, para terminar ahí juntos, todos, es la demostración de amor más sublime que, al menos yo, pudiese haber conocido jamás. Porque ni siquiera es imaginable. No sé ni cómo expresarlo. Es Dios. Es el amor de Dios, el amor creador, el amor puro, desinteresado e intencionado al mismo tiempo. La manifestación de nuestro amor en aquel momento era pura intención, puro foco. Todo el foco estaba puesto en que yo diera un paso más. Entonces me tomé ese té.

Cuando Alberto me dijo que le dedicara esos metros que faltaban a quienes me habían dicho que no, me quedé pensando, pero al poco rato le respondí en voz alta:

—No, Alberto, no. No puedo gastar mi vida en eso. Lo que falta se lo voy a dedicar a los que dicen que sí; a los que me dijeron que sí a mí y a los que se dicen sí a sí mismos.

Evidentemente eso nos encantó a todos, porque sí, porque es mucho más energético, son mucho más vitales esos que dicen que sí, esos que apuestan por ti, esos que están contigo, esos que creen, esos que te acompañan a pesar de que todo se vea oscuro, a pesar de que todo se vea como un capricho incomprensible e infantil.

Si uno observa con cuidado, en lo infantil se encuentra el valor de los sueños. Quien se conecta con su niño interno, logra soñar. Yo decidí no dedicarles los kilómetros o los metros que me faltaban a la rabia. Decidí dedicárselos al amor más profundo, a los que dijeron que sí. Cada paso era por ellos.

Mi emoción era incontenible. Había llegado a una parte del recorrido que yo conocía. Venía una subidita y la salida del parque. Cuando salí, vi esa ciudad otra vez. Respiré, le agradecí, la bendije.

Como a veinte metros estaba la curva que debía tomar para volver a entrar al parque. En esa esquina, lo que más me sorprendió fue la cantidad de niños que había por todas partes. Yo me decía: «Estás alucinando». ¿Niños a esta hora acá, en una ciudad vacía? Niños, sí. Era como ver a querubines arropados. Además, como para alimentar la alucinación, todos tenían unas mantas plateadas encima, como trajes espaciales; después habría de enterarme que hacía tanto frío que Nelly y Tamara tuvieron la hermosa osadía de tomar las mantas térmicas que había por ahí y repartirlas como parte de la indumentaria de la espera.

Cuando creía que estaba listo para terminar ocurrió algo inesperado: empezó a soplar un viento frío y fuerte que casi no me dejaba dar un paso. En Nueva York sopla mucho viento, pero los edificios tapan ese flujo. Entonces, las calles forman corredores que acumulan el viento. Así, cuando llegas a una esquina, sientes el viento frío con una fuerza que no habías sentido antes porque las paredes de los edificios lo habían mitigado.

El viento sopló con tanta fuerza que casi no me dejaba dar un paso. Si esto era difícil antes, a esa hora se puso peor. De verdad se me dificultaban los pasos debido al viento, y además la temperatura bajó abruptamente.

Así me habrán visto mis compañeros, que se preocuparon y decidieron tomar medidas para que no me ocurriera nada malo. Yo siempre digo que cuando un equipo se enfrenta a lo inesperado, al equipo se le ocurren las estrategias más inesperadas. No recuerdo quién dijo: «Todo el mundo alineado. Todo el mundo se pone frente a Maickel para taparle el viento».

Todo el mundo se puso a caminar delante de mí. Al caminar de espaldas, pero delante de mí, formaron una especie de barrera humana contra el viento. Esa fue la manifestación de equipo más bella e impresionante que yo haya conocido jamás. Eso fue increíble. Un equipo que me protegía, que me cubría, que caminaba de retroceso y por tanto yo le lograba ver el rostro a cada uno y ellos a mí. Fue una danza por la vida. Un equipo de alto desempeño.

Perla fue la única persona a quien le pedí que se quedara a mi lado. En ese momento ella me conectaba con la vida.

Yo corría al ritmo que llevaba, Perla iba a mi lado y el resto del equipo caminaba delante de nosotros. Hasta los camarógrafos… Todos se colocaron en frente. Todos. Era como una película.

Era como en esos momentos previos a que un concierto se termine, cuando presentan a la banda; tal cual lo sentía. Era como si se me estuviese presentando a los miembros de la banda para que yo les diera una ovación, para que les brindara una reverencia infinita. Era la oportunidad de aplaudirlos y agradecerles. Era un aplauso interno para todos: Gustavo, Pedro, Romina, Galo, Federico, Alberto, Óscar, Pacha… Y a los que no estaban ahí porque estaban en otras labores (María Alejandra, Nelly, Frida…) estaban bien representados por los que sí estaban.

En eso llegamos a la entrada del parque por donde debíamos entrar. Cuando llegamos a esa esquina, me dije: «Esto está casi listo», pero muy pronto me dí cuenta de que faltaba más de lo que yo creía.

Alguien me había dicho:

—Cuando entres al parque, tendrás que recorrer unos doscientos metros hasta la meta.

Yo daba un paso y daba otro y otro, y no veía la llegada. Olvídate. ¡No había doscientos metros! Se supone que cuando te falten doscientos metros, tú ves la llegada, pero, en ese momento, yo no la veía. Eso fue muy angustiante porque te cambia tu esquema de concentración. Si te dicen quinientos metros, tú te preparas mentalmente.

Lo mismo si te dicen diez kilómetros o veinte metros. Pero si te dicen doscientos metros y tú no los ves, te angustias porque no sabes si te dijeron la verdad o no.

Entramos al parque y empezamos a sentir la emoción de la gente, que corría hacia un lugar que era la llegada. A pesar de todo yo seguía concentrado. Cuando ya había recorrido un buen trecho dentro del parque, me di cuenta de que, de verdad, ya estaba por terminar. Entonces me fijé en un detalle: yo tenía no sé cuántas chaquetas encima. Quería terminar bien el maratón. Si terminaba bien el maratón, me convertiría, ahora sí, en maratonista. Y si era un maratonista, ¿dónde estaba mi número?

Por supuesto, mi número estaba tapado por las chaquetas y por todo lo demás que me puse para protegerme del frío. Entonces, insistí: «Tengo que terminar esto bien. Necesito realmente que se vea el número».

Fue ahí cuando me desentendí del dolor, me detuve y grité:

—¡Ayúdenme a quitarme estas chaquetas! ¡Quítenme todo esto de encima!

Como dije, para mí era muy importante terminar bien; es decir, no podíamos completar de una manera inadecuada tanto esfuerzo. Había que terminar como Dios manda.

Me quitaron las chaquetas. Evidentemente sentí el frío enorme y parejo, pero ya el calor de la avenida, el calor de saber la llegada, empezaba a correr por mi cuerpo. Así que comencé a darle y a darle, con todo el esfuerzo del mundo, a esos últimos pasos que eran tan importantes y tan difíciles.

Recuerdo que a mi mano derecha apareció mi tía Beatriz con un cartelito. La vi y la reconocí. Aparecía gente, mucha gente, muchos desconocidos y muchos acentos distintos. Era muy difícil manejar todas esas emociones juntas.

Llegué a sentirme muy extraño. Me sentía muy pequeño ante esa gran manifestación de amor que estaba ofreciendo la gente allí. Me preguntaba una y otra vez: «¿Por qué tanta gente aquí? ¿Qué estamos llevando con nosotros?». Me conmovía ante la multitud y la emoción reinante. En el punto de llegada se encontraba un grupo de personas que estaba grabando un documental. Cuando conversamos sobre el trabajo que ellos deseaban hacer, fueron muy específicos al solicitarnos lo siguiente:

—Por favor, dejen que la llegada de Maickel sea limpia. Así podremos grabarla adecuadamente.

En aquel momento dijimos: «¡Por supuesto! ¡Claro que sí!». Pero nadie se imaginó la cruzada que estábamos emprendiendo. Y por supuesto que la humanidad siempre está por encima de cualquier plan.

Así que, cuando yo me acercaba a la meta, el director del equipo empezó:

—Vamos a limpiar la toma, por favor.

Había tanta gente que un tropiezo o un choque podrían acabar con todo.

—Todo el mundo detrás de Maickel. Todo el mundo detrás de Maickel...

De pronto, vi que Federico, en forma muy humilde, se quiso apartar, pero le dije:

—No, Fuco. Tú enfrente.

Como he dicho una y otra vez: teníamos que terminar bien, y terminar bien, en este caso, implicaba darle el honor deportivo a quien lo merecía.

Con el tumulto que poco a poco se fue formando, Federico se me perdió. Cuando lo volví a ver, le repetí:

—Fuco, tú eres. Tú vas en frente de mí. Yo voy a terminar a tu ritmo, a tu comando. Tú mandas. Tú en frente de mí.

Ahí se quedó.

Para mí era muy importante darle el honor que merecía. Alguien que arriesgó su carrera profesional por apostar por algo a lo que nadie apostaba. Aunque eran tantos los que se lo merecían que se me hacía muy difícil escoger, yo debía brindarles el honor a los verdaderos héroes.

Seguimos. Faltarían, qué sé yo, ciento cincuenta o ciento veinticinco metros. Cada vez tenía más gente a los lados. La bulla era impresionante. De pronto veo que Alberto viene con una persona. Era un personaje muy importante que había conocido en el encuentro con el equipo de Telefónica el día anterior al maratón. Se trataba de Chema Martínez, el gran campeón del atletismo español. Alberto lo trajo para que me diera ánimo.

—Mira, aquí está el gran Chema Martínez —y Chema, que había venido con todos los corredores de Pro-niño, comenzando por José María y su familia, me imagino que no tenía idea de qué hacer, ni qué decir, pero igual se puso a mi lado con su energía espectacular, a su ritmo, y me expresó su apoyo y su solidaridad. Un tipazo.

Al mismo tiempo, alguien gritó: «¡Faltan cien, faltan cien!».

Esa voz lejana llegó cuando tenía el dolor más profundo del planeta, cuando tenía la rabia de mil años, cuando tenía el agotamiento del mundo, cuando tenía un cansancio indescriptible, cuando no podía un segundo más, cuando todo era dolor y oscuridad.

Cuando esa voz lejana dijo «faltan cien», fue como si Dios me dijera: «Listo. Ese dolor y ese agotamiento no son tuyos. Ya cumpliste».

Sentí como si Dios me absolviera y me diera permiso. Yo creo que Dios da las gracias. Porque si nosotros podemos ser agradecidos es porque Dios es agradecido. Y agradece de tantas formas y señales que hay que tener los ojos bien abiertos. Yo no creo algo distinto. Si nosotros somos humildes es porque Dios es humilde. Somos apenas una chispita de su esencia, pero somos parte de su esencia. Entonces, si podemos ser algo es porque él es eso también. Fue como si se hubiera llevado lo que no me correspondía a mí y como si una fuerza de mil titanes hubiera vuelto a mi cuerpo.

La vitalidad que me llegó fue tal, que ya no hubo dolor ni cansancio. Hubo fuerza. Hubo ganas. Hubo vida. Fue allí cuando le dije al Chema, que acababa de llegar: «Vamos a terminar», y arranqué, literalmente, a correr, a toda velocidad.

La cara del Chema decía algo así como: «Este señor, que tiene quince horas corriendo, que supuestamente ya no puede más, todavía tiene energía para rematar».

Todos nos sorprendimos. Yo usé toda la energía que me quedaba para esos cien metros.

Y los cien se fueron convirtiendo en setenta.

Los setenta en cincuenta.

Los cincuenta en veinte.

Logré divisar a lo lejos a mi querido Raúl Baltar, quien también había corrido y estaba allí con una sonrisa que declaraba la apuesta infinita por lo humano. Y el gentío y la bulla y las banderas de mi país, la bandera de Venezuela… ¡Qué emoción sentí al ver a mi país ahí!

Cada vez se acumulaba más la gente. Era imposible detener la euforia. Imposible. Y la verdad sea dicha, ¿para qué detener el amor compartido?

Faltaban diez metros.

Ver esa llegada fue como ver la puerta a otra vida. Era terminar un sueño. ¿Cuántos terminan un sueño que se pueda llamar un Gran Sueño?

Yo quería terminar, no por terminar, sino por comenzar, porque sabía que esa meta representaba un nuevo comienzo. No un comienzo para mí, sino para quienes fueran testigos de ello. En mi vida trato de plantearme comienzos, no finales. Para comenzar hay que terminar. Y me daba un placer muy grande saber que íbamos a comenzar otra vez.

De pronto, la bulla se transformó en silencio.

Llegué a la meta.

Crucé una cuerda que habían cubierto con globos.

Y todo fue una explosión de gritos emocionados, de aplausos.

Para fuera era el ruido y la emoción y los gritos de todo el mundo. Para dentro era la explosión en mí de un nuevo nacimiento.

Para mí llegar fue pegar gritos, pero, más que eso, fue un renacimiento. Hay que entender que yo estaba en otro mundo. Mientras todos se abrazaban y gritaban y lloraban emocionados, yo me veía a mí mismo y los veía a ellos. Me sentía feliz porque no veía solo mi llegada. Veía también la llegada de ellos a ellos mismos.

Yo creo que toda esta historia hizo que mucha gente llegara a sí misma. Seguramente se vieron en el espejo de Dios, como me tuve que mirar yo durante toda mi vida, y dijeron por un instante: «Yo soy Dios. Yo soy creador de mí mismo. Yo soy humano y en mi humanidad me puedo conectar a lo más profundo, que es con otro ser humano».

Es como que si yo hubiese sido testigo de la llegada de muchos. No era solo mi llegada. Ahí hubo un abrazo infinito entre todo el equipo. Estaban Perla, Pedro, Alberto, Fuco, Óscar, Pacha, Nelly, Galo… Todo el mundo se abrazó.

Recuerdo que pedí que me prestaran una bandera de Venezuela porque quería cubrirme con ella. Entre la multitud aparecieron dos personas y una de ellas traía una medalla. Quien portaba la medalla era una muchacha que representaba a la fundación Achilles International, y quien la acompañaba era un juez del maratón que vino a certificar mi llegada.

Con lágrimas en los ojos, ese señor nos dijo que nunca, en los cuarenta y dos años del maratón, había ocurrido algo como eso; que nuestra participación era inconcebible, que él se avergonzaba de que no existiera cobertura de aquello que estaba pasando ahí, que él se avergonzaba de todas las dificultades o quizá de toda la indiferencia que hubo ante este hecho que podía ocurrir, pero que nadie pensaba que ocurriría de verdad. Para mí lo más importante de aquellas palabras no estaba tanto en el contenido como en la forma. Hubo una conmoción humana ante un hecho que, se supone, no iba a ocurrir y, sin embargo, ocurrió. Eso era lo que queríamos demostrar: que lo que no se podía, se pudo.

La medalla hizo que me percatara de que, de verdad, había llegado a la meta. «Sí, Maickel. Llegaste. De verdad llegaste», pensé.

Mi papá y mi mamá se acercaron. Recuerdo que ver a mi papá allí, y verlo bien, fue muy tranquilizador. Yo sentía una felicidad sublime pero muy tranquila. Mientras la euforia estaba fuera, dentro de mí había una calma muy grande, pero con una sonrisa de corazón plena, completa, absoluta.

Mi mamá me dio un abrazo eterno; no me soltaba. Ella nunca llora, tenía años sin poder llorar pero en ese momento estaba llorando y se derramaba en lágrimas de amor. Abracé a mi mamá y a mi papá con el amor más profundo del mundo. Inmediatamente, sin pensarlo mucho, le pedí a Perla que me quitaran la medalla de encima y se la dieran a mi papá. Yo no merezco medallas ni trofeos, pero mi papá sí. Mi papá merece todo. Él siempre será el verdadero héroe de esta historia.

Me imagino que al verme cubierto con la bandera de nuestro país, la gente se sintió estimulada a cantar nuestro himno nacional. Así, a la una de la mañana, con mil personas esperando al último corredor del maratón, en el Central Park, cuando la ciudad supuestamente debía estar dormida, se oyó en Nueva York a todo volumen nuestro *Gloria al bravo pueblo*.

Cuando estaba cantando el himno nacional, desperté. Caí en cuenta de lo que había pasado, de dónde estábamos, de que habíamos terminado. «Gloria al bravo pueblo que el yugo lanzó. La ley respetando la virtud y honor». Mi corazón vivió el más grande momento de alegría. Venezuela, mi amada tierra, había despertado en Nueva York.

Entonces apareció una cámara de televisión. Recuerdo que dije:

—A la meta no llegó un hombre, llegó un mensaje. Llegó un mensaje proveniente de un grandioso y hermoso país: Venezuela.

A lo que el entrevistador me preguntó: «¿Y cuál será tu próximo reto?».

Así es el mundo. No te invita a disfrutar, a vivir, a entender siquiera las profundidades de lo que haces, sino a sumergirte en un automatismo, en una constante adoración de los resultados sin vivir los procesos. Estaba realmente agotado, sin fuerzas. Entonces jugué con la respuesta.

—¿Y cuál será tu próximo reto?

—Mi próximo reto será quitarme los zapatos.

Todo el mundo lanzó la carcajada, pero además estaban asombrados de que yo pudiera pensar y responder eso. La entrevistadora, muy profesional y con todo el cariño, jugó conmigo también. Transmitió su emoción como gran testigo de una prensa que siempre nos ha dado su apoyo y respaldo, aunque ese día, por circunstancias superiores a muchos, no pudo llegar. Además, ¿quién iba a creer que de verdad yo iba a llegar?

Volví a conectarme con el momento. Entendí que era responsable de algo que no sabía muy bien de qué se trataba. Toda esa gente que me esperaba lo hacía por algo. ¿Qué era aquello? ¿Qué se despertaba en aquello? Sin duda lo mismo que despertaba en nosotros: un mensaje de posibilidad infinita. Entonces agradecí a todos y les hablé de la importancia de soñar en la vida, de movernos por un gran sueño.

Las caras, los rostros, el llanto, la emoción, hablaban de algo que yo todavía no entendía. Yo no conocía la magnitud de lo que había pasado. No sabía que había casi dos millones de pantallas conectadas a esa llegada, miles de corazones que latían a la misma frecuencia de nuestros pasos, familias abrazadas que lloraban por lo que quizá antes de eso era imposible. Lo que sí sabía es que habíamos terminado un sueño, pero no sabía lo que estaba comenzando dentro de cada quien.

Entonces me sumergí en ese mosaico de rostros, y me sumergí para tratar de conectar con el corazón de cada uno. De ahí surgieron las palabras que dije.

Me ofrecieron una silla de ruedas, pero yo dije: «No, no. Yo estoy caminando bien». Y con Galo me fui caminando adonde tenía que ir.

Viví esa llegada de una manera muy distinta a como la vivieron todos los demás. Terminó en una gran explosión, como si cada ser humano se hubiera convertido en un fuego artificial y lanzó al cielo su chispa y el cielo se la devolvió.

Nunca, nunca pensé en lo que ocurriría al día siguiente o lo que había pasado ese día. Recuerdo que mi pensamiento en ese instante estaba centrado en cumplir con aquellos que habían apostado por mí, incluyéndome, incluyendo a Dios, que quizá fue y es el gran apostador en esta historia.

La paz del guerrero

«El verdadero esfuerzo es el que nadie ve, el que simplemente se hace porque se ama, se cree y se apuesta. Nadie es testigo de ello».

Vuelvo al momento en que estoy en la línea de llegada y me dirijo a las personas que se encontraban presentes y a quienes me veían en vivo, desde sus computadoras, por *live stream*. Necesitaba honrar el propósito por el cual corrimos el maratón. Lo hicimos para la gente y por la gente. En ese sentido, quienes estaban ahí eran tan protagonistas de esta historia como nosotros. Me sentía honrado de estar con ellos. Yo era un testigo de lo que estaba pasando, no un protagonista. Gracias a todos los que participamos en esa cruzada, a todos los que estábamos reunidos en esa noche neoyorquina y, gracias a mí, el mensaje se expresó a sí mismo y nos mostró que es posible cambiar el mundo, a partir del cambio del mundo de cada quien. Nos mostró que la debilidad y la escasez no existen cuando estamos juntos, cuando somos todos y cuando el amor es más fuerte que el orgullo o el dolor. Todos éramos testigos. Quizá yo fuera el traductor de ese mensaje, y necesitaba, desde ese mensaje, hablarle a la gente. No tenía conciencia de que mis palabras estaban siendo transmitidas en vivo por internet.

Cuando terminé de hablar, la gente aplaudió. Hubo algarabía, pero pedí disculpas y me retiré. Debía seguir el protocolo de manera responsable y ponerme en manos de Óscar Flores, mi fisioterapeuta, que sería el maestro de la recuperación, que también era parte adecuada del mensaje.

Cuando me iba, vi la gente y vi la ciudad. Recordé lo que había dicho antes: Nueva York era Caracas... Por esa noche, la Gran Manzana nos había dado permiso para ser nosotros mismos y vivir a plenitud esa humanidad alborotadora que tiene nuestra tierra caribeña.

Antes de irnos, apareció otra silla de ruedas, esta vez en manos de un médico un tanto ofuscado que venía a certificar que yo estaba bien. Y no lo critico. Era la una de la mañana y, seguramente, él estaba ahí desde muy temprano, esperándome para certificar que yo había llegado bien y que la organización del maratón no tenía nada que temer con respecto a mi salud. Le di las gracias, pero rechacé tanto la silla de ruedas como el examen que quería hacerme. Yo me sentía muy bien, muy contento y no quería quitarle el toque de sueño de lo que había hecho para complacer a la burocracia. Además, era cierto: en ese instante yo seguía las indicaciones de mi fisioterapeuta, que era el responsable de mi salud y no las de un funcionario comisionado por una institución que quería protegerse de cualquier demanda en su contra si a mí me llegaba a ocurrir algo. Aun cuando llegas, siempre encontrarás testimonios de falta de fe.

Por eso cuando Óscar Flores me dijo: «Nos tenemos que ir», me despedí de la gente y nos fuimos sin mirar a los lados ni distraernos más. Eso es dignidad. Eso es amor. Eso es prestarle atención a quienes no son mero protocolo, sino que son de verdad. Y nos fuimos, poquito a poco, con el dolor que no era dolor, sino algo increíble.

Cuando llegamos a la van, me cubrí con una cobija. Quienes tenían la responsabilidad de hacerlo me arroparon mucho y me protegieron de la hipotermia que tenía.

Sentado en la van veía pasar personajes. La puerta estaba abierta. Mi hermana vino con mi sobrino, que no entendía lo que estaba pasando, pero igual me dijo: «¿Tú corriste un maratón?», y señalaba la medalla: «¡Ah, tú ganaste!». Mi cuñado llegó con mi otro sobrino dormido. Eso fue muy importante para mí, una escena hermosa.

Llegó un personaje maravilloso al que fue alucinante ver allí. Era como estar de vuelta en el mundo de la fantasía otra vez. Se trataba de Elba Escobar, una gran actriz venezolana, que llegó con una maleta.

—Elba, ¿tú qué haces acá? —yo no entendía.

Me contó que venía de presentarse en un festival y que, cuando se enteró de que aquello ocurría muy cerca de donde ella se encontraba, se fue para allá con todo y su maleta porque, muy temprano en la mañana, debía estar en el aeropuerto.

Richard, el conductor de la van, es de origen colombiano, vive en Nueva York y la verdad es que nos habíamos encariñado mucho con él. Imagínate este testimonio tan hermoso: en la tarde, Richard había ido con Dana a buscarme un té. En la noche, cuando estoy por entrar en la camioneta, me agarra, me abraza, me felicita y me enseña la mano. Estaba toda quemada. Me sorprendo y le digo:

—¿Qué te pasó?

—Es que esta tarde me tocó buscarte el té. Se derramó y me quemó la mano, pero no importa: te llegó el té, que es lo importante —ante eso, ¿qué podía decir?

Ahí me di cuenta de que debía rendirle un homenaje a quienes lo merecían. Mientras yo iba a reposar y a recuperarme, el equipo entero seguía haciendo su trabajo. Richard volvió a dar una muestra de grandeza humana.

Los muchachos no se habían quedado hipnotizados por la gloria. María Alejandra, por ejemplo, siguió trabajando en el documental. Nelly y Tamara se despidieron de toda la gente. Mientras tanto siguieron apareciendo personajes hasta que decidimos cerrar la camioneta y arrancar, luego de que, al mejor estilo venezolano, nos metimos no sé cuántas personas en la camioneta. Eso sí, todos íbamos felices porque lo habíamos logrado juntos. Estábamos en paz porque lo dimos todo.

Perla tomó algunas medallas que el maratón nos había dado en honor al esfuerzo para brindárselas a los protagonistas de la jornada: los voluntarios. Incluso a la familia De Veer que con toda humildad no querían recibirlas. Fue un conmovedor momento. Qué grandiosa muestra de organización.

Estaba en silencio, observaba, contemplaba. Vino el momento de la contemplación, vino el momento de la alegría. Llegó el momento de la sonrisa y ya. Uno ahí no necesita decir nada, solo sonreír, sonreír a la vida, al corazón, a Dios, y agradecer y bendecir a todas las personas que estaban ahí.

Cuando llegamos al apartamento, me decía: «Si llegué a la van caminando, me imagino que podré llegar al apartamento caminando». Pero resulta que no. Traté de bajarme de la camioneta pero las piernas me dijeron: «Hasta aquí llegamos», y se apagaron.

Entonces me cargaron, me montaron en una silla de ruedas, que entonces sí hizo falta. Creo que esa fue la primera vez en mi vida que yo podía decir que estaba perfectamente justificado estar en una silla de ruedas. Estaba allí en paz conmigo y con la vida.

Fue como reconciliarme con un aparato que había usado mil veces en la vida y darme cuenta de que, en ocasiones, sí tiene sentido y cabida conmigo. Creo que hasta las cosas tienen vida y merecen respeto, pero se tienen que ganar el respeto también. Ahí la silla de ruedas se ganó su respeto y yo la acepté.

Nos reíamos mucho porque todos en el equipo terminaron caminando como yo.

Por fin llegamos al apartamento. Hay que entender que yo tenía un día entero sin comer prácticamente nada. Que en todo el día no había ido al baño. Cosas impresionantes habían ocurrido. Entonces debía hacer tres cosas: comer una sopa caliente, luchar contra el frío y trabajar en mis músculos, que era la tarea en la que me ayudaría Óscar.

Los dos días siguientes viví cosas que ya había experimentado en otros momentos de mi vida, pero fue como si les hubieran quitado un velo de encima. Toda aquella experiencia hizo que me diera cuenta de muchos detalles que hablaban de un amor inmenso que se había vuelto tangible. Es como cuando uno no entiende el concepto de aire, porque no lo ve, pero sabes que está ahí porque lo respiras o porque te llega en forma de brisa, pero no lo tocas o, si lo tocas, no lo agarras.

Así somos los humanos: solo cuando tenemos algo en las manos certificamos su existencia. Sí, el aire a veces es tan denso que lo puedes tocar. En este caso el amor era tan denso y tan concentrado que sentía que lo podía agarrar con mis manos. A mi alrededor vi expresiones del amor más profundo. Expresiones que venían de todos. Lo que hicimos fue un gesto de amor y creo que así se entendió. Después me llevaron a la tina e hicimos una cosa inédita para mí: me metí en una tina de agua caliente, pero al mismo tiempo me pusieron con hielo en los pies. Una cosa de esas que al genio de Óscar se le ocurren y uno no entiende por qué lo hace, pero que tanto ayudan.

Así fue mi vida durante tres años: ejecutar sin entender. De hecho, creo que lo que más hicimos en esos tres años fue matar el entendimiento para darle paso al sentimiento y a la fe.

Óscar me atendía. No sé cuánto tiempo estuvimos en ese tratamiento, conversando... Como digo, aquello era una manifestación pura de amor. A la hora de acostarme, me acosté e hice el ritual que había llevado a cabo durante todas esas noches. Me arropé con la cobija que una gran amiga nos había bordado y, encima, coloqué la bandera de Venezuela.

Así es. En la noche que precede un evento importante en el que voy a participar me arropo con la bandera de mi país. Y esa noche en la que llegué a la meta del maratón de Nueva York también dormí cubierto con el tricolor nacional.

Ese día me acosté como a las cuatro de la mañana. En el equipo había un susto que rondaba en el aire. La gente jura que uno termina y listo, pero resulta que la vida continúa, y cuando tú haces algo grande como lo que hicimos, deben medirse las consecuencias. Teníamos que ver qué consecuencias había producido en mí el esfuerzo de ese día. Por supuesto, hacíamos énfasis en mi parte física: cómo nos íbamos a recuperar, cuán lento, cuán rápido, cuán efectivamente; qué implicaba para un cuerpo como el mío haber hecho lo que hicimos.

A las siete de la mañana, Perla entró en mi habitación con el teléfono en las manos. Era la primera llamada desde Venezuela, del programa de César Miguel Rondón, que ese día no estaba al aire porque estaba de vacaciones. Así que conversé con Sergio Novelli.

A esa hora yo no tenía idea de lo que había pasado. La entrevista era para contarme lo que había sucedido en Venezuela. Sergio me contó de un país que estaba pendiente de mí, viendo la llegada a la una y media de la mañana. Me habló de un país que se despertó con ansias de metas, de sueños, de logros.

En ese instante empecé a entender que aquello que hicimos fue mucho más grande de lo que yo pensaba. Fue muy hermoso porque Perla y yo estábamos agotados, recibiendo llamadas de medios nacionales e internacionales. La verdad, en cada una recibíamos distintas noticias y distintos testimonios de una misma experiencia. Eso me permitió comprender que aquello que yo había vivido no era lo principal de esta historia; que los verdaderos protagonistas fueron aquellos que siguieron nuestra participación en el maratón y la sintieron como suya de una manera profunda. En esas conversaciones por teléfono nos hablaban de llanto, de gimoteos, de hombres que decían: «El que no lloró anoche, no es hombre», de encuentros, de familias, de amigos que se encontraron con amigos y se encontraron con ellos mismos.

Entre las llamadas que recibí estuvo la entrevista de alguien que quiero y admiro profundamente: Érika de La Vega, quien me habló conmovida sobre cómo, a partir de ese día, nadie tenía excusas... Si alguien en este mundo no es cursi, esa es Érika. Sin embargo, en esa conversación me mostró su lado más humano y conmovedor. Se lo dije y nos reímos. Érika contó que en esa mañana todos en nuestro país estaban en su trabajo con ojeras, trasnochados pero llenos de ganas. Eso era muy distinto a lo que ocurre casi todos los días. Para mí lo más hermoso que pasó fue eso: muchos venezolanos se levantaron con una actitud distinta.

Continuaron las llamadas. Cada una era más hermosa que la otra. Eso duró quizá dos horas, hasta que por fin decidí levantarme.

La verdad es que todos teníamos un temor no expresado que consistía en ver si me podría levantar de la cama o no. Cuando puse los pies en el piso hubo un silencio como de película. Todos los que estaban en la habitación tenían los ojos en mis pies.

—Levántate poco a poco —me dijo Óscar mientras me ayudaba a incorporarme.

Yo sentía mis piernas y cuando puse los pies en la alfombra, la sentí también.

Lo que sí no aparecía por ningún lado era el dolor. Recuerdo que yo mismo me dije: «Esto no puede ser posible», y di el primer paso. Me dolía un poco la cadera, pero no era grave. Así que me atreví a dar dos, tres, cuatro pasos más.

—Puedo caminar.

—¡Hey! —exclamó Óscar—. ¿Para dónde vas tú?

—Anoche no podía dar un paso y mírame ahora.

—Sí. Muy bien, pero acabas de correr un maratón y tienes que tomártelo con calma.

Aquel mito de que el maratón me iba a debilitar fatalmente se desvaneció, y era fantástico, porque eso me permitía comprobar que lo habíamos hecho bien.

Volví a mi cuarto a descansar, como me lo pidieron Óscar y Perla. Seguí recibiendo llamadas y manifestaciones de amor de todas partes. La gente me llamaba para saber cómo me sentía y yo les contaba que estaba bien, pero que quienes de verdad se encontraban adoloridos eran los demás miembros del equipo. Eso hizo que nos riéramos e hiciéramos chistes durante todo el día. Esas risas bonitas eran una manifestación tangible del amor que nos rodeaba.

Llegó Tamara, que el día anterior había tenido un gesto que no olvidaré jamás. Ella corrió el maratón y se quedó con nosotros hasta que yo llegué a la meta. Estaba cansada y adolorida, pero tuvo el gesto de pararse muy tempranito e ir a uno de mis lugares favoritos de Estados Unidos y traerme lo que para mí era esencial: un café de Starbuck's, que no es que le vaya a hacer publicidad, pero… Me trajo un café, un yogur y un sándwich, un desayuno que me comí con todo el amor del mundo.

Este maratón estuvo lleno de gestos humanos maravillosos. Ese día fue llegando gente y todos coincidíamos, en pijamas, en mi habitación. No sé cuántas personas llegaron. Fue una cosa extrañísima. Cada uno llegaba con una computadora, revisando todo lo que estaba pasando, por internet, por las redes sociales, los periódicos, todas las noticias, todas las cosas. Todos compartíamos el agua, las noticias… Era ser parte de una buena noticia.

Nunca en la vida quise ser una mala noticia, ni siquiera para mis padres. Cuando llegué a este mundo ellos se encargaron de hacerme sentir como una buena noticia. Ser en ese momento parte de una buena noticia masiva fue trascendente, profundamente trascendente. Ver que todos los que estábamos en esa habitación formábamos parte de ella fue más bonito todavía.

Ahí estaba Dana con sus hijos, Diego, Danchi, Daniela… Dio la casualidad que aquella niña héroe, heroína, mi heroína, la gran heroína del cartelito, era la hija de un amigo de Danchi, y resulta que pudimos hablar con los padres ese día.

Fue un día mágico lleno de coincidencias. Estaba todo el equipo trabajando y celebrando a la vez.

Estaban Pedro, Federico, Romina... Ese apartamento pequeñito terminó convertido en una vecindad. Así fue todo el día. Ahí comimos, ahí contamos historias, intercambiamos anécdotas, nos reímos. Yo tenía el trabajo de recuperarme. Ese era mi trabajo.

A pesar de que podía y estaba mejor que nadie, mi trabajo consistía en recuperarme. Ya un poquito más tarde en la noche, se iba yendo la gente y recibí una visita muy particular: mi profesor Ricardo Penfold, que tenía años que no veía. Mi héroe en la universidad y que ahora, después de tantos años, me hacía su héroe. Fue muy lindo, después de tantos años, hablar desde otra perspectiva, desde la igualdad, sabiendo que, siendo él mi héroe, él había tenido su vida, sus éxitos, sus victorias, sus derrotas, igual que yo. Así somos los seres humanos. Esos son los humanos héroes, son humanos, punto, solo humanos. Fue un hermoso encuentro de humanidad. Nos contamos anécdotas y terminé ese día con el mismo humor del comienzo. Nos acostamos con ganas de levantarnos al día siguiente para seguir recuperándonos y soñar, seguir soñando.

Dentro de mí empezaba a cerrarse ese sueño para abrir otro. Porque, para mí, la vida no es lo que tienes, sino lo que haces con lo que tienes, y habíamos logrado algo para volver a soñar.

No tenía ningún sentido haber logrado nada si ese algo no permitía algo más grande todavía, y así es como vivo la vida, y así es como creo en ella y la deseo para todos.

*

Al día siguiente nos tocaba el honor de ir a CNN. En aquel momento recibimos una noticia de una persona que, por las redes sociales, había hecho comentarios de alguna manera discriminatorios hacia mí, y había desmeritado un poco el logro que habíamos alcanzado.

Yo me sentía muy tranquilo de haber hecho, previo a Nueva York, un trabajo espiritual importante. Porque eso me permitió manejar esa situación con el espíritu y no con las emociones; nuestras energías estaban concentradas en un foco y todo, todo lo que pasara nos iba a querer desviar de ese foco.

Había, además, un mensaje que cuidar. Y ese mensaje era más importante que cualquier orgullo o emoción que pudiésemos sentir. Por lo tanto aquellos comentarios no me molestaron. En esos días no estábamos contentos por nosotros, sino por lo que estaba ocurriendo con la gente. Ese comentario que, evidentemente, creó mucha polémica, era la opinión de un solo hombre; una opinión fuera de lugar, ofensiva, que además no solo me ofendía a mí, sino que ofendía mi origen judío y a mi familia, que es lo que más amo en la vida, y que hacía referencia a hechos absolutamente lejanos de la realidad. De mi padre aprendí a no dejar que nos regalen nada; todo hay que ganárselo con esfuerzo. Por ello mi alma estaba tranquila. Su ataque no tenía base de verdad, por tanto no tenía tampoco la capacidad de hacer un daño profundo. Esas ofensas no tocaban en lo más mínimo el mensaje que transmitimos dos días antes en el maratón ni las reacciones que tuvieron las personas ante esa gesta que, como he dicho, no fue solo mía, sino de mucha, muchísima gente. Entonces, desde el punto de vista emocional, aquel comentario no me afectó. Pero sí me perturbó ver que a personas muy cercanas a mí les molestase tanto que empezaron a responderle a esa persona que no era más que un hombre que tuvo su opinión y la expresó, así haya sido con intención dudosa.

Por un lado me sentí muy agradecido y emocionado de que la gente me estuviese defendiendo, pero por otro me sentí preocupado por el periodista que hizo el comentario. Cuando fuimos a CNN me preguntaron sobre el asunto. Llegamos al edificio que es, sin duda, hermoso. Las instalaciones son inmensas. Cuando fuimos a la entrevista me sentaron frente a una cámara robótica que se mueve sola y que te intimida. ¡Se mueve sola y tú estás allí solo con la cámara! Era como estar en una máquina de rayos X.

Cuando te ponen en la máquina de rayos X y te dicen «aguanta la respiración» y te dejan solo frente a una máquina que te va a hacer algo y hace un ruido y tú no entiendes cómo vincularte con eso que está pasando... Así mismo me sentí yo frente a la cámara robótica de CNN.

Entonces escuché la pregunta en el audífono y, como no veía a nadie, me costó asimilarla. La primera pregunta que me hicieron tenía que ver con este periodista que escribió sus comentarios ofensivos en las redes sociales. Pensé:

—Tengo tres años luchando por un sueño. Hicimos algo épico y bonito. La gente está hermosamente conectada, está feliz, está soñando, está respirando, está llorando de emoción porque se encontraron con su ser más profundo, ¿y me vienen a preguntar por una persona? Es una persona entre millones que respondieron muy positivamente al mensaje.

Entonces lo que me tocó fue ser más humano todavía, y defenderlo. Defenderlo, porque no puede ser que la historia de la humanidad sea eso: muchos contra uno. Entonces, si él es el diferente y él tiene una opinión, me tocaba defenderlo, porque yo siempre he sido el diferente. Si yo siempre he sido el diferente y a mí siempre me han dicho que no o me han tildado de toda clase de cosas, me tocaba defenderlo, y lo defendí a capa y espada, y le agradecí al periodista que me entrevistaba. Era Carlos Montero, un gran periodista; era un honor ser entrevistado por él. Al final hay que entenderlo todo. A él como periodista le tocaba preguntar y a mí como portavoz de un mensaje plagado de humanidad me tocaba responder. Eso no disminuye al periodista y su humanidad, así como tampoco al mensaje. La entrevista siguió y fue fantástica; fue un verdadero honor haber estado en Café CNN con todos sus anclas, a quienes quiero y admiro muchísimo.

Por todos lados nos llegaron muchas ofertas con hermosísimas intenciones. Allí es cuando no se puede perder el foco y aunque uno se sienta tentado o peor aún sepa que quienes hacen la oferta lo hacen con honestidad, ingenuidad y amor, nos tocaba entender que el maratón y su mensaje no habían terminado. Que habría que blindar la humildad y la humanidad. A veces hay que decir que no con mucho cariño y respeto para evitar dañar algo que no te pertenece, porque de eso estábamos claros. El mensaje no era nuestro; le pertenecía a un país, a sus hijos y a todos los seres humanos que quisieran adoptarlo para sí.

Así como quise llegar bien a la meta del maratón, con mi número de corredor y sin la ayuda de la silla de ruedas, de igual forma queríamos llegar de forma adecuada a nuestro país. Porque el trabajo más importante que tiene una persona es el de la humildad.

Un momento importante lo compartí con mi familia. Celebramos un almuerzo familiar en el que estuvieron todos. Mantuve a mi familia apartada de todo esto, para enfocarme. Era como separar el mensaje del confort, y mi familia era mi zona de confort. Se trataba de entender que esto era otra cosa, pues mi familia me había dado lo que me tenía que dar, y ahora me tocaba a mí representarlos y ser el representante de ese amor que me habían dado durante tantos años, a mi manera, con mi estilo y con la posibilidad única que tenía ahí. El deporte a veces tiene este tipo de sacrificios para los atletas, que deben dejar a sus familias para concentrarse en su sueño. Eso me hizo admirar mucho más a tantos deportistas.

Tuvimos un almuerzo con toda mi familia: mis tías, mis primas, mi hermano, mi mamá, mi papá, Perla y Galo. Ahí disfrutamos y pude darles el amor que no pude darles esos días. La anécdota era mi prima Alejandra, que bromeaba haciéndose pasar por «molesta» porque la había mandado a callar cuando yo casi llegaba a la meta. Y me sacaba en cara la anécdota cada cinco minutos y todo el mundo estaba muerto de la risa. Cómo la amo y cómo amo a todos los que me llamaron desde otros países o me escribían desde mi amada Venezuela. Fue una reunión muy bonita, porque siempre ha sido así, porque ellos me han apoyado como soy. Esa es mi raíz: mi familia.

Al día siguiente nos preparamos para viajar. El equipo se había dividido. Cada uno estaba terminando de hacer sus cosas. Perla y yo estábamos arreglando la agenda de la semana, porque íbamos a viajar a Caracas, e inmediatamente nos íbamos a volver a Miami para una entrevista aniversaria con Ismael Cala en CNN.

Y nos pusimos a hablar. La pregunta inevitable era: ¿cómo aportar con lo logrado? Porque el maratón no era la meta. El maratón fue una puerta hacia el mejor aporte posible con todas las facetas humanas que cada uno puede tener: la profesional, la cultural, la social. Cada respiración, cada segundo de vida, cada espacio que te provee tu existencia es una posibilidad para aportar algo de ti.

Al día siguiente nos levantamos muy temprano, con la emoción de volver a casa. Ese viaje pasó como un sueño, hasta llegar al lugar de origen y ser recibido por mi madre Venezuela, por mi amada Venezuela, y tener su medalla, su promesa cumplida y un mensaje para compartir con sus hijos.

Me sentí en paz, porque parte de mi historia vital consiste en buscar algo que ofrecerle a mi tierra. Esa es mi historia desde la tragedia de Vargas, cuando me encontraba sin nada que darle, cuando todo el mundo podía cargar cajas, podía cargar comida, podía cargar algo y yo no podía cargar nada, y no tenía nada que ofrecerle a mi patria, a mi tierra, a mi gente, que me ha hecho quien soy. En cambio, al volver a mi tierra, sentía que tenía algo de verdad que ofrecerle.

¿Qué logramos? Tener algo que ofrecer a este mundo y a este país del cual estoy hecho. Porque estoy hecho de eso: estoy hecho de arena, estoy hecho de tierra, estoy hecho de montaña, estoy hecho de playa, estoy hecho de lugares que ni siquiera he conocido, estoy hecho de tepuyes.

Esa es mi materia. Yo no soy otra cosa. Y tener algo que ofrecer es digno, es dignidad humana. El ser humano es digno cuando tiene algo que ofrecer.

En un momento en el que mucha gente habla de división del país, debo decir que yo siempre lo he visto como uno solo, un solo país que aparece cuando lo buscas en la mirada de cada persona, en el amor de cada uno, porque todos son iguales que yo, hechos de lo mismo, de playas, montañas, sabanas, llanuras y de un cielo que nos arropa a todos.

Ese día en el aeropuerto nos recibieron todos los micrófonos, todas las tendencias, todos los pensamientos y un solo sentimiento. El mensaje era muy claro: ya nosotros cruzamos la meta, ahora la meta es Venezuela, el imposible es Venezuela, el sueño es Venezuela y se compone de treinta millones de seres.

MAICKEL MELAMED 293

Venezuela es la meta, el gran equipo

«Para que haya paz, alguien tiene que dejar
de querer ganar».

Patch Adams

Es muy diferente saber por teléfono o por internet lo que puede estar pasando en Venezuela que vivirlo. Sobre todo cuando acabas de experimentar algo que quizá sea icónico en tu vida y en la vida de un país.

Nuestra llegada estuvo llena de gente agradecida que fue a recibirnos. Pero ese agradecimiento no era para nosotros. O quizá sí lo fuese. Solo que no era por haber llegado a la meta y haber demostrado que sí se puede; era un agradecimiento por haberles mostrado a quienes no se sienten útiles que sí pueden ser útiles, que sí tienen algo que aportar. Así lo sentí yo. Es decir: un ser humano que se muestra útil y sobre todo que exalta los valores, las virtudes y las cualidades de su sociedad. Eso fue lo que quisimos hacer y eso es lo que somos. Somos lo que Venezuela hizo de nosotros. Somos lo que somos porque Venezuela es como es. Yo me he llenado de esa esencia y esa esencia es la que llevamos a donde vamos. Eso es lo que particularmente representamos, y cuando me coloco la bandera encima, lo exhibo orgulloso y feliz.

Estas son las palabras que expresan cómo me sentía y me siento: feliz, orgulloso, honrado y comprometido.

Llegamos a Venezuela felices de haberla representado. La gente, en el aeropuerto, demostraba que también estaba contenta de que lo hubiéramos hecho.

El recibimiento del que fui objeto me hizo pensar en algo. Era una paradoja que un ser carente pudiera ser considerado como modelo. En alguna medida todas las sociedades tienen grandes carencias. Pero si se lograra crear, a partir de esas carencias, una aspiración, entonces estaríamos diciéndoles a las personas que podemos estar cien mil veces mejor. La paradoja de que un ser carente pudiera convertirse en un modelo implicaba que mucha gente con carencias en su vida —no solo carencias materiales, sino emocionales, afectivas o psicológicas— podría identificarse con ese modelo.

Lo que más me sorprendió al llegar al aeropuerto fue la multitud. En ella pude ver la diversidad. Ahí vi a todo el país representado en sus medios de comunicación públicos y privados. Ver esos micrófonos me habló de un país al que amo, un país maravilloso, al que me debo y al que le traíamos una medalla, una medalla cuyo brillo refleja la grandeza que hay dentro de cada venezolano y de cada ser humano.

En el aeropuerto percibí al país unido y lo percibí, por ejemplo, en cada visita que más tarde hice a los medios de comunicación. En todas partes me recibieron de manera armoniosa.

A los pocos días de nuestra llegada, visitamos a Héctor Rodríguez, ministro del Deporte. Fuimos a honrar a la institución y a agradecerle su gesto de estar pendiente de mí y de todo el equipo, al llamarnos a Nueva York esa noche. Fue un gesto muy humano que se repetiría en nuestra conversación.

De la misma manera, visitamos a Lorenzo Mendoza y a su familia. Asistimos a un homenaje que organizó Empresas Polar, una organización insigne en Venezuela y representante de nuestra excelencia nacional, en un auditorio donde había unas dos mil personas.

Tanto en el Ministerio como en Empresas Polar hablamos de deporte, de logros, de sueños, de triunfos. Hablamos de agradecer. Porque no fuimos a exhibir nada. Fuimos a todos los lugares donde fuimos a dar las gracias y a llevar algo que es del país. Porque vinimos de Nueva York con algo que es de cada uno de los venezolanos: la posibilidad de ser grandes como individuos y como país. Vinimos con el corazón inflado por ser venezolanos, sintiendo amor por cada uno de los miembros de esta gran familia.

*

Las sociedades se construyen desde el individuo. Cada quien debe darse cuenta de que forma parte de una sociedad. Cada individuo puede aportar a esa sociedad, así como cada país puede aportar al mundo, para al finar vernos todos como lo que somos: una misma humanidad.

Así como aquel equipo se posó frente a mí para tapar al viento, y exhibió su máximo potencial, cada país puede hacer lo mismo, cada individuo puede hacer lo mismo; cada familia, cada institución, cada empresa, cada organismo. Somos organismos vivientes hechos de organismos vivientes. Eso es lo que somos al final. Cada ser humano tiene millones de células vivas que lo forman y lo constituyen. Cada ser humano es un organismo viviente, una célula que vive en una sociedad, y una sociedad es un organismo viviente que vive dentro de un mundo. Nosotros representamos esa posibilidad, desde lo más pequeño hasta lo más grande.

Pude contemplar a un país en cada individuo, a un país en cada corazón, a un país en cada mirada, a un país en cada sonrisa, a un país en cada esperanza, a un país en cada deseo y en cada sueño. Y esa posibilidad, supongo, hace sentir orgullosos a todos aquellos que pueden aportar a su sociedad, desde su familia, su comunidad, su trabajo, sus creencias.

Fuimos a visitar a Maite y a Douglas, a Raúl y a Gerardo, que fueron pilares fundamentales de esta empresa. Queríamos llevarles la medalla a quienes también se lo merecían; agradecerles, llevar la noticia por doquier, mostrarles que su apoyo no había sido en vano.

Creo que en eso consiste esta historia: en que grandes sueños implican grandes seres humanos. Todo es posible en la infinita capacidad humana de amar y compartir su existencia con otros y para otros.

Recuerdo un momento especial en el apartamento de Perla, donde se había reunido todo el equipo a celebrar lo que habíamos logrado juntos. Esa noche lloramos, nos reímos, oímos discursos, intercambiamos anécdotas, dimos las gracias. Cuando ya la algarabía grande había pasado y la gente estaba recogiendo sus cosas, Perla, Alberto y yo nos encontramos cerca de la puerta del apartamento. Ahí ocurrió una escena muy particular que pareció un *déjà vu* permanente.

Con la mirada, nada más con la mirada, Alberto y yo nos comunicamos. Era como si existiera una dimensión paralela en la que él y yo habláramos.

Perla está ahí junto a nosotros; nos ve «hablando»; observa nuestras risas. Su mirada es de susto y emoción a la vez, porque ella sabe que estamos tramando algo. De pronto, pregunta:

—Bueno, ¿qué vamos a hacer?

—Ya está listo —responde Alberto.

—¡Claro que está listo! —exclamo yo.

Y ella, con su mirada cómplice pero asustada, dice:

—Qué bueno porque si no lo decían ustedes lo iba a decir yo.

Los tres, entre miradas suspicaces y apasionadas, ya empezamos a configurar lo que sería un nuevo amanecer para este destino, para esta aventura llamada vida.

Un mundo paralelo transcurría, y en nuestro pequeño mundo de cómplices un nuevo sueño se incubaba para compartirlo. Era un escenario perfecto y clásico que cerraba un capítulo y abría otro en el que teníamos y tenemos algo que ofrecer. Teníamos y tendremos algo que decir, y seguiremos diciéndolo con nuestras vidas y nuestras acciones. Pero eso quizá será parte de otra historia.

Álbum

Tarima 7K UNICEF. De izquierda a derecha: Albi De Abreu, Alejandro Cañizales, Zoraya Villareal, Maickel Melamed y Pedro Mora. (Caracas, 29/11/2009. Foto: Iván González).

Entrenamiento en piscina. Izquierda, Maickel Melamed; derecha: Óscar Flores. (Caracas, 10/03/2010. Foto: Leo Ramírez).

Gatorade, primera válida. (Caracas, 2010. Foto: Iván González).

Gatorade, segunda válida. Izquierda, Maickel Melamed; derecha: Perla Sananes.
(Caracas, 11/04/2010. Foto: Leo Ramírez).

Gatorade, segunda válida. La gente y su impulso, el para qué de todo. (Caracas, 11/04/2010. Foto: Leo Ramírez).

Gatorade, segunda válida. De iquierda a derecha: Maickel Melamed, Pedro Martín y Perla Sananes. (Caracas, 11/04/2010. Foto: Leo Ramírez).

Gatorade, segunda válida. En el asfalto todos somos iguales. (Caracas, 11/04/2010.
Foto: Leo Ramírez).

Entrenamiento en piscina. (Caracas, 21/07/2010. Foto: Leo Ramírez).

Media Maratón de Miami. (Miami, 01/02/2011. Foto: Romina Hendlin).

Media Maratón de Miami. Cruzando el puente a la altura del km 17. De izquierda a derecha: Gustavo Reggio, Pedro Martín, Maickel Melamed y Federico Pisani. (Miami, 01/02/2011. Foto: Romina Hendlin).

Llegada Media Maratón de Miami con mis sobrinos y hermana. De izquierda a derecha: Jeremy, Maickel, Nathan, Perla y Maritza. (Miami, 01/02/2011. Foto: Romina Hendlin).

Llegada Media Maratón de Miami. De izquierda a derecha: Federico Pisani, Maickel Melamed y Daniela Blank. (Miami, 01/02/2011. Foto: Romina Hendlin).

LLegada Media Maratón de Miami. De izquierda a derecha: Maickel Melamed, Arianna Arteaga y Federico Pisani. (Miami, 01/02/2011. Foto: Romina Hendlin).

Recuperación después de la Media Maratón de Miami. (Miami, 01/02/2011. Foto: Romina Hendlin).

Entrenamiento. Izquierda, Óscar Flores; derecha, Maickel Melamed. (Caracas, 15/09/2011. Foto: Romina Hendlin).

El cariño de la gente. Recibiendo los aplausos de los corredores de la carrera 21K de Plaza's. Ese mismo día hice 26KM como parte del entrenamiento para correr el maratón de NY 2011. (Caracas, 18/09/2011. Foto: Romina Hendlin).

Despedida en casa de Perla Sananes antes de partir para el Maratón de Nueva York. De izquierda a derecha: Alberto Melamed (mi papá), Perla Sananes y Maickel Melamed. (Caracas, 20/10/2011. Foto: Iván González).

Despedida en casa de Perla Sananes antes de partir para el Maratón de Nueva York. Arriba, de izquierda a derecha: Jorge Mirada, Wanda Salamanqués, Perla Sananes, Alberto Melamed (mi papá), Alberto Camardiel, Maickel Melamed, Carola Castillo, Tamara Kassab, Gabriela Valladares, Uberto Brunicardi, Bélgica Álvarez y José Manuel Díaz; abajo, de izquierda a derecha: Lago Baroni, Marcos Blanco, Iván González, Pedro Martín, María Cristina Rincón, Patricia Pacha Vegas, María Alejandra Guerrero, Frida Ayala y Galo Bermeo. (Caracas, 20/10/2011. Foto: Iván González).

Entrenamiento previo al Maratón de Nueva York. De izquierda a derecha: Perla Sananes, Maickel Melamed y Federico Pisani. (Ciudad de Nueva York, 30/10/2011. Foto: Romina Hendlin).

Último entrenamiento previo al Maratón de Nueva York. De izquierda a derecha: Galo Bermeo, Gustavo Regio, Federico Pisani, Maickel Melamed, Perla Sananes, Óscar Flores y Frida Ayala. (Ciudad de Nueva York, 03/11/2011. Foto: Romina Hendlin).

Foto con los venezolanos en la ExpoFeria previa al Maratón de Nueva York. (Ciudad de Nueva York, 04/11/2011. Foto: Romina Hendlin).

ExpoFeria previa al Maratón de Nueva York. Izquierda, Perla Sananes; derecha: Maickel Melamed. (Ciudad de Nueva York, 04/11/2011. Foto: Romina Hendlin).

Reconocimiento por parte de la primera dama de República Dominicana. Izquierda, Margarita Cedeño de Fernández; derecha: Maickel Melamed. (Ciudad de Nueva York, 04/11/2011. Foto: Romina Hendlin).

Familia Melamed un día antes del Maratón de Nueva York. De izquierda a derecha: Nathan, Maritza, Alberto, Jeremy, Maickel, Benny Schoenfeld, Maritza y Carlos Melamed. (Ciudad de Nueva York, 05/11/2011. Foto: Romina Hendlin).

El equipo es la familia extendida. De izquierda a derecha: Frida Ayala, Dana Riess, Pedro Martín, Ilan Riess, Arianna Arteaga, Alberto Melamed, Carlos Melamed (mi hermano), Benny Schoenfeld, Nelly Guinand, Maritza Trujillo de Melamed (mi mamá), Josué Rivas, Perla Sananes, Maritza Melamed (mi hermana), Gustavo Regio, Óscar Flores, Patricia Pacha Vegas, Federico Pisani, Galo Bermeo, María Alejandra Guerrero y Romina Hendlin en el espejo. (Ciudad de Nueva York, 05/11/2011. Foto: Romina Hendlin).

Todo listo para el gran día. (Ciudad de Nueva York, 05/2011. Foto: Romina Hendlin).

Madrugada del Maratón de Nueva York. De izquierda a derecha: Perla Sananes, Maickel Melamed y Federico Pisani. (Ciudad de Nueva York, 06/11/2011. Foto: Romina Hendlin).

Primeros kilómetros del Maratón de Nueva York. De izquierda a derecha: Perla Sananes, Maickel Melamed y Federico Pisani. (Ciudad de Nueva York, 06/11/2011. Foto: Romina Hendlin).

Revisando mi estado físico después de la caída en el kilómetro 21, Maratón de Nueva York. De izquierda a derecha: Perla Sananes, Federico Pisani, Maickel Melamed y Óscar Flores. (Ciudad de Nueva York, 06/11/2011. Foto: Romina Hendlin).

Recorrido Maratón de Nueva York. De izquierda a derecha: Perla Sananes, Maickel Melamed y
Federico Pisani. (Ciudad de Nueva York, 06/11/2011. Foto: Romina Hendlin).

Rompe viento humano, ilómetro 41 del Maratón de Nueva York. De frente y de izquierda a derecha: Patricia Pacha Vega, Óscar Flores, Alberto Camardiel y Federico Pisani. De espalda y de izquierda a derecha: Maickel Melamed y Perla Sananes. (Ciudad de Nueva York, 06/11/2011. Foto: Romina Hendlin).

A pocos metros de la meta. Maratón de Nueva York. De izquierda a derecha: Nelly Guinand, Federico Pisani, Maickel Melamed y Perla Sananes. Ciudad de Nueva York, 06/11/2011. Foto: Romina Hendlin).

Cruzando la meta del Maratón de Nueva York, un gran sueño hecho realidad. De izquierda a derecha: Perla Sananes, Maickel Melamed, Pedro Martín y Alberto Camardiel. (Ciudad de Nueva York, 06/11/2011. Foto: Romina Hendlin).

Llegada a la meta del Maratón de Nueva York. El respeto a los padres. De espalda y de izquierda a derecha: Alberto Melamed y Maritza Trujillo de Melamed. De frente: Maickel Melamed. (Ciudad de Nueva York. 06/11/2011. Foto: Romina Hendlin).

Rueda de prensa luego de llegar de Nueva York. De izquierda a derecha: Johnny Vásquez, Galo Bermeo, María Alejandra Guerrero, Tamara Kassab, Braulio Rodríguez, Maickel Melamed, Perla Sananes, Jorge Miranda, Carolina Diva, José Manuel Díaz, Bélgica Álvarez, Iván González, Wanda Salamanqués y Baudi Dávila. (Caracas, 08/12/2011. Foto: Iván González).